Harry Potter

and the
Chamber of Secrets

HARRY POTTER

비밀의 방

J.K. 롤링 지음 | **김혜원** 옮김

문학수첩

막다른 길에 몰렸을 때 살길을 터주고

험난할 때 친구가 되어준

션 P.F. 해리스에게

HARRY POTTER

비밀의 방

제 **1** 장

최악의 생일

처음은 아니었지만, 프리벳 가 4번지의 아침 식사 시간은 말다 툼으로 떠들썩했다. 버논 이모부가 조카 해리의 방에서 이른 아침 부터 시끄럽게 울어 대는 부엉이 소리 때문에 잠에서 깬 것이다.

"이번 주만도 벌써 세 번째다!" 그가 식탁을 앞에 두고 고함을 질렀다. "저 부엉이를 조용히 시키지 못할 거면, 당장 내다 버려!"

그러나 해리는 다시 한 번 해명하려고 애썼다.

"*심심해서 그래요.* 밖에서 마음대로 날아다니다가 집에만 갇 혀 있으니까 저러는 거라고요. 밤에만이라도 내보내면……."

"내가 멍청이인 줄 아냐?" 버논 이모부가 달걀 프라이가 조금 매달린 텁수룩한 콧수염을 들이대며 호통을 쳤다. "저 부엉이를 내보냈다간 어떤 일이 벌어질지 안 봐도 뻔해."

그는 아내 페투니아와 비밀스러운 눈길을 나눴다.

해리는 다시 설득해 보려고 말을 꺼냈지만 그의 말은 더즐리 부부의 아들 두들리의 시끄럽고 긴 트림 소리 때문에 들리지 않았다.

"베이컨 더 줘."

"프라이팬에 더 있단다, 애야." 페투니아 이모가 뚱보 아들을 눈물이 그렁그렁한 눈으로 바라보며 말했다. "집에 있는 동안 잘 먹여야지…… 학교 음식이 영 시원치 않아서 말이야……"

"말도 안 되는 소리 말아요, 페투니아. 내가 스멜팅에 있을 때는 굶주린 적이 한번도 없었다고." 버논 이모부가 힘차게 말했다. "두들리는 먹고 싶은 만큼 충분히 먹을 거야. 그렇지 않니, 애야?"

식탁 의자 옆으로 엉덩이가 축 늘어질 정도로 살이 뒤룩뒤룩 찐 두들리가 씩 웃으며 해리 쪽으로 고개를 돌렸다.

"프라이팬 좀 이리 줘."

"너 주문을 까먹었구나." 해리가 불쑥 말했다.

이 간단한 말 한마디가 더즐리 가족에게 미친 영향은 엄청났다. 두들리는 부엌을 뒤흔들 것 같은 굉장한 소리를 내며 의자에서 쿵 떨어졌고, 더즐리 부인은 비명을 지르며 손으로 입을 막았으며, 더즐리 씨는 흥분해서 핏대를 세우며 벌떡 일어났다.

"제 말은 '주세요'라고 하라는 뜻이었어요!" 해리가 얼른 고쳐 말했다. "저는 그런 뜻이 아니……."

"내가 말했지." 버논 이모부가 식탁 너머로 침을 튀기며 큰 소리로 말했다. **"우리 집에서 마법의 '마'자도 꺼내지 말라고!"**

"하지만 전……."

"네가 어떻게 감히 두들리를 협박해!" 버논 이모부가 주먹으로 식탁을 쾅 치며 소리소리 질렀다.

"저는 그저……."

"내가 분명히 경고했지! 이 지붕 밑에서는 너의 비정상적인 말과 행동을 내버려 두지 않겠다고!"

해리는 이모부의 시뻘건 얼굴과 두들리를 일으켜 세우는 이모의 창백한 얼굴을 번갈아 바라보았다.

"알았어요." 해리가 말했다. "알았다고요……."

숨찬 하마처럼 헐떡이던 버논 이모부는 작고 날카로운 눈으로 해리를 흘금흘금 바라보며 자리에 다시 앉았다.

해리가 여름방학에 지내려고 이 집에 온 뒤로, 버논 이모부는 해리가 보통 아이가 아니라는 이유로 그를 마치 언제 폭발할지 모르는 폭탄처럼 대해 왔다. 사실, 해리는 평범한 아이는 아니었다.

해리 포터는 마법사였다. 그것도 호그와트 마법학교에서 첫 1년을 보내고 막 돌아온 마법사였다. 그러나 더즐리 가족이 해리가 방학을 보내기 위해 다시 돌아온 것을 아무리 못마땅하게 여긴다 해도, 어쩔 수 없이 이곳으로 돌아와야만 했던 해리가 느끼는 것에 비하면, 아무것도 아니었다.

그는 호그와트가 몹시 그리웠다. 유령들이 돌아다니고 여기저기에 비밀 통로가 있는 성도 그리웠고 마법 수업들과(마법의 약 제조법 교수인 스네이프는 제외하고) 부엉이가 배달해 주는 우편물과 연회장에서 먹는 맛있는 음식도 그리웠다. 친구들과 함께 지내던 그리핀도르 탑의 기숙사 방도 그리웠고 정원의 금지된 숲 옆 오두막에 사는 사냥터지기 해그리드도 그리웠다. 그리고 무엇보다도, 마법사 세계에서 가장 인기 있는 스포츠인 퀴디치(여섯 개의 높은 골대와 날아다니는 네 개의 공과 빗자루를 탄 열네 명의 선수로 구성된 스포츠 게임)가 그리웠다.

버논 이모부는 해리가 집에 오자마자 마법 책과 요술지팡이와 망토와 큰 냄비와 최고급의 님부스 2000 빗자루를 계단 밑 벽장 속에 넣고 자물쇠를 채워 버렸다. 해리가 여름방학 내내 연습을 하지 않아 기숙사 퀴디치 팀에서 쫓겨난들 더즐리 가족에게 무슨 상관이겠는가? 해리가 방학 숙제를 하나도 하지 못하고 학교로 돌아간들 더즐리 가족에게 무슨 상관이겠는가? 더즐리 가족은 마법사들이 머글(마법사의 피가 한 방울도 섞이지 않은 사람)이라고 부르는 사람들이었고, 가족 중에 마법사가 있다는 걸 세상에서 가장 치욕스러운 일로 여기고 있었다. 버논 이모부는 심지어 해리의 부엉이 헤드위그가 마법사 세계의 누군가에게 이 사실을 알리기라도 할까 봐 새장에 가두어 잠가 버리기까지 했다.

해리는 전혀 그 가족의 일원 같지 않았다. 목이 보이지 않을 정도로 뚱뚱한 체구에 유별나게 까만 콧수염을 기른 버논 이모부, 말처럼 긴 얼굴에 비쩍 마른 페투니아 이모, 금발에 돼지처럼 살이 뒤룩뒤룩 찐 두들리. 그렇지만 해리는 작고 마른 체구에 갸름한 얼굴 그리고 항상 흐트러져 있는 까만 머리와 초록빛 눈을 가진 아이였다. 그는 동그란 안경을 꼈으며, 이마에는 가느다란 번개 모양의 흉터가 나 있었다.

마법사들에게조차 해리가 특별나 보이는 건 바로 이 흉터 때문이었다. 해리가 11년 전에 더즐리 가족의 현관 앞에 놓여야 했던 건, 그의 알 수 없는 과거의 유일한 흔적인 바로 이 흉터 때문이었다.

한 살 때, 해리는 마녀와 마법사들 대부분이 그 이름조차 꺼내길 두려워하는 어둠의 마왕 볼드모트의 저주를 받고도 살아남았다. 해리의 부모는 볼드모트의 공격으로 돌아가셨지만, 해리는 번개 모양의 흉터만 남긴 채 그 저주에서 벗어났다. 그리고 그 이유는 아무도 알지 못했지만, 볼드모트는 해리를 죽이는 데 실패하자 흔적도 없이 사라져 버렸다.

해리는 돌아가신 어머니의 언니 부부에게 맡겨졌다. 그는 10년 동안 자신이 왜 뜻하지도 않았던 이상한 일들을 계속 일으키는 건지도 전혀 모른 채, 그저 교통사고로 부모님이 돌아가셨고 이 흉터도 그때 생긴 거라는 더즐리 가족의 이야기만 믿고 살았다.

그리고 정확히 1년 전, 해리 앞으로 호그와트 마법학교에서 편지가 날아오면서 모든 사실이 밝혀지게 되었다. 해리는 자기가 누구며 이 흉터가 어떻게 생긴 건지 모두 잘 아는 마법사 학교에 입학하게 되었다……. 하지만 학기가 끝나자, 여름방학 동안 더즐리 가족에게로 다시 돌아와 또다시 어딘지 더러운 냄새가 나는 곳에서 뒹굴었다가 온 개처럼 취급받고 있었다.

더즐리 가족은 오늘이 해리의 열두 번째 생일이라는 것조차 기억하지 못하고 있었다. 물론, 큰 기대를 했던 건 아니었다. 그들은 늘 케이크는커녕, 아주 작은 선물 하나 해 준 적 없이 완전히 무시해 버리기 일쑤였으니까……

이 순간에, 버논 이모부가 거드름을 피우며 목을 가다듬더니 말했다. "자, 모두 알다시피, 오늘은 매우 중요한 날이다."

해리는 도저히 믿을 수 없다는 표정으로 이모부를 쳐다보았다.

"오늘은 내가 사상 최대의 거래를 하는 날이 될 것이다."

해리는 다시 토스트를 먹었다. 그러면 그렇지. 그는 씁쓸하게 생각했다. 그 따분한 디너파티 얘기군. 버논 이모부는 2주 동안 그 이야기만 늘어놓고 있었다. 어떤 부자 건축업자 부부가 저녁 식사를 하러 오는데, 버논 이모부는 그가 엄청난 양의 물건을 주문할 거라고 잔뜩 기대하고 있었다(버논 이모부의 회사는 드릴을 만들었다).

"마지막으로 계획을 한 번 더 점검해 봐야 할 것 같군." 버논 이모부가 말했다. "8시에는 모든 게 준비되어 있어야 해. 페투니 아, 당신은?"

"거실에 있을 거예요." 페투니아 이모가 그의 말이 떨어지기가 무섭게 말했다. "우리 집에 온 걸 무척 환영한다는 뜻으로 상냥 하게 웃을 준비를 하고 말이죠."

"좋아, 좋아. 그리고 두들리는?"

"난 기다리고 서 있다가 문을 열어 드릴 거예요." 두들리가 구 역질 나는 거짓 웃음을 지으며 말했다. "외투를 이리 주세요, 메 이슨 아저씨, 메이슨 아줌마."

"그들이 우리 아들을 *마음에 쏙 들어* 하겠어요!" 페투니아 이 모가 기뻐하며 외쳤다.

"잘했다, 두들리." 버논 이모부가 말했다. 그러고는 해리에게 로 휙 돌아섰다. "그러면 *넌?*"

"저는 이곳에 없는 것처럼 소리 없이 제 방에 있을 거예요." 해 리가 억양 없이 단조로운 어투로 말했다.

"바로 그거야." 버논 이모부가 거칠게 말했다. "난 그들을 거 실로 안내해서, 페투니아 당신을 소개하고 그들에게 음료를 따 라 줄 거야. 8시 15분이 되면……."

"저는 저녁 식사 준비가 다 되었다고 알릴 거예요." 페투니아 이모가 말했다.

"그러면, 두들리, 넌 이렇게 말해야겠지……."

"식당으로 가시죠, 메이슨 아줌마." 두들리가 보이지도 않는 여인에게 살진 팔을 내밀며 말했다.

"어쩌면 저렇게 신사다울까!" 페투니아 이모가 코를 훌쩍거리며 말했다.

"그러면 *너?*" 버논 이모부가 해리에게 심술궂게 말했다.

"저는 이곳에 없는 것처럼 소리 없이 제 방에 있을 거예요." 해리가 느릿느릿 말했다.

"바로 그거야. 자, 저녁 식사를 할 때 몇 가지 그럴듯한 찬사의 말을 집어넣어야겠는데. 페투니아, 뭐 좋은 거 없을까?"

"메이슨 씨, 버논이 그러는데 골프를 *아주 잘 치신다면서요?* 메이슨 부인, 그 옷은 어디서 사셨어요? 너무나 멋져 보이네요……."

"완벽해……. 두들리?"

"이렇게 하면 어때요? '메이슨 아저씨, 학교에서 우리의 영웅에 대한 글을 썼는데요, 저는 *아저씨에 대해 썼어요*'라고요."

해리와 페투니아 이모 모두 큰 충격을 받았다. 페투니아 이모는 와락 눈물을 터뜨리며 아들을 껴안았지만, 해리는 웃는 걸 보이지 않으려고 식탁 밑으로 머리를 숙였다.

"그러면 넌?"

해리는 웃지 않으려고 애써 정색을 하며 얼굴을 들었다.

"저는 이곳에 없는 것처럼 소리 없이 제 방에 있을 거예요." 그가 말했다.

"아주 잘했어." 버논 이모부가 힘차게 말했다. "메이슨 부부는 너에 대해 아무것도 모르고 있으니까 계속 그렇게 해야 해. 저녁 식사가 끝나면, 페투니아 당신은 메이슨 부인을 다시 거실로 모셔서 차를 대접하고, 난 드릴에 대한 사업 얘기를 본격적으로 꺼내는 거야. 운만 좋으면 10시 뉴스가 시작되기 전에 거래를 성사시킬 수 있을 거야. 그러면 내일쯤 우린 신 나게 쇼핑을 하고 있겠지. 마조르카의 휴양지로 떠날 준비를 하면서 말이야."

그러나 해리는 전혀 신 나지 않았다. 마조르카에 있다고 해서 더즐리 가족이 그를 프리벳 가에서보다 더 잘 대해 줄 거라는 생각이 들지 않았기 때문이다.

"좋아……. 난 시내에 가서 두들리와 내가 입을 턱시도를 빌려오겠어. 그리고 넌." 그가 해리에게 고함쳤다. "네 이모가 청소하는 동안 바깥에 나가 있어라."

해리는 뒷문으로 나갔다. 구름 한 점 없는 화창한 날이었다. 그는 잔디밭을 가로질러 정원 벤치에 털썩 주저앉아 속으로 노래를 불렀다.

"내 생일 축하합니다……. 내 생일 축하합니다……."

생일 카드나 생일 선물은커녕, 해리는 바로 자신의 생일날에

자기라는 존재가 없는 듯이 보내야 할 것이다. 그는 비참한 마음으로 울타리를 물끄러미 바라보았다. 너무나도 외로웠다. 호그와트보다도, 퀴디치보다도, 단짝 친구들인 론 위즐리와 헤르미온느 그레인저가 몹시 그리웠다. 그러나 그 애들은 해리의 안부가 전혀 궁금하지 않은 것 같았다. 론은 해리에게 자기 집에 놀러 오라는 말까지 해 놓고, 여름방학 내내 편지 한 통 없었다.

해리는 마법을 써서 헤드위그의 새장을 열고 론과 헤르미온느에게 편지를 보낼까도 생각해 보았지만, 그건 너무 위험한 일이었다. 미성년 마법사들은 학교 밖에서 마법을 쓰지 못하게 되어 있었던 것이다. 그러나 해리는 더즐리 가족에게 이 사실을 말하지 않았다. 그들이 *해리*를 요술지팡이와 빗자루와 함께 계단 밑 벽장 속에 가두지 않았던 건, 혹시나 해리가 마법을 부려 자신들을 쇠똥구리로 만들어 버리지나 않을까 하는 두려움 때문이라는 걸 해리는 너무나 잘 알고 있었다. 지난 첫 두 주 동안, 해리는 말도 안 되는 주문을 중얼거려 두들리가 그 뚱뚱한 몸으로 방에서 쏜살같이 도망치는 모습을 보며 즐거워했다. 하지만 론과 헤르미온느에게서 오랫동안 아무 소식이 없자 마법 세계에서 떨어져 나온 것 같은 기분이 들어, 이제는 두들리를 놀리는 것도 별로 재미가 없었다. 더욱이 론과 헤르미온느는 그의 생일까지도 까맣게 잊고 있었다.

호그와트에서 연락만 온다면 무슨 짓이든 할 수 있을 것 같았다. 누구라도 좋았다. 해리는 자신의 기억이 꿈이 아니라는 것을 확인할 수만 있다면, 심지어 정말 밉상인 드레이코 말포이를 본다 해도 기쁠 것 같았다…….

물론 호그와트에서 보낸 1년이 언제나 재미있었던 것만은 아니었다. 마지막 학기 말에, 해리는 볼드모트와 마주쳤다. 볼드모트는 갓난아기였던 해리 때문에 힘이 약해지기는 했어도, 여전히 무섭고 여전히 교활했으며 여전히 힘을 회복하려고 애쓰고 있었다. 해리는 또 한 번 볼드모트의 마수에서 아슬아슬하게 벗어나긴 했지만, 몇 주가 지난 지금도, 밤마다 식은땀에 흠뻑 젖은 채로 잠에서 깨어나 볼드모트의 격노한 얼굴과 커다랗고 무시무시한 눈을 떠올리며 공포에 떨곤 했다.

갑자기 해리는 정원 벤치에 똑바로 앉았다. 아무 생각 없이 멍하니 바라보고 있던 울타리에서 *뭔가가 그를 빤히 쳐다보고 있었다. 나뭇잎 사이로 커다란 초록빛 눈동자 두 개가 보였다.*

해리가 소스라치게 놀라 벌떡 일어섰을 때, 잔디밭에서 조롱하는 듯한 목소리가 들려왔다.

"난 알지, 난 알지, 오늘이 무슨 날인지, 난 알지." 두들리가 노래를 부르며 그에게로 뒤뚱뒤뚱 걸어왔다.

그러자 그 커다란 눈동자가 몇 번 깜박거리더니 어디론가 사라졌다.

"뭐라고?" 해리는 그 눈동자가 있었던 곳에서 눈을 떼지 않고 말했다.

"난 오늘이 무슨 날인지 안다고." 두들리가 그에게로 바짝 다가서며 말했다.

"좋겠다." 해리가 말했다. "이제야 오늘이 무슨 요일인지 알게 되어서."

"오늘은 바로 *네 생일이야.*" 두들리가 비웃으며 말했다. "어떻게 카드 한 장 못 받았니? 그 괴상한 곳에는 친구가 하나도 없나 보지?"

"우리 학교에 대해 말했다간 네 엄마에게 혼날걸." 해리가 냉정하게 말했다.

두들리가 살진 엉덩이 밑으로 흘러내리는 바지를 끌어올렸다.

"왜 울타리를 멍하니 바라보고 있니?" 그가 수상쩍다는 듯이 물었다.

"울타리에 불을 지르는 가장 좋은 주문이 무엇일까 생각하던 중이었어." 해리가 말했다.

그러자 두들리의 그 피둥피둥한 얼굴이 금방 겁먹은 표정으로 변하더니 뒷걸음질 치기 시작했다.

"넌 그…… 그럴 수 없을걸……. 아빠가 네게 마법을 부리면 안 된다고 하셨잖아……. 넌 집에서 쫓겨날 거야……. 그리고 넌 달리 갈 곳도 없잖아……. 널 데려갈 *친구*도 하나 없고……."

"*지거리 포커리!*" 해리가 사나운 목소리로 말했다. "호쿠스 포쿠스…… 스퀴글리 위글리……."

"**어어어, 엄마!**" 두들리가 집으로 줄행랑을 치다가 발이 걸려 넘어지며 울부짖었다. "**어어, 엄마! 해리가 그걸 하고 있어요!**"

해리는 자신을 놀렸던 두들리에게 보란 듯이 앙갚음을 해 주었다. 두들리도 울타리도 모두 무사했으므로, 페투니아 이모는 해리가 정말로 마법을 부린 게 아니라는 걸 알았지만, 그럼에도 그녀가 비누투성이 프라이팬으로 해리의 머리를 세게 때리려는 바람에, 그는 머리를 홱 숙여야 했다. 그 뒤 페투니아 이모는 일을 다 끝마칠 때까지는 절대로 밥을 주지 않겠다는 엄포를 놓고 해리에게 집안일을 잔뜩 시켰다.

두들리가 빈둥거리며 해리를 지켜보면서 아이스크림을 먹는 동안, 해리는 창문을 닦고 세차를 하고 잔디를 깎고 정원을 손질하고 장미 가지를 치고 물을 주고 정원 벤치에 페인트칠을 다시 했다. 머리 위에서 내리쬐는 뜨거운 햇살이 목덜미를 태웠다. 해리는 두들리의 술수에 걸려들지 말았어야 했다는 걸 알았지만, 두들리가 해리의 아픈 곳을 찔렀으므로 어쩔 수가 없었다. 어쩌면 해리는 호그와트에 정말로 친구가 하나도 *없는지*도 몰랐다…….

'그들은 평범한 해리 포터가 아닌 유명한 해리 포터를 친구로 삼고 싶을 뿐이야.' 해리는 화가 나서 꽃밭에 거름을 주며 이렇게 생각했다. 등이 쑤셨고 얼굴에서는 땀이 비 오듯 했다.

저녁 7시 30분이 되어서야 페투니아 이모가 부르는 소리가 들렸다. 해리는 지칠 대로 지쳐 있었다.

"이제 그만 안으로 들어와라! 그리고 신문지 위로 걸어와!"

해리는 이제야 살았구나 하며 번쩍번쩍 광이 나는 식당 한쪽으로 살그머니 걸어갔다.

냉장고 위에는 오늘 밤 파티 때 먹을 보라색 제비꽃 설탕으로 장식된 커다란 생크림 푸딩이 놓여 있었다. 오븐에서는 또 돼지고기 요리가 지글거리고 있었다.

"얼른 먹어라! 메이슨 부부가 금방 오실 테니까!" 페투니아 이모가 식탁에 놓인 빵 두 쪽과 치즈 덩어리 하나를 가리키며 날카롭게 말했다. 그녀는 벌써 분홍빛 칵테일파티용 드레스로 갈아입고 있었다.

하잘것없는 음식이었지만 해리는 너무 배가 고팠으므로 얼른 손을 씻고 허겁지겁 먹었다. 그가 다 먹자, 페투니아 이모가 접시를 홱 치워 버렸다. "2층으로 올라가거라! 어서!"

거실로 들어가는 문을 지나칠 때, 해리는 나비넥타이에 턱시도를 입은 버논 이모부와 두들리를 흘끗 바라보았다. 그가 2층 층계참에 막 도착했을 때 초인종이 울렸다. 그러자 계단 밑으로 사나운 버논 이모부의 얼굴이 나타났다.

"명심해라……. 조금이라도 소리를 냈다간……."

해리는 발소리를 죽이고 급히 방 안으로 걸어 들어가 문을 닫고는 침대에 누우려고 휙 돌아섰다.

그런데 침대에 이미 누군가가 앉아 있었다.

제 **2** 장

도비의 경고

해리는 용케 소리를 지르지는 않았지만, 하마터면 그럴 뻔했다. 침대 위에 앉아 있는 그 작은 생물은 박쥐 같은 커다란 귀에 테니스공만 한 툭 불거진 초록색 눈을 갖고 있었다. 해리는 이 생물이 바로 오늘 아침에 정원 울타리에서 자기를 지켜보고 있던 것이라는 걸 단번에 알았다.

서로 얼굴을 마주 보고 있을 때, 거실에서 두들리의 목소리가 들렸다.

"외투를 이리 주세요, 메이슨 아저씨, 메이슨 아줌마."

그 생물은 미끄러지듯 침대에서 내려와 그 길고 가느다란 코끝이 카펫에 닿을 정도로 허리를 푹 숙여 정중히 인사를 했다. 그것은 낡은 베갯잇에 팔과 다리가 들어갈 구멍을 뚫은 것 같은 옷을 걸치고 있었다.

"어……, 안녕." 해리가 약간 겁먹은 듯 작은 목소리로 말했다.

"해리 포터!" 그 생물이 아래층까지도 들릴 것 같은 높은 목소리로 말했다. "도비가 당신을 얼마나 오랫동안 만나고 싶어 했는데요……. 이렇게 영광스러울 데가……."

"고……고마워." 해리가 벽에 바짝 다가선 채로 조금씩 움직여가, 책상 의자에 앉으며 말했다. 책상 옆에 있는 커다란 새장 속에서는 헤드위그가 잠을 자고 있었다. 해리는 "넌 뭐야?"라고 묻고 싶었지만 너무 실례일 것 같았으므로, 대신 이렇게 물었다. "넌 누구니?"

"도비예요. 그냥 도비요. 꼬마 집요정이죠." 그 생물이 말했다.

"아……, 그래?" 해리가 말했다. "어…… 실례가 된다는 건 알지만…… 지금은 내 방에 네가 있기엔 그렇게 좋은 시기가 아닌 것 같아."

거실에서 페투니아 이모의 꾸며 낸 높은 웃음소리가 들려왔다. 꼬마요정이 쑥스러운 듯 고개를 숙였다.

"널 만나서 기쁘지 않다는 게 아니라……." 해리가 얼른 말했다. "어, 뭐랄까, 네가 여기에 온 특별한 이유라도 있니?"

"그럼요." 도비가 진지하게 말했다. "도비는 당신에게 할 얘기가 있어서 왔어요……. 말하기가 좀 어렵네요……. 어디서부터 말해야 할지 도비는 모르겠어요……."

"앉아." 해리가 침대를 가리키며 점잖게 말했다.

그런데 당혹스럽게도 갑자기 꼬마요정이 시끄러운 소리를 내
며 울음을 터뜨렸다.

"*아…… 앉으라고요!*" 그가 울면서 말했다. "*한 번도…… 단
한 번도…….*"

해리는 아래층에서 중얼거리는 소리를 들은 것 같았다.

"미안해." 그가 작은 소리로 말했다. "네 마음을 상하게 하려
고 했던 건 아니야…….."

"도비의 마음을 상하게 했다고요?" 꼬마요정은 목이 메었다.
"도비는 마법사들에게 앉으라는 말을 들어 본 적이 한 번도 없어
요……. *동등한 인격체*로 대우받은 적이 한 번도 없어요."

해리는 "쉿!" 하면서 동시에 위로하는 표정을 지으며, 도비를
침대에 앉혔다. 꼬마요정은 딸꾹질을 하며 마치 못생긴 커다란
인형처럼 앉아 있었다. 그럭저럭 울음을 그치긴 했지만, 커다란
눈에 여전히 눈물이 그렁그렁 맺힌 채 해리를 끝없이 동경 어린
표정으로 바라보았다.

"네가 친절한 마법사를 만나지 못했던 것뿐이야." 해리가 그의
기분을 달래려고 애쓰며 말했다.

도비는 고개를 저었다. 그러고는 갑자기 침대에서 벌떡 일어나
더니 머리를 창문에 마구 박으며 소리치기 시작했다. "*나쁜 도
비! 나쁜 도비!*"

"그러지 마! 뭐 하는 거야?" 해리가 달려가 도비를 다시 침대로 끌어당기며 말렸다……. 그 바람에 헤드위그가 아주 시끄럽게 끽끽거리며 잠에서 깨어나 새장 창살을 치며 거칠게 날갯짓을 했다.

"도비는 자학하는 거예요." 꼬마요정이 두 눈동자를 안쪽으로 모아 모들뜨기 눈을 하고 말했다. "도비가 자기 가족에 대해 나쁜 말을 했으니까요……."

"네 가족이라고?"

"도비가 모시는 마법사 가족이에요……. 도비는 꼬마 집요정이잖아요……. 그러니까 꼭 한 집과 한 가족만 영원히 모셔야 해요……."

"그들은 네가 여기에 온 걸 아니?" 해리가 호기심에서 물어보았다.

도비는 진저리를 쳤다.

"아뇨, 몰라요……. 당신을 만나러 온 걸 알게 되면 도비는 가장 심한 자학을 해야 할 거예요. 도비는 심지어 뜨거운 오븐 속에 머리를 처박아야 할지도 몰라요. 그들이 만약 알게 되면……."

"하지만 네가 오븐 속에 머리를 넣으면 그들이 알아채지 않을까?"

"도비도 그게 걱정이에요. 도비는 언제나 무언가 때문에 자학을 하고 있어요. 그들은 도비가 그렇게 하도록 내버려 둬요. 가끔 그들은 제게 어떤 자학을 하라고 일러 주기도 해요…….”

“그러면 떠나면 되잖아? 달아나란 말이야.”

“꼬마 집요정은 그 주인이 놓아주어야만 해요. 하지만 그 가족은 도비를 절대로 놓아주지 않을 거예요……. 도비는 아마 죽을 때까지 그 가족을 모셔야 할 거예요…….”

해리가 도비를 빤히 쳐다보았다.

“난 앞으로 4주를 더 여기서 보내야 한다는 생각만 하면 눈앞이 까마득했어.” 그가 말했다. “하지만 네 말을 듣고 나니 그들에 비하면 더즐리 가족이 굉장히 인간적인 것같이 생각돼. 도와줄 사람이 아무도 없니? 내가 도울 수 없을까?”

그러나 그 말을 하자마자, 해리는 그 말을 괜히 했다는 생각이 들었다. 도비가 다시 감사의 울음을 터뜨렸던 것이다.

“제발.” 해리가 기겁하며 속삭였다. “제발 조용히 해. 만약 더즐리 가족이 무슨 소리라도 들으면, 만약 그들이 네가 여기 있다는 걸 알기라도 하면…….”

“해리 포터가 도비를 도울 수 있는지 물었잖아요……. 도비는 당신이 위대하다는 말은 들은 적이 있어요. 하지만 당신이 착하기까지 한 줄은, 도비는 전혀 몰랐어요…….”

해리는 얼굴이 뜨겁게 달아오르는 것을 느끼며 말했다. “내가 얼마나 위대하다고 들었는지는 몰라도 그건 다 쓸데없는 소리야. 난 호그와트에서 우리 학년 수석도 아니야. 그건 헤르미온느야, 그 애는……."

하지만 그는 얼른 말을 멈췄다. 헤르미온느에 대해 생각하는 게 괴로웠기 때문이다.

"해리 포터는 겸손하고 신중해요." 도비가 불타는 듯한 눈빛으로 공손히 말했다. "해리 포터는 이름을 말해서는 안 되는 그자를 물리치는 위대한 일을 했으면서도 그 업적을 떠들고 다니지 않아요……."

"볼드모트?" 해리가 말했다.

도비는 양손으로 자신의 박쥐 같은 귀를 막고 끙끙거렸다. "아아, 제발 그 이름은 말하지 마세요! 그 이름만은 말하지 마세요!"

"미안해." 해리가 얼른 말했다. "많은 사람이 그 이름을 말하고 싶어 하지 않는다는 걸 알아. 내 친구 론은……."

그는 다시 말을 멈췄다. 론에 대한 생각도 고통스럽기는 마찬가지였다.

도비는 꼭 헤드라이트 같은 눈을 동그랗게 뜨고 해리 쪽으로 허리를 굽혔다.

"도비는 해리 포터가 바로 몇 주 전에, 그 마왕을 두 번째로 만났으며…… 해리 포터가 *다시 한 번* 죽음을 면했다는 말을 들었어요." 그가 쉰 목소리로 말했다.

해리가 고개를 끄덕이자 도비의 눈이 갑자기 눈물로 반짝였다.

"아아." 도비가 너무나 놀란 나머지 입고 있는 더러운 베갯잇

31

한쪽 끝으로 얼굴을 훔쳤다. "해리 포터는 용맹스럽고 훌륭해요! 그는 벌써 그렇게 많은 위험에 맞서 용감히 싸웠잖아요! 그래서 도비는 설사 오븐 속에 머리를 처박는 한이 있어도, 해리 포터를 보호해야 한다고 생각했어요. 그래서 여기에 온 거예요, 주의를 주려고 말예요…… *해리 포터는 호그와트로 돌아가선 안 돼요.*"

갑자기 정적이 흘렀다. 그저 아래층에서 포크와 나이프가 댕그랑대는 소리와 나직이 울리는 버논 이모부의 목소리만 희미하게 들릴 뿐이었다.

"뭐…… 뭐라고?" 해리가 당황해서 말을 더듬었다. "하지만 난 돌아가야만 해……. 9월 1일에 학기가 시작된단 말이야. 지금 날 버티게 하는 건 그것뿐이야. 넌 이곳이 어떤지 몰라. 난 *이곳에* 속해 있지 않아. 난 너희 세계에 속해 있다고. 호그와트에 말이야."

"아니, 아니, 아니." 도비는 귀가 펄럭일 정도로 고개를 세게 가로 저으면서, 끽끽거리며 말했다. "해리 포터는 안전한 곳에 머물러야 해요. 그는 목숨을 잃기엔 너무 위대하고, 너무 착해요. 호그와트로 돌아가면 해리 포터는 치명적인 위험에 처하게 될 거예요."

"무슨 소리야?" 해리가 놀라서 물었다.

"음모가 있어요, 해리 포터. 올해에 호그와트에선 굉장히 끔찍한 일이 일어날 거예요." 도비가 갑자기 온몸을 떨며 작은 소리로 말했다. "도비는 벌써 알고 있었어요. 해리 포터는 그런 위험한 곳에 있으면 안 돼요. 그는 너무 중요하니까요!"

"어떤 끔찍한 일?" 해리가 즉시 물었다. "누가 그런 일을 꾸민다는 거지?"

도비는 이상하게 숨넘어갈 것 같은 소리를 내더니 벽에다 미친 듯이 머리를 박았다.

"좋아!" 해리가 꼬마 집요정이 그렇게 하지 못하도록 팔을 잡아끌며 외쳤다. "내게 말할 수 없다 이거지? 알았어. 하지만 왜 내게 주의를 주는 거지?" 해리는 불현듯 불쾌한 생각이 들었다. "잠깐만⋯⋯. 이건 볼드⋯⋯ 미안해⋯⋯. 그 사람과는 아무 관련이 없는 거지, 그렇지? 넌 그저 고개를 가로젓거나 끄덕이기만 하면 돼." 도비의 고개가 걱정스럽게도 다시 벽 쪽으로 기울어지자 그가 급히 덧붙였다.

도비가 천천히 고개를 끄덕였다.

"그래요⋯⋯. 이름을 말해서는 안 되는 그자는 아니에요⋯⋯."

동시에 도비의 눈이 동그래졌다. 해리에게 암시를 주려고 하는 것 같았다.

"그에겐 형제가 없지, 그렇지?"

도비가 눈을 조금 전보다 더 크게 뜨며 고개를 끄덕였다.

"그렇다면, 호그와트에서 끔찍한 일을 벌일 다른 누군가가 있을 거라고는 생각할 수 없어." 해리가 말했다. "내 말은, 덤블도어가 있기 때문이란 말이지……. 덤블도어가 누군진 알지?"

도비가 머리를 숙였다.

"알버스 덤블도어는 역대 호그와트의 교장들 가운데 가장 훌륭한 교장이에요. 그건 도비도 알아요. 도비는 덤블도어의 힘이 이름을 말해서는 안 되는 그자와 맞먹는다고 들었어요. 하지만……." 도비의 목소리가 다급한 속삭임으로 바뀌었다. "덤블도어가 가지지 못한 힘이 있어요……. 좋은 마법사들은 가지지 못한 힘 말이에요."

그리고 해리가 미처 저지하기도 전에, 도비가 침대에서 뛰어올라 해리의 책상 스탠드를 움켜쥐더니, 귀청이 찢어질 듯한 날카로운 비명을 지르며 머리를 마구 때리기 시작했다.

아래층이 갑자기 조용해졌다. 해리는 가슴이 쿵쾅쿵쾅 뛰었다. 버논 이모부가 큰 소리로 "두들리가 또 텔레비전을 켜 놓았나 봅니다, 귀여운 녀석이죠!"라고 말하며 복도로 걸어오는 소리가 들렸다.

"얼른! 옷장으로 들어가!" 해리가 도비를 옷장 속에 밀어 넣고 문을 닫은 뒤 침대 위로 뛰어 올라가자마자, 방문이 왈칵 열렸다.

"너…… 도대체…… 뭘…… 하고…… 있는 거냐?" 버논 이모부가 해리에게로 얼굴을 바짝 들이대면서 이빨을 뿌드득 갈며 말했다. "내가 막 꺼낸 일본인 골퍼에 대한 농담을 너 때문에 망쳤잖아……. 한 번만 더 소리를 냈다간 평생 후회하도록 만들어

줄 테니 알아서 해!"

그는 발을 쾅쾅 구르며 방에서 걸어 나갔다.

해리가 벌벌 떨면서 옷장 문을 열었다.

"여기가 어떤 곳인지 알았지?" 그가 말했다. "내가 왜 호그와 트로 돌아가야만 하는지 알았지? 내 친구가 있는 곳은, 아니, 그 러니까, 내 친구가 있다고 생각되는 곳은 거기뿐이야."

"해리 포터에게 *편지도 쓰지 않는* 친구들요?" 도비가 장난스 럽게 말했다.

"난 그 애들이 그저…… 잠깐." 해리가 눈살을 찌푸리며 말했 다. "내 친구들이 내게 편지를 쓰지 않았다는 걸 어떻게 알지?"

그러자 도비가 발을 질질 끌며 슬금슬금 뒤로 물러났다.

"해리 포터는 도비에게 화내면 안 돼요. 도비는 되도록 잘하려 고 그렇게 했을 뿐이……."

"*그럼 네가 내 편지를 중간에서 가로채고 있었단 말이야?*"

"도비는 그 편지들을 여기에 이렇게 갖고 있어요." 꼬마요정은 재빨리 뒤로 물러서며, 입고 있는 베갯잇 속에서 두꺼운 봉투 뭉 치를 끄집어냈다. 해리는 또박또박한 헤르미온느의 필체와 삐뚤 삐뚤한 론의 글씨와 심지어 호그와트의 사냥터지기인 해그리드 에게서 온 것 같은 휘갈겨 쓴 필체를 한눈에 알아볼 수 있었다.

도비는 걱정스럽게 눈을 깜박이며 해리를 바라보았다.

"해리 포터는 화내면 안 돼요……. 도비는…… 해리 포터가 그 친구들이 해리를 잊었다고 생각하길 바랐어요……. 해리 포터가 다시는 학교로 돌아가고 싶지 않도록 말예요…….”

해리는 듣고 있지 않았다. 그가 편지를 잡으려고 했지만, 도비는 날쌔게 피했다.

“학교로 돌아가지 않겠다고 도비에게 약속하면, 해리 포터는 이 편지들을 가질 수 있어요. 아아, 이건 당신이 겪어서는 안 될 위험이에요! 당신이 호그와트로 돌아가면 안 된다는 말이라고요!”

“아냐.” 해리가 화가 나서 말했다. “내 친구들 편지를 이리 줘!”

“그렇다면 도비도 어쩔 수 없어요.” 그 꼬마요정이 슬프게 말했다.

해리가 미처 어떻게 하기도 전에 도비는 쏜살같이 문으로 달려가더니, 문을 홱 잡아당겨 열고 아래층으로 달려갔다.

입이 마르고 속이 뒤틀렸지만, 해리는 소리를 내지 않으려고 애쓰며 도비를 쫓아 달려 나갔다. 해리는 마지막 여섯 계단을 한번에 펄쩍 뛰어 고양이같이 날래게 거실 카펫 위에 내린 뒤, 주위를 둘러보았다. 식당에서 버논 이모부가 말하는 소리가 들렸다.

“……메이슨 씨, 저 미국인 배관공들에 대한 재미있는 이야기를 페투니아에게 좀 해 주세요. 제 아내가 굉장히 듣고 싶어 했거든요…….”

곧 부엌 쪽 복도로 달려간 해리는 가슴이 철렁 내려앉았다.

페투니아 이모가 정성 들여 만든, 설탕 제비꽃으로 장식된 커다란 생크림 푸딩이 천장에서 둥둥 떠다니고 있었다. 그리고 한쪽 구석에 있는 찬장 위에 도비가 쪼그리고 앉아 있었다.

"이럴 수가." 해리가 쉰 목소리로 말했다. "제발…… 이모부가 날 가만두지 않을 거야……."

"해리 포터는 학교로 돌아가지 않겠다고 말해야 해요……."

"도비…… 제발……."

"말하세요……."

"그럴 수 없어!"

도비가 그에게 비장한 표정을 지어 보였다.

"그러면 도비는 해리 포터를 위해 이렇게밖에 할 수 없어요."

푸딩이 쾅 하며 마룻바닥에 떨어졌다. 해리는 심장이 멎는 것 같았다. 접시가 박살 나면서 크림이 창문과 벽에 마구 튀었다. 그러곤 도비는 휙 하는 소리와 함께, 어디론가 사라져 버렸다.

식당에서 비명이 들리더니 버논 이모부가 쏜살같이 부엌으로 뛰어 들어왔다. 그는 해리가, 머리에서부터 발끝까지 페투니아 이모의 푸딩을 뒤집어쓴 채, 충격으로 얼어붙은 듯 서 있는 것을 보았다.

일단, 버논 이모부는 이 상황을 그럴듯한 말로 얼버무렸다. ("저희 조카예요……. 정서가 아주 불안한 아이죠……. 낯선 사람들을 만나면 당황할까 봐, 이 아이더러 2층에 있으라고 했더니 그만…….") 그는 놀란 메이슨 부부를 식당으로 다시 돌려보내고는, 해리에게 메이슨 부부가 가면 반쯤 죽을 줄 알라면서, 자루걸레를 건네주며 당장 깨끗이 치우라고 으름장을 놓았다. 해리가 부들부들 떨면서 부엌 바닥을 닦는 동안, 페투니아 이모가 냉동실에서 아이스크림을 꺼내 갔다.

버논 이모부는 어쩌면 그렇게 고대하던 거래를 무사히 성사시킬 수 있었을지도 모른다……. 부엉이만 아니었다면 말이다.

페투니아 이모가 입가심으로 먹을 박하사탕 상자를 돌리고 있을 때 커다란 외양간 부엉이 한 마리가 식당 창문으로 휙 날아들더니, 메이슨 부인의 머리 위에 편지 한 통을 떨어뜨리고는 다시 휙 날아가 버렸다. 메이슨 부인은 공습경보 같은 비명을 지르더니 정신이상자처럼 소리소리 지르며 집 밖으로 달려 나갔다. 그리고 메이슨 씨도 더즐리 가족에게, 아내가 크기와 생김새를 막론하고 새는 무엇이나 무서워한다면서 이런 걸 재미난 장난이라고 생각하느냐며 화가 나서 소리치고는 곧바로 나가 버렸다.

해리가 부엌에서 자루걸레를 꽉 잡고 몸을 지탱하고 서 있을 때, 버논 이모부가 작은 눈을 무섭게 치뜨고 그에게로 다가왔다.

"읽어 봐!" 그는 부엉이가 배달해 준 편지를 흔들며 잡아먹을 듯이 사납게 소리쳤다. "어서 읽으란 말이야!"

해리는 편지를 받아 들었다. 그러나 그 안에는 해리가 기대했던 생일 축하 글은 쓰여 있지 않았다.

포터 씨에게,

우리는 오늘 저녁 9시 12분에 당신이 거주하는 곳에서 공중을 떠다니는 마법이 사용되었다는 정보를 입수했습니다.

아시다시피, 미성년 마법사들은 학교 밖에서 마법을 부리는 것이 허용되지 않으며, 마법을 계속 사용할 경우 학교에서 제명당할 수도 있습니다(미성년 마법사의 행동 제한 법령, 1875, C항).

우리는 또한 마법사가 아닌 사람(머글)들이 눈치를 챌 위험이 있는 행동이라면 무엇이든 마법사 국제 비밀 법령집 13항에 심각하게 위반되는 것임을 상기시켜 드리고자 합니다.

그럼 즐거운 방학이 되길 바랍니다!

마법부 산하

마법 오 · 남용 관리과

마팔다 홉커크

해리는 편지에서 고개를 들고 숨을 죽였다.

"학교 밖에서는 마법을 쓰지 못하게 되어 있다는 걸 우리에게 말하지 않다니." 버논 이모부가 성난 눈을 번득이며 말했다. "그 말을 하는 걸 잊었단 말이지…… . 까맣게…… ."

그는 커다란 불도그처럼 이를 다 드러내고 해리를 벽에 밀어붙였다. "그렇다면 이 녀석, 널 가둬 버려야겠다. 그 학교로 다시 돌아가는 건 꿈도 꾸지 마. 절대로 안 돼. 만약 마법을 부리거나 해서 빠져나왔다간…… 당장에 퇴학당할 테니 알아서 해!"

그리고 그는 미치광이처럼 웃으며, 해리를 다시 2층으로 끌고 갔다.

버논 이모부의 협박은 말에서 그치지 않았다. 다음 날 아침, 그는 사람을 불러 해리의 방 창문에 창살을 대게 했다. 그리고 하루에 세 번 소량의 음식만을 밀어 넣을 수 있도록 방문에 직접 개구멍을 만들었다. 또 아침과 저녁 단 두 번만 문을 열어 화장실에 가게 했으므로, 해리는 화장실에 갈 때 말고는, 온종일 방 안에 갇혀 있어야 했다.

사흘 뒤에도, 더즐리 가족은 화가 누그러지는 기색이 전혀 보이지 않았고, 해리는 이 상황에서 벗어날 수 있는 어떤 방법도 찾을 수가 없었다. 그는 침대에 누워 창문의 창살 사이로 해가 지는 걸 바라보면서, 불쌍한 자기 신세를 한탄하며 앞으로 어떤 일이 닥칠지 생각하고 있었다.

마법을 쓴 벌로 호그와트에서 퇴학당한다면 방에서 나간들 무슨 소용이 있겠는가? 이미 프리벳 가에서의 삶은 최악의 상태에 도달해 있었다. 더즐리 가족이 자신들이 큰 박쥐가 되어 깨어나는 일이 없을 거라는 걸 알아 버린 이상, 그는 유일한 무기를 잃어버린 거나 마찬가지였다. 도비는 다음 학기에 호그와트에서 일어날 끔찍한 사건에서 해리를 구했을지 모르지만, 돌아가는 상황으로 보아, 여하튼 굶어 죽을 게 뻔했다.

개구멍이 덜커덕거리더니 페투니아 이모의 손이 나타나, 통조림 수프 한 그릇을 방 안으로 밀어 넣었다. 해리는 속이 쓰릴 정도로 배가 고팠기 때문에 침대에서 펄쩍 뛰어내려 그것을 덥석 잡았다. 수프는 얼음장처럼 차가웠지만, 그는 단숨에 반을 들이켰다. 그러고는 헤드위그의 새장으로 가서, 수프 그릇 바닥에 있는 흐물흐물한 야채 건더기를 텅 빈 부엉이 모이 그릇에 놓아 주었다. 부엉이는 깃털을 곤두세우며 질색하는 표정을 지어 보였다.

"싫어도 어쩔 수 없어……. 먹을 거라곤 그것뿐이니까." 해리가 냉정하게 말했다.

그는 빈 그릇을 개구멍 옆 마룻바닥에 놓고, 웬일인지 수프를 먹기 전보다 더 시장기를 느끼며 다시 침대에 누웠다.

앞으로 4주 뒤에도 그가 여전히 살아 있다고 가정했을 때, 호그와트로 돌아가지 못한다면 어떤 일이 벌어질까? 그가 왜 돌아오지 않았는지 알아보려고 학교에서 사람을 보내올까? 그들이 더즐리 가족으로부터 해리를 벗어나게 할 수 있을까?

방 안이 점차 어두워지고 있었다. 지칠 대로 지치고, 배에서는 꼬르륵 소리가 나고, 대답할 수 없는 똑같은 질문들이 머릿속을 맴돌고 있었으므로, 해리는 불편하게 뒤척이다 잠 속으로 빠져들었다.

그는 동물원 창살 우리에 갇힌 꿈을 꾸었다. 우리 앞에는 '미성년 마법사'라는 푯말이 붙어 있었고, 사람들은 굶주려 야윈 모습으로 볏짚 침대에 누워 있는 그를 창살 사이로 신기한 듯 바라보고 있었다. 해리는 군중 속에서 도비의 얼굴을 보자 도와달라고 소리쳤지만, 도비는 큰 소리로 "해리 포터는 그 안에 있는 게 더 안전해요!"라고 말하고는 사라져 버렸다. 그 뒤 더즐리 가족이 나타났고, 두들리가 그를 비웃으며 우리의 창살을 잡고 덜컥덜컥 흔들었다.

"그만해." 덜컥거리는 소리가 욱신욱신 쑤시는 머릿속에서 시끄럽게 울리는 걸 느끼며 해리가 중얼거렸다. "날 내버려 둬……. 그만둬……. 잠 좀 자게 해 줘……."

해리는 눈을 떴다. 창문의 창살 사이로 달빛이 새어 들고 있었다. 그리고 그 창살 사이로 누군가가 눈을 크게 뜨고 해리를 바라보고 있었다. 주근깨투성이에, 빨간 머리에, 긴 코를 가진 사람이었다.

해리의 방 창문 밖에는 놀랍게도 론 위즐리가 와 있었다.

제 3 장

버로우

"론!" 해리가 창가로 살금살금 걸어가 창문에 얼굴을 바짝 대고 창살 사이로 속삭이듯이 말했다. "론, 네가 어떻게…… 저건 도대체……?"

해리는 눈앞에서 벌어지는 광경에 너무나 놀라 입이 딱 벌어졌다. 론은 공중에 떠 있는 낡은 하늘색 차의 뒷좌석 창문에 기대어서 있었다. 앞좌석에는 론의 쌍둥이 형들인 프레드와 조지가 해리를 보며 씩 웃고 있었다.

"괜찮니, 해리?" 조지가 물었다.

"무슨 일이 있었던 거니?" 론이 말했다. "내 편지에 왜 답장을 하지 않은 거야? 내가 편지로 열 번도 넘게 우리 집에 놀러 오라고 했는데. 그런데 며칠 전 네가 머글 앞에서 마법을 사용해서 공식적인 주의를 받았다고 아버지가 그러시지 뭐야."

"내가 그런 게 아니야. 그런데 네 아버지는 어떻게 아셨대?"

"아버지는 마법부에서 일하시거든." 론이 말했다. "우리가 학교 밖에서 마법을 사용하면 안 된다는 것은 너도 알고 있잖아……."

"남 말하네." 해리가 둥둥 떠 있는 자동차를 바라보며 말했다.

"아, 이건 별것 아니야." 론이 말했다. "이건 잠깐 빌린 것뿐이야. 아버지 것이거든. 우리가 마법을 부린 건 아니야. 하지만 네가 함께 사는 머글들 앞에서 마법을 부린 건……."

"말했잖아, 내가 한 게 아니라고. 하지만 지금 설명하기엔 얘기가 너무 길어……. 그건 그렇고, 더즐리 가족이 날 감금해서 학교로 돌아가지 못하게 하고 있다고 호그와트에 말해 줄 수 있니? 내가 직접 마법을 써서 여기서 빠져나갈 수 없는 건 뻔한 사실이잖아. 그랬다간 경고받은 지 얼마 안 돼서 또 마법을 부렸다고 마법부에서 생각할 테니까 말이야, 그러니까……."

"쓸데없는 소리 마." 론이 말했다. "우린 널 우리 집으로 데려가려고 온 거야."

"하지만 너희도 마법을 부려 날 꺼낼 수 없기는 마찬가지잖아……."

"우린 그럴 필요가 없어." 론이 고개로 앞좌석 쪽을 가리키며 씩 웃으면서 말했다. "내가 누구와 함께 왔는지 잊었구나."

"이걸 창살에 묶어." 프레드가 해리에게 밧줄 끝을 던지며 말했다.

"더즐리 가족이 깼다간 난 끝장이야." 해리가 이렇게 말하며 그 밧줄을 창살에 단단히 묶자, 프레드가 자동차 엔진의 회전 속도를 빨리했다.

"걱정 마." 프레드가 말했다. "잠시 뒤로 물러서."

해리는 이 일이 얼마나 중요한지 깨닫기라도 한 듯 조용히 있는 헤드위그 옆으로 갔다. 자동차 엔진이 점점 더 큰 소리를 내며 빠르게 회전했다. 프레드가 차를 하늘 높이 몰고 올라가자 갑자기 우두둑우두둑 하는 소리가 나더니, 창문에서 창살이 깨끗이 떨어져 나갔다. 다시 창가로 달려가 밖을 내다보자, 창살이 지상 몇 미터 높이에 대롱대롱 매달려 있었다. 론이 헐떡거리며 그것을 차 안으로 끌어올렸다. 해리는 초조한 마음으로 가만히 귀 기울여 보았지만, 더즐리 가족의 방에서는 인기척이 전혀 없었다.

론이 창살을 안전하게 뒷좌석에 집어넣자, 프레드가 해리의 방 창문에 가능한 한 가깝게 후진했다.

"타." 론이 말했다.

"하지만 요술지팡이며 빗자루며 내 물건이 다……."

"어디에 있는데?"

"계단 밑 벽장 속에 들어 있는데, 난 이 방에서 나갈 수가 없어……."

"문제없어." 조수석에 앉아 있던 조지가 말했다. "창문에서 비켜서, 해리."

프레드와 조지가 고양이처럼 날래게 창문으로 기어 올라갔다.
해리가 자긴 도저히 못 당하겠다고 생각하고 있을 때, 조지가 주
머니에서 머리핀 하나를 꺼내 자물쇠를 쿡쿡 쑤시기 시작했다.

"많은 마법사는 머글들이 쓰는 이런 기교를 시간 낭비라고 생
각하지." 프레드가 말했다. "하지만 이것들은 배울 만한 가치가
있는 기술이야, 조금 느리긴 하지만 말이야."

찰칵하는 소리가 나더니 문이 휙 열렸다.

"그러면…… 우린 네 가방을 가져올 테니까…… 넌 네 방에서
필요한 것들을 골라 론에게 넘겨줘." 조지가 작은 소리로 말했다.

해리는 방에서 필요한 물건들을 챙겨 창문 밖에 있는 론에게
넘겨주었다. 그리고 프레드와 조지가 해리의 가방을 계단 위로
들고 올라오는 것을 도와주러 갔다. 그때, 버논 이모부가 기침하
는 소리가 들렸다.

마침내, 그들은 헐떡이며 층계참에 도달한 뒤 그 가방을 해리
의 방으로 가져와 열린 창문으로 내보냈다. 프레드는 다시 차 안
으로 기어 들어가 론과 함께 가방을 잡아당겼고, 해리와 조지는
방 쪽에서 밀어냈다. 조금씩조금씩, 가방이 창문 밖으로 미끄러
져 내려갔다.

버논 이모부가 다시 기침을 했다.

"조금만 더." 프레드가 차 안에서 숨을 헐떡이며 가방을 잡아

끌면서 말했다. "한 번만 더 밀어 봐……."

해리와 조지가 어깨로 가방을 힘껏 밀자 가방이 창문 밖으로 미끄러지듯 나가 차 뒷좌석으로 쏙 들어갔다.

"좋았어. 자, 가자." 조지가 속삭였다.

하지만 해리가 창턱 위로 기어 올라갔을 때 뒤에서 갑자기 날카롭게 끽끽대는 소리가 났고, 곧이어 우레 같은 버논 이모부의 목소리가 들렸다.

"지긋지긋한 부엉이 같으니라고!"

"헤드위그를 잊었어!"

해리가 다시 방으로 쏜살같이 들어갔을 때 층계참의 전등이 탁 하고 켜졌다……. 그는 얼른 헤드위그의 새장을 잡아, 창문으로 달려가 론에게 넘겨주었다. 해리가 다시 서랍장 위로 기어 올라가고 있을 때 버논 이모부가 자물쇠가 열린 문을 주먹으로 탕탕 쳤다……. 그러자 문이 요란스러운 소리를 내며 열렸다.

잠시, 버논 이모부가 문간을 꽉 메운 채 서 있었다. 그러곤 성난 황소처럼 고함을 지르며 해리에게로 달려들어 그의 발목을 덥석 잡았다.

론과 프레드와 조지는 해리의 팔을 잡고, 있는 힘껏 잡아당겼다.

"페투니아!" 버논 이모부가 큰 소리로 외쳤다. "녀석이 달아나고 있어! **녀석이 달아나고 있다고!**"

하지만 위즐리 형제들이 한 번 힘껏 당기자 버논 이모부가 붙잡고 있던 해리의 다리가 그의 손에서 주르르 미끄러져 나왔다……. 해리는 차 안으로 들어가서 차 문을 쾅 닫았다.

"밟아, 프레드!" 론이 이렇게 외치자, 차가 갑자기 달 쪽으로 달리기 시작했다.

해리는 믿을 수가 없었다……. 이제 자유로운 몸이 된 것이다. 그는 창문을 내려 점점 작아지는 프리벳 가의 지붕들을 내려다보았다. 밤바람이 그의 머리카락을 휘감았다. 버논 이모부와 페투니아 이모와 두들리 모두 해리의 방 창문 밖으로 얼굴을 내밀고 기가 막힌 듯 어리벙벙한 표정으로 바라보고 있었다.

"내년 여름에 봐요!" 해리가 소리쳤다.

위즐리 형제는 큰 소리로 웃어 댔고, 해리는 자리에 앉은 채 입이 찢어지게 씩 웃었다.

"헤드위그를 내보내." 해리가 론에게 말했다. "우리 뒤를 따라 날아오게 말이야. 녀석은 오랫동안 날개를 쭉 펴고 날아 보지 못했거든."

조지는 론에게 머리핀을 건네주었고, 잠시 뒤, 헤드위그는 즐겁게 하늘을 날며 그들 옆으로 휙 날아들었다.

"도대체 어떻게 된 거니, 해리?" 론이 몹시 궁금한 듯 조바심을 내며 물었다. "무슨 일이 일어났던 거냐고?"

해리는 도비가 한 경고와 제비꽃 푸딩에 얽힌 소동 등을 그들에게 모두 말해 주었다. 해리가 얘기를 다 끝냈을 때 얼떨떨한 긴 침묵이 흘렀다.

"정말 수상해." 프레드가 마침내 말했다.

"속임수가 확실해." 조지가 동의했다. "그러니까 그 요정이 너한테 누가 이 모든 음모를 꾸미고 있는지는 말하지도 않으려 했단 말이지?"

"내가 볼 땐 말을 할 수 없었던 것 같아." 해리가 말했다. "실제로, 그 요정은 무심코 무슨 말인가를 하려고 할 때마다, 머리를 벽에 쳐 대곤 했거든."

해리는 프레드와 조지가 서로 마주 보는 걸 보았다.

"뭐야, 요정이 내게 거짓말을 했다고 생각하는 거야?" 해리가 말했다.

"글쎄." 프레드가 말했다. "정리해 보면 이래. 꼬마 집요정들은 강력한 마법을 부릴 수는 있지만, 일반적으로 주인의 허락 없이는 그렇게 할 수 없어. 내가 볼 땐, 네가 호그와트로 돌아가지 못하게 하려고 누군가가 도비를 보낸 것 같아. 우스꽝스러운 생각이지. 혹시 학교에 너한테 원한을 품은 녀석이라도 있니?"

"응." 그 말이 떨어지기가 무섭게 해리와 론이 동시에 말했다.

"드레이코 말포이야." 해리가 설명했다. "그 녀석은 날 무척 싫어해."

"드레이코 말포이?" 조지가 해리를 보며 말했다. "설마 그 애의 아버지가 루시우스 말포이는 아니겠지?"

"맞을걸. 그게 그렇게 흔한 이름은 아니잖아, 안 그래?" 해리
가 말했다. "그건 왜?"

"아버지가 루시우스 말포이에 대해 말하는 걸 들은 적이 있거
든." 조지가 말했다. "그는 그 **사람**의 대단한 지지자였대."

"그리고 그 **사람**이 사라져 버렸을 때……." 프레드가 목을 쭉
빼고 해리를 바라보며 말했다. "루시우스 말포이가 글쎄 자기는
전혀 그럴 의도가 없었다며 천연덕스럽게 돌아왔대. 말도 안 되
는 소리지……. 아버지는 루시우스가 그 **사람**의 측근이었다고
생각하셔."

해리는 전에도 말포이 가족에 대한 이런 소문을 들은 적이 있
었으므로 그런 말이 전혀 놀랍지 않았다. 말포이는 두들리 더즐
리 같은 아이조차 아주 친절하고 인정 많고 섬세한 아이로 보이
게 할 만큼 못된 녀석이었다.

"하지만 말포이 가족에게 꼬마 집요정이 있는지 어떤지는 모
르겠는데……." 해리가 말했다.

"그 요정의 주인이 누구든 아마 오랜 전통이 있는 마법사 가족
일 거야. 그리고 매우 부자일 거고." 프레드가 말했다.

"맞아, 엄마는 늘 우리에게 꼬마 집요정이 있어서 다림질 좀
해 줬으면 좋겠다고 하셨잖아." 조지가 말했다. "하지만 우리 집
엔 지붕 밑에 사는 늙은 굴 귀신(이슬람교 국가에서 무덤을 파헤치고
시체의 살을 먹는다고 하는 귀신—옮긴이)과 정원 여기저기에 있는

땅신령들밖에 없잖아. 꼬마 집요정들은 커다란 영지나 성들과 같은 으리으리한 저택에만 있는 거야. 우리 집에서 부린다는 건 당치도 않지."

해리는 말이 없었다. 드레이코 말포이가 무엇이든 최고만 갖고 있다는 사실로 미루어 볼 때, 그의 가족은 황금 더미에 파묻혀 사는 엄청난 부자임에 틀림없었다. 그는 말포이가 커다란 저택에서 거들먹거리며 걸어 다니는 모습을 어렵지 않게 상상할 수 있었다. 해리가 호그와트로 돌아가는 것을 막기 위해 해리에게 하인을 보내는 것 또한 정확히 말포이 같은 족속이 하는 일처럼 보였다. 해리가 어리석게도 도비를 진지하게 받아들였던 걸까?

"어쨌든 너와 함께 있게 돼서 기뻐." 론이 말했다. "네가 내 편지에 아무 답장이 없어서 얼마나 걱정했는지 몰라. 애당초 에롤을 보낸 게 잘못이었지만 말이야."

"에롤이 누구야?"

"내 부엉이야. 그런데 그 녀석은 너무 늙었어. 녀석이 배달하다가 쓰러진 건 그게 처음이 아닐 거야. 그래서 그때 헤르메스를 빌리려고 했었는데……."

"누구?"

"퍼시 형이 반장이 되었을 때 부모님께서 사 주신 부엉이야." 앞에 앉은 프레드가 말했다.

"하지만 퍼시 형은 그 부엉이를 빌려 주지 않으려고 했어." 론이 말했다. "형에게도 그 부엉이가 필요하다면서 말이야."

"퍼시 형은 이번 여름에 아주 이상해졌어." 조지가 얼굴을 찡그리며 말했다. "수많은 편지를 보내는가 하면, 온종일 방 안에 틀어박혀 있기 일쑤야……. 반장 배지는 이미 반짝반짝하게 닦아 놓았을 텐데 뭐 할 일이 그렇게 많은지 몰라. 차를 너무 왼쪽으로 몰고 있잖아, 프레드." 조지가 계기반에 있는 나침반을 가리키며 덧붙였다. 프레드가 핸들을 오른쪽으로 돌렸다.

"그런데 너희 아버지께서는 차를 가져온 걸 알고 계시니?" 해리가 대답을 뻔히 알고 있으면서 넌지시 물었다.

"어, 아니." 론이 말했다. "아버진 오늘 야간 근무셔. 잘만 하면 우리가 차를 타고 하늘을 날았다는 걸 엄마에게도 들키지 않고 감쪽같이 차고로 다시 가져다 놓을 수 있을 거야."

"너희 아버지는 마법부에서 어떤 일을 하시니?"

"아버진 제일 할 일 없는 부서에서 일하셔." 론이 말했다. "머글 문화유물 오용 관리과."

"뭐?"

"그건 머글이 만들었지만 마법에 걸린 물건들을 관리하는 곳이야. 그 물건들이 머글 가게나 집으로 다시 돌아가게 되는 경우를 생각해서 말이야. 예를 들어, 작년에는 어떤 마녀 노파가 죽었는데 그 노파의 찻잔 세트가 골동품 가게에 팔렸어. 어떤 머글 여자가 그것을 사 가지고 집에 가져가서는 친구들을 초대해 그

찻잔으로 차를 대접하려고 했는데…… 그건 악몽이었어……. 아빠는 몇 주 동안 야간 근무를 하셔야 했지."

"무슨 일이 벌어졌는데?"

"찻주전자가 신들린 듯이 광포해져서는 펄펄 끓는 차를 여기저기에 내뿜은 데다가, 남자 한 명은 각설탕 집게에 코를 꽉 집혀서 병원으로 실려 가는 소동이 벌어졌거든. 아버지는 완전히 흥분해서 출동하셨어……. 사무실엔 아버지와 퍼킨스라는 노인 마법사 한 명밖에 없었거든……. 아버진 그 사건을 숨기기 위해 머글들의 기억력을 없애 버리는 '기억력 마법'을 비롯해 온갖 일을 다 하셔야 했어."

"하지만 너희 아버지는…… 이 차…….."

프레드가 웃었다. "맞아, 아버지는 머글과 관련된 것이라면 무엇에건 흥미를 갖고 계셔. 아버진 그것을 분해해서, 마법을 건 뒤 다시 조립하시지. 아버지가 만약 우리 집을 불시 단속한다면 아버진 자신을 체포해야 할 거야. 엄마는 그것 때문에 미칠 지경이셔."

"저게 중심가야." 조지가 자동차 앞 유리창으로 아래를 내려다보며 말했다. "이제 10분 뒤면 저 아래로 내려가게 될 거야……. 운이 아주 좋았어, 날이 밝아 오고 있거든……."

동쪽 지평선을 따라 어렴풋하게 타오르는 분홍빛 빛줄기가 보였다.

프레드가 차의 고도를 좀 더 낮추자, 거무스름한 들판과 나무 숲이 보였다.

"우리 집은 마을에서 조금 떨어져 있어." 조지가 말했다. "오터리 성 캐치폴이라는 마을이야."

날아다니는 자동차가 점점 더 아래로 내려갔다. 이제 눈부신 붉은 태양의 가장자리가 나무들 사이로 살짝 모습을 드러내고 있었다.

"착지!" 프레드가 말하자 차가 가볍게 쿵 하며 땅에 내려앉았다. 그들은 작은 마당에 있는 금방이라도 쓰러질 듯한 차고 옆에 내렸고, 해리는 처음으로 론의 집을 보았다.

그것은 마치 한때 커다란 돼지우리였던 것을, 여기저기에 여분의 방을 덧붙여서 몇 층을 더 높인 것처럼 보였고, 어찌나 심하게 기울어져 있었던지 꼭 마법의 힘으로 지탱되는 것 같았다(해리는 십중팔구 그럴 거라고 생각했다). 빨간 지붕 꼭대기에는 너덧 개의 굴뚝이 있었다. 현관 근처에는 '버로우'라고 쓰인 표지판이 삐딱하게 꽂혀 있었고, 현관 주변에는 고무장화들과 커다란 녹슨 냄비 하나가 아무렇게나 놓여 있었다. 차가 마당에 내렸을 때 살이 통통하게 찐 갈색 닭 몇 마리가 모이를 쪼아 먹고 있었다.

"몇 마리 안 돼." 론이 말했다.

"*멋지다.*" 해리가 프리벳 가를 생각하며 유쾌히 말했다.

그들은 차에서 내렸다.

"자, 이제 2층으로 아주 조용히 올라가서, 엄마가 아침 먹으라고 부르실 때까지 기다리는 거야." 프레드가 말했다. "그러면 론, 너는 아래층으로 뛰어 내려가서, '엄마, 밤사이 누가 왔는지 보세요!'라고 말해. 엄마는 해리를 보면 굉장히 기뻐하실 테고 우리가 차를 타고 날았다는 건 아무도 모를 거야."

"맞아." 론이 말했다. "자, 해리, 난 위에서 잘……게."

그런데 집을 쳐다본 론의 낯빛이 새파래졌다. 다른 세 명도 돌아섰다.

위즐리 부인이 마당으로 걸어오고 있었는데, 땅딸막하고 똥똥하지만 한없이 인자하게 생긴 여인이, 어떻게 그렇게 무서운 얼굴로 변할 수 있는지 참으로 놀라웠다. 매섭게 걷는 부인 앞에서 닭들이 뿔뿔이 흩어지고 있었다.

"아아." 프레드가 신음했다.

"오, 이럴 수가." 조지가 말했다.

위즐리 부인이 뒷짐을 지고 그들 앞에 와서 딱 멈추더니 죄지은 아이들의 얼굴을 하나씩 훑어보았다. 부인은 꽃무늬가 있는 앞치마를 두르고 있었고, 주머니에는 요술지팡이가 꽂혀 있었다.

"이 녀석들." 그녀가 말했다.

"안녕히 주무셨어요, 엄마." 조지는 자기가 생각해도 아주 쾌활하고 애교 있는 목소리로 말했다.

"엄마가 얼마나 걱정했는지 아니?" 위즐리 부인이 화가 대단히 난 듯 소리를 버럭 질렀다.

"죄송해요, 엄마. 하지만 보세요. 저희는……."

위즐리 부인의 세 아들 모두 그녀보다 키가 컸지만, 그녀가 마구 퍼부어 대자 몸을 잔뜩 움츠렸다.

"침대는 비었지, 메모 한 장 없지, 차는 사라졌지, 사고가 났을지도 모르지……. 내가 걱정돼서 얼마나 미칠 지경이었는지 알기나 하니? 하긴 너희가 언제 그런 걸 신경이나 썼니? 여태껏 사는 동안 한번도 신경 쓴 적 없지……. 아버지가 집에 오실 때까지 기다려라. 빌이나 찰리나 퍼시를 키울 때는 이렇게 골치 아픈 일이 한번도 없었어……."

"퍼시 형은 완벽하니까요." 프레드가 투덜댔다.

"넌 퍼시의 발뒤꿈치도 따라가지 못할 거야!" 위즐리 부인이 손가락으로 프레드의 가슴을 찌르며 소리쳤다. "그랬다가 사고라도 났으면 어떡할 뻔했니? 머글들에게 발견되었으면 어떡할 뻔했어? 너희 때문에 아버지가 직장을 잃게 되면 어떡할 뻔했냐고!"

그런 잔소리는 몇 시간 동안 계속될 것 같았다. 위즐리 부인은 쉰 목소리로 한참을 소리치다가 비로소 뒤로 물러서 있는 해리에게로 고개를 돌렸다.

"만나서 정말 반갑다, 해리." 그녀가 말했다. "안으로 들어와 아침 좀 먹어라."

그리고 그녀는 돌아서서 집으로 걸어 들어갔다. 해리는 안절부

절못하며 론을 흘끗 쳐다보고는, 그가 그렇게 하라고 고개를 끄덕이자, 위즐리 부인을 따라갔다.

부엌은 작고 다소 갑갑하기까지 했다. 한가운데에 여기저기 긁힌 자국이 있는 나무 식탁 하나와 의자들이 있어서 해리는 그중 한 의자에 앉아 주위를 휘 둘러보았다.

맞은편 벽에 걸려 있는 시계에는 바늘만 하나 있을 뿐 숫자는 없었다. 시계 가장자리에는 차 끓일 시간, 닭 모이 줄 시간, 지각과 같은 말들이 쓰여 있었다. 벽난로 위 선반에는 《치즈에 마법을》《빵 구울 때 마법 걸기》《1분 만에 만들 수 있는 맛있는 음식들 ─ 그게 바로 마법이다!》 같은 책들이 세 겹으로 겹쳐 쌓여 있었다. 그리고 해리가 잘못 들은 게 아니라면, 싱크대 옆에 있는 낡은 라디오에서는 곧이어 '인기 절정의 노래하는 마녀, 셀레스티나 와베크와 함께하는 〈마녀들이 활동하는 시각〉'이 방영된다는 말이 흘러나오고 있었다.

위즐리 부인은 달가닥거리며, 되는대로 아침 식사를 요리하면서 프라이팬에 소시지를 던져 넣을 때마다 아들들을 매서운 눈길로 흘끗흘끗 바라보았다. 간혹 가다 그녀는 "너희가 무슨 생각을 하고 있는지 *도대체 모르겠다*"느니 "*도저히 믿을 수가 없어*"라며 혼잣말로 중얼거리곤 했다.

"*네 탓을 하는 게 아니란다, 얘야.*" 그녀가 해리의 접시에 여덟 개나 아홉 개쯤 되는 소시지를 덜어 주며 안심시켰다. "아서 아저

씨와 난 네 걱정을 많이 했단다. 어젯밤에도 우린 네가 금요일까지 론에게 답장을 쓰지 않는다면 직접 가서 널 데려와야겠다고 얘기했단다. 하지만 정말이지……." (그녀는 이제 해리의 접시에 달걀 프라이를 세 개나 더 담아 주고 있었다.) "불법인 차를 타고 나라를 반이나 날아다닌다는 건…… 누가 널 봤다면 어떡할 뻔했니……."

그녀가 싱크대에 있는 접시들에 대고 요술지팡이를 휙 휘두르자, 부드럽게 땡그랑거리며 저절로 설거지가 되기 시작했다.

"날씨가 흐렸어요, 엄마!" 프레드가 말했다.

"먹는 동안만이라도 입 좀 다물어라!" 위즐리 부인이 날카롭게 말했다.

"그 사람들이 해리를 굶기고 있었어요, 엄마!" 조지가 말했다.

"너도!" 위즐리 부인이 말했다. 하지만 빵을 잘라서 해리를 위해 버터를 발라 주는 그녀의 표정은 이제 많이 부드러워져 있었다.

바로 그때, 긴 잠옷을 입은 빨간 머리의 자그마한 아이가 부엌에 나타났다. 모두가 그리로 눈을 돌리자, 그 아이가 비명을 꽥 지르며, 얼른 달아나 버렸다.

"지니야." 론이 해리에게 작은 목소리로 말했다. "내 여동생이야. 저 애는 여름 내내 네 얘기를 했어."

"맞아. 지니는 네 사인을 받고 싶어 할 거야, 해리." 프레드가 씩 웃으며 이렇게 말했지만, 엄마와 눈이 마주치자 얼른 두말없이 접시로 얼굴을 숙였다. 그리고 놀라울 정도로 짧은 시간이긴 했지만, 네 접시 모두 깨끗이 비워질 때까지 더 이상 아무 말도 오가지 않았다.

"아, 피곤해." 프레드가 마침내 포크와 나이프를 내려놓으며 하품을 했다. "저는 가서 좀 잤다가……."

"그렇게는 안 되지." 위즐리 부인이 말을 탁 끊었다. "밤새도록 잠자지 않은 건 네 사정이니 내가 알 바 아니고, 넌 오늘 엄마를 위해 정원에서 땅신령들 좀 없애야겠다. 그것들이 어찌나 극성을 부리는지 도저히 더는 참을 수가 없거든."

"아, 엄마……."

"너희 둘도 마찬가지야." 그녀가 론과 프레드를 노려보며 말했다. "너는 가서 자도 된다, 얘야." 그녀가 해리에게 말했다. "네가 이 애들에게 형편없는 저 차를 타고 날아오라고 한 건 아니니까 말이다."

하지만 해리는 잠이 싹 달아나서 얼른 말했다. "론을 돕겠어요. 전 땅신령 없애는 걸 한번도 해 본 적이 없거든요……."

"마음은 고맙지만, 얘야, 그건 재미없는 일이란다." 위즐리 부인이 말했다. "자, 록허트가 땅신령에 대해 뭐라고 했는지 어디 좀 보자."

그러고는 위즐리 부인은 벽난로 위에 있는 책 더미에서 무거운 책 한 권을 꺼냈다. 조지가 투덜댔다.

"엄마, 저희는 정원에서 땅신령을 어떻게 없애는지 알아요."

해리는 위즐리 부인이 들고 있는 책표지를 바라보았다. 멋진 황금색 글씨로 《질데로이 록허트가 말하는 집 안의 골칫거리 퇴치법》이라고 쓰여 있었다. 앞면에는 구불구불한 금발에 하늘빛 눈을 가진 잘생긴 마법사의 커다란 사진이 있었다. 마법사 세계에서는 언제나 그렇듯이, 그 사진도 움직이고 있었다. 해리가 생각하기에 질데로이 록허트인 것 같은 그 마법사는 그들 모두에게 계속 기분 좋게 눈짓을 하고 있었다. 위즐리 부인이 그에게 밝게 미소 지었다.

"대단한 사람이야." 그녀가 말했다. "그는 정말 집 안의 골칫거리를 속속들이 알고 있단 말이야. 그래, 정말 훌륭한 책이야."

"엄마는 그를 좋아하셔." 프레드는 해리에게만 들릴 정도로 작은 소리로 말했다.

"쓸데없는 말 마라, 프레드." 위즐리 부인이 얼굴을 붉히며 말했다. "좋아, 네가 록허트보다 더 많이 안다고 생각하면, 그 책 없이 가서 해도 좋아. 하지만 내가 검사하러 나갔을 때 정원에 땅신령이 단 하나라도 있다간 각오해라."

위즐리 형제들은 하품하며 구시렁대면서 몸을 축 늘어뜨리고 밖으로 걸어갔다. 해리는 그들 뒤를 따라갔다. 정원은 컸다. 해리는, 정원이란 바로 이런 것이어야 한다는 생각이 들었다. 더즐리 가족이라면 이런 정원을 좋아하지 않았겠지만—잡초가 무성했고, 잔디는 자랄 대로 자라 있었다—가장자리에는 옹이진 나무들이 죽 심어져 있었으며, 꽃밭마다 해리가 한번도 본 적 없는 꽃들이 피어 있었고, 커다란 초록빛 연못에는 개구리들이 그득했다.

"너도 알겠지만, 머글이 사는 정원에도 땅신령이 있어." 잔디밭을 가로질러 가며 해리가 론에게 말했다.

"그래, 나도 그들이 땅신령이라고 생각하는 것들을 본 적이 있어." 론이 어떤 작약 관목 앞에서 머리를 푹 숙이고 지나가며 말했다. "낚싯대를 든 뚱뚱한 작은 산타클로스같이 생긴 것 말이야……."

발을 질질 끌며 걸어 다니는 소리가 나고 작약 관목이 흔들리더니, 론이 땅신령을 붙잡고 똑바로 일어섰다. "하지만 이게 바로 땅신령이야." 그가 험악하게 말했다.

"날 놔 줘! 날 놔 줘!" 땅신령이 꺅꺅거리며 말했다.

그건 확실히 산타클로스 같은 모습은 아니었다. 그것은 작았으며 꼭 감자처럼 커다랗고 우툴두툴한 대머리에 얼굴은 가죽 색깔이었다. 땅신령이 뿔 모양의 작은 발로 걷어차려고 하자 론은 팔을 쭉 뻗어 되도록 그것을 멀리 떼어 놓았다. 그러고는 땅신령의 발목을 잡고 거꾸로 뒤집었다.

"너도 이렇게 해야 해." 론이 말했다. 그는 땅신령을 머리 위로 들어 올리고는("날 놔 줘!") 올가미를 던질 때 하듯 큰 원을 그리며 빙빙 돌리기 시작했다. 해리가 얼떨떨한 표정을 짓자, 론이 덧붙였다. "이렇게 해도 땅신령들은 *다치지* 않아. 그저 땅신령 구멍으로 다시 들어가는 길을 찾지 못하도록 아주 어지럽게 만드는 것뿐이야."

그가 땅신령의 발목을 놓았다. 그러자 그것이 공중으로 6미터 정도 날아가 울타리 너머에 있는 밭에 쿵 하고 떨어졌다.

"불쌍하다." 프레드가 말했다. "저 그루터기에서도 분명 하나쯤 잡을 수 있을 거야."

해리는 땅신령을 너무 불쌍하게 느끼지 말아야 한다는 것을 금방 배웠다. 그는 울타리 너머에서 잡은 첫 번째 녀석을 그냥 놓아주기로 마음먹었는데, 그 땅신령이 해리가 마음이 약하다는 걸 알아챘는지, 면도날처럼 날카로운 이빨로 해리의 손가락을 콕 찌르는 바람에 그 땅신령을 흔들어 떼어 내느라 혼이 났던 것이다…… 그런데…….

"와, 해리…… 그거 15미터는 되겠는데……."

주위가 곧 날아다니는 땅신령들로 뿌예졌다.

"봐, 녀석들은 머리가 별로 좋지 않아." 조지가 한 번에 대여섯 개의 땅신령을 잡으며 말했다. "땅신령 없애는 작업을 하다 보면, 녀석들은 꼭 무슨 일인지 보려고 저렇게 마구 떼 지어 올라온단 말이야. 지금쯤은 제자리에 가만히 있어야 한다는 걸 알 만도 한데 말이야."

곧, 밭에 있는 땅신령 떼가 작은 어깨를 구부리고 뿔뿔이 흩어져 걸어가기 시작했다.

"다시 돌아올 거야." 땅신령들이 밭 맞은편에 있는 울타리로 사라지는 것을 지켜보며 론이 말했다. "저놈들은 여기 있는 걸 좋아하거든……. 아빠가 너무 관대하게 대해 주시니까 말이야. 아빤 저놈들이 재미있다고 생각하시거든……."

바로 그때, 문이 쾅 닫히는 소리가 들렸다.

"아빠다!" 조지가 말했다. "아빠가 오셨어!"

그들은 급히 집 안으로 달려 들어갔다.

위즐리 씨는 안경을 벗더니 눈을 감은 채로 부엌 의자에 쓰러지듯이 앉았다. 그는 호리호리한 몸매에 머리는 거의 대머리가 되어 가고 있었지만, 얼마 남아 있지 않은 머리카락 역시 그의 아이들처럼 빨갰다. 그는 돌아다니느라 먼지투성이가 되어 버린 긴 초록색 망토를 입고 있었다.

"정말 지겨운 밤이었어." 식구들이 모두 탁자 주위에 빙 둘러앉자, 그가 찻주전자를 찾으며 중얼거렸다. "불시 단속을 아홉 번이나 했어! 아홉 번! 그리고 내가 등을 돌리자 먼던구스 플레처 영감이 글쎄 내게 마법을 걸려고 하지 않겠니……."

위즐리 씨가 차를 한 모금 죽 들이켜며 한숨을 지었다.

"뭐라도 찾으셨어요, 아빠?" 프레드가 몹시 궁금하다는 듯 물었다.

"그저 오그라든 문 열쇠 몇 개와 물어뜯는 주전자가 전부란다." 위즐리 씨가 하품했다. "하지만 우리 부서와 관련된 게 아니긴 해도 아주 고역스러운 물건이 하나 있었단다. 모틀레이크가 아주 이상한 족제비에 대해 조사받기 위해 소환됐는데, 다행스럽게도 그건 실험 마법 분과 위원회의 소관 사항이었지……."

"누군지는 모르겠지만 왜 귀찮게 문 열쇠들을 오그라들게 하는 거죠?" 조지가 말했다.

"그저 머글들을 골리려는 거지." 위즐리 씨가 말했다. "머글들이 필요할 때 찾지 못하도록 계속 오그라들게 해서 결국엔 사라져 버리는 열쇠를 만들어 파는 거지……. 물론, 머글들은 아무도 자신들의 열쇠가 계속 오그라든다는 사실을 인정하려 들지 않기 때문에 범인을 잡기가 매우 어렵단다. 그들은 그냥 계속해서 열쇠를 잃어버린다고 주장할 테니까 말이야. 불쌍한 사람들 같으니라고, 바로 눈앞에서 마법이 벌어져도 애써 무시하려 들다니……. 하지만 우리 마법사들이 마법을 걸기 위해 가져갔던 물건들은, 너희도 믿으려 하지 않겠지만……."

"**예를 들면, 자동차 같은 거요?**"

위즐리 부인이 어느새 칼같이 기다란 부지깽이를 들고 나타났다. 위즐리 씨의 눈이 번쩍 떠졌다. 그는 아내를 죄진 듯한 표정으로 바라보았다.

"자…… 자동차라고, 몰리?"

"그래요, 아서, 자동차요." 위즐리 부인이 눈을 번득이며 말했다. "녹슨 낡은 차를 사면서 아내에게는 그저 그것이 어떻게 움직이는지 알아보려고 뜯어본 것뿐이라고 말해 놓고는, *실은 그 차에 마법을 걸어 날아다니게 하는* 어떤 마법사를 한번 생각해 봐요."

위즐리 씨가 눈을 깜박거렸다.

"그런데 여보, 당신은 그가 법을 위반하지는 않으리란 걸 알게 될 거야. 어…… 그가 아내에게 사실대로 말했다면…… 음…… 더 좋았을지 모르겠지만 말이야……. 법에도 허점이 있어, 당신도 알게 될 거야……. 그가 그 차를 날아다니게 *하지 않는 한*, 그 차가 날 수 있다는 사실은 절대 알려지지 않……."

"아서 위즐리 씨, 그럼 당신이 그 법을 만들었을 때 허점이 있다는 걸 확실히 알고 계셨단 말이군요!" 위즐리 부인이 소리쳤다. "당신이 창고에 있는 저 머글의 모든 잡동사니를 가지고 어설프게 만지작거릴 수 있도록 말이죠! 보세요, 당신이 날아다니게 하지 않는 바로 저 차로 해리가 오늘 아침에 우리 집에 왔어요!"

"해리?" 위즐리 씨가 멍하니 말했다. "해리 누구?"

그가 주위를 휘 둘러보다가 해리를 보자 깜짝 놀라 벌떡 일어섰다.

"오오, 해리 포터니? 만나서 정말 반갑다. 론이 우리에게 너에 대해 얼마나 많이 말했……."

"당신의 아들들이 어젯밤에 저 차를 타고 해리의 집으로 날아

갔다가 돌아왔어요!" 위즐리 부인이 큰 소리로 말했다. "그것에 대해서는 뭐라고 말씀하실 거죠, 네?"

"정말이니?" 위즐리 씨가 몹시 궁금한 듯 말했다. "그게 잘 날 든? 내…… 내 말은……." 위즐리 부인이 무서운 눈으로 쳐다보자 그가 머뭇거렸다. "그건…… 그건 아주 잘못한 거야, 애들아. 정말로 아주 잘못한 거야……."

"두 분은 계속 티격태격하도록 그냥 놔두고 우린 올라가자." 위즐리 부인이 불도그처럼 화를 내자 론이 해리에게 조용히 속삭였다. "자, 내 방을 보여 줄게."

그들은 슬그머니 부엌을 빠져나와 좁다란 복도를 걸어갔다. 고르지 않은 계단이 집 꼭대기까지 지그재그 모양으로 돌돌 말려져 있었다. 3층 층계참에 올라갔을 때, 조금 열린 문이 하나 있었다. 해리가 연한 갈색 눈 한 쌍이 자기를 빤히 바라보는 걸 알아챈 순간 그 문이 쾅 하고 닫혔다.

"지니야." 론이 말했다. "막내가 저렇게 수줍어하는 게 얼마나 신기한 일인지 넌 모를 거야. 쟨 보통 때에는 절대로 입을 다물지 않는 아이거든……."

두 개 층을 더 올라가서야 그들은 론의 방이라는 팻말이 붙어 있는, 페인트가 다 벗겨진 문에 도달했다.

해리는 머리가 천장에 닿을락말락하는 방 안으로 걸어 들어가는 순간 깜짝 놀랐다. 꼭 용광로 속으로 들어가는 것 같았다. 방에 있는 거의 모든 것이 진한 오렌지빛이었다. 침대 덮개, 벽, 심지어 천장까지⋯⋯. 지저분한 벽지에는, 밝은 오렌지빛 망토를 입은 일곱 명의 마녀와 마법사가 빗자루를 들고 활기차게 손을 흔드는 모습의 똑같은 포스터들이 다닥다닥 붙어 있었다.

"네가 좋아하는 퀴디치 팀이니?" 해리가 물었다.

"처들리 캐논이야." 론이 두 개의 커다란 검은색 C자와 고속으로 움직이는 탄환으로 만들어진 오렌지빛 침대 덮개를 가리키며 말했다. "리그전에서 현재 9위야."

한쪽 구석에는 론의 마법 책들이 난잡하게 쌓여 있었고 그 옆에는《미치광이 머글 마틴 미그의 모험》같은 만화책들이 산더미 같이 쌓여 있었다. 론의 요술지팡이는 창턱에 있는, 개구리 알이 잔뜩 들어 있는 수족관 위에 놓여 있었고, 그의 불룩한 회색 모자 옆에는, 쥐 스캐버스가 따뜻한 햇볕을 받으며 졸고 있었다.

해리는 마룻바닥에서 저절로 움직이고 있는 카드들을 넘어가 조그만 창문 밖을 내다보았다. 저 밑 밭에서는 땅신령들 한 떼가 다시 하나씩 위즐리네 집 울타리로 살금살금 들어오고 있었다. 해리는 방을 본 소감 듣기를 기다리기라도 하는 듯, 초조하게 지켜보는 론에게로 돌아섰다.

"방이 좀 작지." 론이 얼른 말했다. "네가 머글들과 함께 썼던 방하고는 조금 다르지. 그리고 내 방은 지붕 밑에 사는 굴 귀신 바로 밑이야. 그 귀신은 항상 통을 탕탕 치거나 끙끙거리며 신음을 내곤 해."

하지만 해리는 환하게 씩 웃으며 말했다. "이렇게 멋진 집은
처음이야."

론의 귓불이 새빨개졌다.

제 **4**장

플러리쉬와 블러트 서점에서

버로우에서의 생활은 프리벳 가에서의 생활과는 사뭇 달랐다. 더즐리 가족은 모든 것이 단정하고 질서정연하게 정돈된 걸 좋아했지만, 위즐리네 집에서는 예상하지 못했던 이상한 일들이 불쑥불쑥 터졌다. 해리는 부엌 벽난로 위의 선반에 있는 거울을 처음 들여다보았을 때 그것이 "셔츠 좀 밀어 넣어, 이 덜렁아!"라고 소리치는 바람에 깜짝 놀랐다. 지붕 밑에 사는 굴 귀신은 주위가 좀 조용하다 싶을 때마다 한바탕 울부짖으며 통을 떨어뜨려서, 프레드와 조지의 방에서 일어나는 자잘한 폭파 사건들이 오히려 정상으로 여겨질 지경이었다. 그러나 해리가 론의 집에서 생활하면서 알게 된 가장 이상한 일은 말하는 거울도, 절거덕 절거덕 소리를 내는 굴 귀신도 아니었다. 그것은 그곳 사람들 모두가 해리를 좋아한다는 사실이었다.

위즐리 부인은 해리의 양말이 조금만 잘못되어도 야단법석을 떨었고, 식사 시간마다 해리에게 억지로 네 그릇이나 먹이려고 했다. 위즐리 씨는 저녁 식사 시간마다 해리를 옆자리에 앉혀 놓고 머글과 함께 사는 것에 대해 이것저것 물으며, 소화전이나 우편 업무 같은 것들이 어떻게 이루어지는지 듣는 걸 좋아했다.

"*재미있구나!*" 해리가 수화기를 귀에 대고 전화하는 법을 설명하면 그는 이렇게 말하곤 했다. "독창적이야, 대단해. 머글들은 마법 없이 살아가는 방법을 정말로 많이 찾아냈어."

해리는 버로우에 도착한 지 일주일쯤 뒤인 어느 구름 한 점 없이 맑은 날 아침에 호그와트로부터 연락을 받았다. 론과 함께 아침을 먹으러 식당으로 내려가자, 위즐리 부부와 지니가 벌써 식탁에 앉아 있었다. 해리를 본 순간, 지니가 잘못하여 포리지 그릇을 치는 바람에 그릇이 마룻바닥으로 떨어지며 요란한 소리를 냈다. 지니는 해리가 방으로 들어올 때마다 물건들을 쳐서 떨어뜨리기 일쑤였다. 지니는 그릇을 주우러 급히 식탁 밑으로 들어갔다가, 꼭 지는 해처럼 얼굴이 새빨개져서 나타났다. 해리는 이것을 보지 못한 척하며, 자리에 앉아서 위즐리 부인이 주는 토스트를 받았다.

"학교에서 편지가 왔다." 위즐리 씨가 해리와 론에게 초록색 잉크로 주소가 쓰인 똑같이 생긴 누르스름한 양피지 봉투들을 건네주었다. "덤블도어 교수는 이미 네가 여기에 있다는 걸 알고 있단다, 해리. 그분에게는 속임수가 전혀 통하지 않지. 너희 둘에게도 편지가 왔다." 프레드와 조지가 잠옷 바람으로 느릿느릿 걸어 들어오자 위즐리 씨가 덧붙였다.

그들이 편지를 읽는 동안 잠시 침묵이 흘렀다. 해리의 편지엔 예전처럼 9월 1일에 킹스 크로스 역에서 호그와트 급행열차를 잡아타라고 쓰여 있었다. 또한 2학년 때 필요한 새 책들의 목록도 있었다.

> 2학년 학생들은 다음과 같은 책이 필요합니다 :
>
> 《표준 마법서(2학년)》, 미란다 고시오크 지음
>
> 《밴시와 보내는 휴식 시간》, 질데로이 록허트 지음
>
> 《지붕 밑에 사는 굴 귀신과 돌아다니기》, 질데로이 록허트 지음
>
> 《마녀와 보내는 휴일》, 질데로이 록허트 지음
>
> 《트롤과의 여행》, 질데로이 록허트 지음
>
> 《흡혈귀와의 여행》, 질데로이 록허트 지음
>
> 《늑대인간과 돌아다니기》, 질데로이 록허트 지음
>
> 《설인과 보낸 1년》, 질데로이 록허트 지음

프레드는 자신의 책 목록을 다 읽자, 해리 것을 자세히 들여다보았다.

"너도 록허트의 책을 모두 가져오라고 했구나!" 프레드가 말했다. "새로 오신 어둠의 마법 방어술 선생님은 마녀광인 게 분명해."

그 순간, 프레드는 어머니와 눈이 마주치자 얼른 마멀레이드 잼을 바르는 척했다.

"책값이 만만치 않을 거예요." 조지가 부모님 얼굴을 슬쩍 보며 말했다. "록허트의 책들은 정말 비싸거든요……."

"이럭저럭 될 게다." 위즐리 부인은 말은 이렇게 했지만, 걱정스러운 표정이었다. "내가 볼 때 중고 가게에 가면 지니의 물건은 대부분 구할 수 있을 것 같구나."

"아, 올해엔 너도 호그와트에 입학하니?" 해리가 지니에게 물었다.

지니는 머릿속까지 새빨개지며 고개를 끄덕이다가 그만 버터 그릇에 팔꿈치를 넣고 말았다. 하지만 바로 그때 론의 형 퍼시가 들어왔으므로 다행히 해리 말고는 아무도 이것을 보지 못했다. 퍼시는 이미 옷을 다 차려입고, 스웨터 조끼에는 호그와트 반장 배지까지 달고 있었다.

"모두 안녕하세요." 퍼시가 기분 좋게 말했다. "좋은 아침이에요."

그런데 그가 하나 남아 있는 의자에 앉는 순간, 퍼시는 화들짝 놀라며 엉덩이 밑에서 털이 다 빠진 회색 깃털 먼지떨이 하나를 꺼냈다—아니 적어도, 그것이 숨을 쉬고 있다는 사실을 알 때까지는 해리는 그렇게 생각했다.

"에롤!" 론이 퍼시에게서 절뚝거리는 부엉이를 받아 날개 밑에서 편지를 꺼내며 말했다. "마침내…… 이 녀석이 헤르미온느의 답장을 가져왔군. 내가 헤르미온느에게 더즐리 가족에게서 널 구하러 갈 거라고 편지 썼었거든."

론은 에롤을 뒷문 바로 안쪽에 있는 횃대에 앉히려고 했지만 다시 곧바로 떨어지자, 론이 그 부엉이를 개수대 옆의 그릇 건조대에 올려놓으며 중얼거렸다. "가엾기도 하지." 그러곤 그는 헤르미온느의 편지를 좍 뜯어 큰 소리로 읽었다.

> 사랑하는 론, 그리고 만일 거기 있다면 사랑하는 해리에게,
>
> 모든 게 잘되었길 바랄게. 그런데 혹시 해리를 빠져나오게 하는 데 불법적인 일은 저지르지 않았겠지? 론, 그랬다간 해리는 또다시 곤란에 빠지게 될 거야. 정말로 걱정했었는데 만일 해리가 괜찮다면, 내게 즉시 알려 줘. 하지만 다른 부엉이를 이용한다면 더 좋겠어. 한번만 더 배달을 시켰다간 네 부엉이는 아마 죽을지도 몰라.
>
> 난 물론, 학교 공부하느라 무척 바빠.

"얘는 어떻게 이럴 수 있지?" 론이 놀라며 말했다. "지금은 방학 중이잖아!"

그리고 난 다음 주 수요일에 부모님과 함께 내 새 책을 사러 런던

에 갈 거야. 우리 다이애건 앨리에서 만나지 않을래?

가능한 한 빨리 어떻게 되어 가고 있는지 알려 줘.

헤르미온느가

"아주 잘됐구나, 우리도 그때 가서 물품을 사도록 하자." 위즐
리 부인이 식탁을 치우며 말했다. "너희 오늘은 뭐 할 거니?"

해리와 론과 프레드와 조지는 언덕 위에 있는 위즐리 가족 소
유의 조그마한 목장에 갈 계획이었다. 그곳은 아래에 있는 마을
에서는 보이지 않도록 빙 돌아가며 나무들이 심어져 있어서, 너
무 높이 날지만 않는다면 퀴디치 연습까지도 할 수 있었다. 하지
만 공이 마을로 달아났을 때 머글들에게 설명하기가 매우 곤란
하기 때문에 진짜 공은 사용할 수가 없었다. 그들은 대신 쉽게 잡
을 수 있는 사과를 이용했다. 그들은 해리의 님부스 2000을 번갈
아 탔는데, 확실히 최고의 빗자루라는 걸 느낄 수 있었다. 하지
만 론의 낡은 슈팅 스타는 종종 지나가는 나비들보다도 뒤로 처
지곤 했다.

5분쯤 뒤 그들은 어깨에 빗자루를 메고 언덕 위로 올라갔다.
그들은 퍼시에게 함께 가자고 했지만, 그는 바쁘다며 거절했다.
해리는 퍼시를 식사 시간밖에 볼 수 없었다. 그는 식사 때 이외에
는 온종일 방 안에 틀어박혀 있었다.

"형은 도대체 무얼 하는 걸까." 프레드가 얼굴을 찡그리며 말했다. "형은 지금 제정신이 아닌 것 같아. 네가 오기 직전에 형의 시험 성적이 나왔는데 O.W.L.이 열두 개나 되는데도 전혀 만족해하지 않았어."

"표준 마법사 수준(Ordinary Wizarding Levels)이라는 거야." 해리가 어리둥절한 표정을 짓자, 조지가 설명했다. "빌 형도 열두 개 받았지. 잘못하다간, 우리 가족 중에서 수석이 또 한 명 나오겠어. 난 창피해서 못 견딜 거야."

빌은 위즐리 형제 중 맏이였다. 그와 둘째 형인 찰리는 이미 호그와트를 졸업했다. 해리는 두 사람 다 만나 보지는 못했지만, 찰리는 루마니아에서 용을 공부하고 있고 빌은 마법사 은행인 그린고트의 이집트 지사에서 일한다는 걸 알고 있었다.

"엄마와 아빠가 올해 우리에게 필요한 물품을 어떻게 다 사실 수 있을지 모르겠어." 조지가 한참 뒤 말했다. "록허트 책 다섯 질이라! 그리고 지니에게도 망토며 요술지팡이며 필요한 게 한둘이 아닐 텐데……."

해리는 아무 말도 하지 않았다. 그는 약간 거북한 느낌이 들었다. 런던 그린고트의 지하 금고에는 부모님이 물려주신 많은 돈이 보관되어 있었다. 물론, 그가 돈을 가진 건 마법사 세계에서뿐이었다. 머글들의 가게에서는 갈레온과 시클과 크넛을 사용할 수 없다. 해리는 더즐리 가족에게는 그린고트 은행 예금계좌에 대해 한마디도 하지 않았다. 마법과 관련된 것이라면 질색을 하는 그들이었지만 산더미 같은 황금까지도 싫어하지는 않을 게 분명했기 때문이다.

다음 주 수요일이 되자, 위즐리 부인은 아침 일찍 아이들을 모두 깨웠다. 베이컨 샌드위치를 하나씩 서둘러 먹은 뒤 외투를 걸치자, 위즐리 부인이 부엌 벽난로 선반에서 화분 하나를 집어 들고 그 안을 뚫어지게 들여다보았다.

"다 떨어져 가네요, 아서." 그녀가 한숨을 지으며 말했다. "오늘 조금 더 사야겠어요……. 그러면, 손님 먼저! 먼저 해라, 해리!"

그러더니 그녀가 해리에게 들고 있던 화분을 건네주었다.

해리는 자신을 지켜보는 그들 모두를 바라보았다.

"저더러 뭐…… 뭘 하라는 거죠?" 그가 더듬으며 말했다.

"얘는 플루 가루를 타고 여행해 본 적이 없어요." 론이 갑자기 생각난 듯 말했다. "미안해, 해리, 내가 깜박했어."

"정말이니?" 위즐리 씨가 말했다. "그러면 작년에 학교 물품을 살 때는 다이애건 앨리에 어떻게 갔니?"

"그때는 일단 지하철로 들어가서요……."

"그래?" 위즐리 씨가 몹시 궁금한 듯 물었다. "거기에 비상구가 있었니? 정확히 어떻게……."

"*나중에 물어봐요, 아서.*" 위즐리 부인이 말했다. "플루 가루
는 그것보다 훨씬 더 빠르단다, 얘야. 하지만 어쩌지, 네가 그걸
한번도 써 본 적이 없다면……."

"괜찮을 거예요, 엄마." 프레드가 말했다. "해리, 먼저 우리가
하는 걸 잘 지켜봐."

그가 화분에서 반짝이는 가루를 조금 꺼내더니, 불 앞으로 걸
어가, 그 가루를 불꽃 속으로 던졌다.

그러자 펑 하는 소리가 나더니, 불이 에메랄드빛 초록색으로
변하면서 프레드의 키보다 더 높이 치솟았다. 프레드는 불길 속
으로 곧장 걸어 들어가며 "다이애건 앨리!"라고 외쳤다. 그게 다
였다. 그러곤 그는 어디론가 사라져 버렸다.

"똑똑히 말해야 한다, 얘야." 조지가 화분 속에 손을 집어넣자
위즐리 부인이 해리에게 말했다. "그리고 꼭 오른쪽 벽난로로 나
와야 해……."

"오른쪽 뭐요?" 불길이 펑 하는 소리를 내며 조지까지 휙 사
라지게 하자 해리가 초조하게 물었다.

"글쎄, 출구가 굉장히 많거든. 하지만 똑똑히 말하기만 하
면……."

"해리는 잘할 거요, 몰리. 애태우지 말아요." 위즐리 씨가 플루
가루를 조금 집어 들면서 말했다.

"하지만, 여보. 해리가 만약 길을 잃는다면, 해리의 이모와 이

모부에게 뭐라고 설명하겠어요?"

"이모와 이모부는 조금도 신경 쓰지 않을 거예요." 해리가 위즐리 부인을 안심시켰다. "제가 굴뚝에서 길을 잃어버린다면 두 들리는 아주 재미있어할 테니까 걱정 마세요……."

"글쎄……. 알았다……. 그럼 아서 아저씨 다음에 가거라." 위즐리 부인이 말했다. "자, 불 속으로 들어갈 때, 네가 갈 장소를 말하는 거야……."

"그리고 팔꿈치는 손으로 계속 감싸고 있어." 론이 거들었다.

"눈은 감거라." 위즐리 부인이 말했다. "그을음……."

"긴장하지 마." 론이 말했다. "그랬다간 다른 벽난로로 나갈지도 모르니까……."

"그렇다고 겁먹고 너무 일찍 나오지 말고 프레드와 조지를 만날 때까지 기다리거라."

이 모든 걸 명심하려고 애쓰면서, 해리는 플루 가루를 조금 집어 불가로 걸어갔다. 그는 심호흡을 한 번 하고, 가루를 불꽃 속으로 뿌리고는 앞으로 걸어 나갔다. 불길이 꼭 따뜻한 바람처럼 느껴졌다. 그런데 입을 벌리자마자 뜨거운 재가 한 움큼 입속으로 들어왔다.

"다…… 다이애……건 앨리." 해리는 기침을 했다.

그건 꼭 거대한 배수로로 빨려 들어가는 것 같은 기분이었다. 해리는 아주 빨리 빙글빙글 도는 것 같았다. 귀에 들리는 굉음 때문에 귀청이 터질 것 같았다……. 해리는 눈을 뜨고 있으려고 했지만 소용돌이치는 초록빛 불꽃 때문에 자꾸 눈이 감겼고 속이 울렁댔다……. 딱딱한 무언가가 팔꿈치를 치자 해리는 빙글빙글 도는 와중에도 팔꿈치를 꽉 감싸 안았다……. 이제는 차가운 손이 뺨을 찰싹찰싹 때리는 것 같은 기분이 들었다……. 안경을 통해 죽 늘어선 벽난로들과 그 너머에 있는 방들이 흐릿하게 보였다……. 아침에 먹은 베이컨 샌드위치가 넘어올 것 같았다……. 해리는 이제 그만했으면 하며 다시 눈을 감았다. 그리고…….

차가운 돌바닥으로 엎어지는 순간, 안경다리가 툭 하고 부러지는 게 느껴졌다.

현기증이 났다. 온몸이 멍투성이였다. 해리는 그을음으로 뒤덮인 채 부러진 안경을 부여잡고 조심스럽게 일어섰다. 주위엔 아무도 없었다. 어디에 와 있는 건지 도무지 알 수가 없었다. 확실한 건, 자기가 불이 어스레하게 밝혀진 커다란 마법사 가게처럼 보이는 곳의 돌 벽난로에 서 있다는 것뿐이었다……. 하지만 이곳에는 호그와트 학교 목록에 쓰여 있는 것은 하나도 없는 것 같았다.

가까운 유리 진열장 안에는 쿠션 위에 놓인 말라 빠진 손 하나와 피로 얼룩진 카드 한 벌과 노려보는 유리 눈알 하나가 들어 있었다. 벽에서는 기분 나쁜 가면들이 쳐다보고 있었고, 카운터에는 여러 가지 종류를 한데 모아 놓은 사람의 뼈 종합 세트가 놓여 있는가 하면, 천장에는 녹슨 뾰족한 도구들이 주렁주렁 매달려 있었다. 그러나 아무리 보아도, 더러운 가게 창문을 통해 보이는 저 어둡고 좁다란 길은 확실히 다이애건 앨리가 아니었다.

여기서는 빨리 나갈수록 좋을 것 같았다. 벽난로 바닥에 엎어질 때 부딪친 코가 아직도 얼얼했다. 해리가 서둘러 조용히 문 쪽으로 채 반도 걸어가기 전에, 유리창 밖에 두 사람이 나타났다. 그런데 그중 하나는 해리가 이렇게 길을 잃고, 그을음을 뒤집어 쓰고 부러진 안경을 낀 모습으로는 절대 만나고 싶지 않은 드레이코 말포이였다.

얼른 주위를 둘러보자 왼쪽에 있는 커다란 까만색 캐비닛이 눈에 들어왔다. 해리는 그 안으로 달려 들어가 밖을 내다볼 수 있도록 작은 틈만 남기고, 문을 끌어당겨 닫았다. 잠시 뒤, 종이 뗑그렁 하고 울리더니 말포이가 가게 안으로 들어왔다.

따라 들어온 남자는 드레이코의 아버지인 게 분명했다. 그는 말포이와 똑같이 창백하고 뾰족한 얼굴과 차가운 회색빛 눈을 갖고 있었다. 말포이 씨는 진열되어 있는 물건들을 대충 둘러보며 가게를 돌아다니다가, 카운터에 있는 종을 울리며 아들에게 돌아서서 말했다. "아무것도 만지지 마라, 드레이코."

말포이가 유리 눈알을 발견하고 말했다. "선물 하나 사 주시면 안 돼요?"

"경주용 빗자루를 사 주겠다고 했잖니." 그의 아버지가 손가락으로 카운터를 따각따각 두드리며 말했다.

"저는 기숙사 퀴디치 팀도 아닌데 그런 거 가져 봤자 뭐 해요?" 말포이가 부루퉁하게 토라진 얼굴로 말했다. "해리 포터는 작년에 님부스 2000을 받았단 말이에요. 그 녀석은 그리핀도르 선수로 뛸 수 있도록 덤블도어 교수님께서 특별 허가까지 해 주셨어요. 그 녀석은 그렇게 잘하지도 않는데, 그건 다 그 애가 유명하기 때문이에요⋯⋯. 이마에 멍청한 흉터 하나 가진 것 때문이라고요⋯⋯."

말포이가 허리를 굽혀 해골들로 가득 찬 선반을 이리저리 살폈다.

"모두 그 녀석이 굉장히 *잘났다*고 생각해요. *흉터에다 빗자루까지* 가진 멋진 포터라면서 말예요⋯⋯."

"그 말은 벌써 열 번도 더 했을 거다." 말포이 씨가 이제 그 말은 그만두라는 표정으로 아들을 바라보며 말했다. "그리고 마법사들 대부분이 해리 포터가 마왕을 사라져 버리게 한 영웅이라고 여기는 상황에서 남들 앞에서 그렇게 드러내고 해리 포터를 싫어하는 건 현명하지 못해. 아, 보진 씨."

기름을 바른 머리를 완전히 뒤로 매끄럽게 넘긴, 구부정한 남자 하나가 카운터 뒤에서 나타났다.

"말포이 씨, 다시 만나다니 이렇게 반가울 데가." 보진 씨가 그의 머리만큼이나 기름이 줄줄 흐르는 구변 좋은 목소리로 말했다. "정말 기쁘군요. 그리고 아드님도…… 만나서 기뻐요. 어떤 걸 보여 드릴까요? 이거 한번 보세요. 오늘 막 들어왔는데, 가격도 적당하고……."

"보진 씨, 오늘은 사려는 게 아니라, 팔려는 겁니다." 말포이 씨가 말했다.

"파신다고요?" 보진 씨의 얼굴에서 미소가 약간 사라졌다.

"마법부의 불시 단속이 심해졌다는 말은 당신도 물론 들었을 거요." 말포이 씨가 안주머니에서 양피지 두루마리를 꺼내 보진 씨가 읽도록 풀면서 말했다. "우리 집에도…… 어…… 마법부가 만약 소환한다면, 좀 난처한 것들이…… 아아…… 몇 가지 있어서……."

보진 씨가 코에 코안경을 갖다 대고 그 목록을 훑어보았다.

"설마 마법부가 말포이 씨를 성가시게야 하겠어요?"

말포이 씨의 입술이 비틀렸다.

"아직 우리 집에 찾아오지는 않았소. 말포이 가문이 아직도 어느 정도 영향력이 있기는 하지만, 마법부가 요즈음 그 어느 때보다도 더 쓸데없는 일에 참견하고 있어서 말이오. 머글 보호 법령을 새로 제정한다는 소문이 있어요……. 머글을 사랑하는 저 형편없는 아서 위즐리가 그 뒤에 있다는 건 의심의 여지가 없는 일이죠……."

해리는 뜨거운 분노가 치솟았다.

"그런데 말이오, 이들 가운데 오해를 살 여지가······."

"물론 잘 알죠, 말포이 씨." 보진 씨가 말했다. "어디 보자······."

"*저거* 가져도 돼요?" 드레이코가 쿠션 위에 있는 말라 빠진 손을 가리키며 끼어들었다.

"아아, 영광의 손!" 보진 씨가 말포이 씨의 목록을 내려놓고 허둥지둥 드레이코에게 걸어가며 말했다. "초를 넣으면 그걸 잡고 있는 사람에게만 불을 비춰 주는 거란다! 도둑들의 가장 좋은 친구지! 아드님께서 물건 볼 줄을 아는군요, 말포이 씨."

"내 아들이 도둑보다는 더 훌륭해지길 바랄 뿐이오, 보진." 말포이 씨가 차갑게 말하자 보진 씨가 얼른 말했다. "악의로 한 말이 아닙니다, 그저······."

"물론 애의 성적이 더 올라가지 않는다면······." 말포이 씨가 더욱 냉정하게 말했다. "그런 사람밖에 될 수 없겠죠······."

"그건 제 잘못이 아니에요." 드레이코가 말대꾸했다. "선생님마다 가장 예뻐하는 애들이 다 있는데, 헤르미온느 그레인저는······."

"아빠 마법사 집안 출신도 아닌 여자아이가 전 과목에서 너를 이겼다는 점에 대해 네가 부끄럽게 여길 줄 알았다." 말포이 씨가 날카롭게 말했다.

"아하하!" 해리는 드레이코가 무안해하면서도 화난 표정을 짓는 걸 보자 기분이 좋아져서 속으로 웃었다.

"그건 어디나 똑같아요." 보진 씨가 기름이 좔좔 흐르는 목소리로 말했다. "마법사 혈통은 어디에서나 손해 보는 법이잖아요……."

"난 안 그렇소." 말포이 씨가 긴 콧구멍을 깔때기 모양으로 벌름거리며 말했다.

"그렇습니다, 말포이 씨. 물론 저도 안 그렇죠." 보진 씨가 굽실거리며 말했다.

"그렇다면, 내 목록 얘기로 다시 돌아가도 괜찮을 것 같군요." 말포이 씨가 쌀쌀하게 말했다. "내가 좀 바빠서 말이오, 보진. 오늘 무척 중요한 볼일이 있어서……."

그들은 옥신각신하기 시작했다. 해리는 드레이코가 진열된 물건들을 살피며 그가 숨어 있는 장소로 점점 더 가까이 오자, 초조하게 지켜보았다. 드레이코는 돌돌 말려 있는 교수형 집행인의 긴 밧줄을 살피려고 멈췄다가, 긴 오팔 목걸이에 기대어 세워 놓은 카드에 쓰인 것을 읽고 능글맞게 히죽히죽 웃었다.

> 주의! 만지지 마시오.
> 저주받은 것임—지금까지 머글 주인
> 열아홉 명의 목숨을 앗아 갔음.

얼굴을 돌린 드레이코는 바로 앞에 캐비닛이 있는 걸 보고 그쪽으로 걸어갔다……. 그리고 손잡이를 잡으려고 손을 뻗었다…….

"됐소." 카운터에서 말포이 씨가 말했다. "가자, 드레이코!"

아슬아슬한 순간에 드레이코가 돌아서 가 버리자 해리는 안도하며 소매로 이마를 훔쳤다.

"좋은 하루 되시오, 보진 씨. 그럼 내일 그 물건들을 가지러 우리 집에 오길 기다리겠소."

문이 닫히자마자, 기름이 좔좔 흐르던 보진 씨의 태도가 싹 바뀌었다.

"당신이나 좋은 하루 보내시지, *말포이 씨*. 소문이 사실이라면, 당신 *집에* 숨겨 둔 물건들이 엄청나게 많을 텐데 말이야."

험악하게 투덜대면서, 보진 씨가 뒷방 쪽으로 사라졌다. 해리는 그가 다시 돌아올 경우를 생각해 잠시 기다렸다가, 될 수 있는 한 조용히 캐비닛에서 빠져나와 유리 진열장을 지나서 가게 문밖으로 나갔다.

해리는 부러진 안경이 얼굴에서 떨어지지 않도록 움켜잡은 채, 주위를 둘러보았다. 그곳은 완전히 어둠의 마법 물건들만 취급하는 가게가 모여 있는 음침한 골목이었다. 그가 막 나온 '보진과 버크'라는 가게가 가장 큰 것처럼 보였다. 맞은편 창가에는 불쾌하게 생긴 주름진 얼굴들이 진열되어 있었고, 두 집 내려가서는, 검은색의 커다란 거미들이 사는 대형 우리가 있었다. 헙수룩한 차림의 마법사 두 명이 어떤 가게의 문간 그늘에서 해리를 지켜보며, 서로 뭐라고 중얼거리고 있었다. 해리는 신경이 날카로 워졌다. 그는 안경이 똑바로 붙어 있도록 잡고, 여기서 나가는 길을 분명히 찾을 수 있을 거라고 자위하면서 걸었다.

독이 든 초를 파는 어떤 가게에 걸린 낡은 거리 표지판은 여기 가 녹턴 앨리라는 걸 알려 주었다. 그러나 해리는 그러한 장소에 대해 들어 본 적이 없으므로 아무 도움도 되지 못했다. 그는 위 즐리네 집 벽난로 불에서 재가 입에 한가득 들어오는 바람에 똑 똑히 말하지 못했던 것이라고 생각했다. 침착하려고 하면서, 그 는 앞으로 어떻게 할지 생각했다.

"길을 잃은 건 아니니, 애야?" 불쑥 누군가가 해리의 귓가에 대고 말하자 그는 소스라치게 놀랐다.

앞에, 늙은 마녀 하나가 사람의 손톱인 것처럼 보이는 끔찍한 것들이 가득 담긴 쟁반을 들고 서 있었다. 그녀는 누런 이빨을 드 러내며 심술궂은 눈초리로 바라보았다. 해리는 뒤로 물러섰다.

"저는 괜찮아요, 고맙습니다. 전 그저······."

"**해리!** 너 거기서 뭐 하는 거니?"

해리는 가슴이 뛰었다. 그 마녀도 그랬는지 손톱들이 그녀의 발로 우수수 떨어졌다. 호그와트의 사냥터지기인 거구의 해그리 드가 딱정벌레 같은 까만 눈을 번득이며 턱수염을 곤두세우고 그들에게로 성큼성큼 걸어오자 그 마녀가 욕지거리를 했다.

"해그리드!" 해리가 마음이 놓인 듯 우는 목소리로 말했다.

"길을 잃었어요······. 플루 가루가······."

해그리드가 해리의 목덜미를 잡고 그 마녀에게서 잡아끄는 바람에 쟁반이 마녀의 손에서 떨어졌다. 그들이 구불구불한 골목에서 밝은 햇빛으로 나오는 동안 내내, 그 마녀가 고래고래 고함치는 소리가 끊이지 않았다. 저 멀리에 어디서 본 듯한, 눈처럼 하얀 대리석 빌딩이 보였다······. 그린고트 은행이었다. 마침내 다이애건 앨리로 나온 것이다.

"이 멍청아!" 해그리드가 해리를 어떤 약국 밖에 있는 용의 통 속으로 넘어뜨릴 정도로 세게 탁탁 쳐 그을음을 털어 내 주며 퉁명스럽게 말했다. "녹턴 앨리에서 걸어 다니다니, 세상에! 위험한 곳이야, 해리······ 그런 곳에 가는 건 좋지 않아······."

"저도 방금 그걸 깨달았어요." 해그리드가 또다시 털어 주기 위해 손을 올리자 해리가 몸을 피하며 말했다. "말했잖아요, 길을 잃었다고요······. 그런데 거기서 뭐 하고 계셨던 거예요?"

" '육식성 민달팽이 살충제'를 찾고 있었어." 해그리드가 딱딱거렸다. "그것들이 학교에 심어 놓은 배추를 다 망쳐 놓고 있거든. 설마 혼자 온 건 아니겠지?"

"위즐리 가족과 함께 왔는데 제가 그만 길을 잃어버리는 바람에 헤어졌어요." 해리가 설명했다. "위즐리 가족을 찾아야 해요······."

그들은 함께 거리를 따라 내려갔다.

"어떻게 답장 한 장 안 쓸 수 있니?" 해리가 옆에서 터벅터벅 걸어갈 때 해그리드가 말했다(해그리드가 한 발짝을 떼면 해리는 세 발짝을 걸어야 했다). 해리는 도비와 더즐리 가족에 대해 모두 설명했다.

"몹쓸 머글들 같으니라고." 해그리드가 성내며 말했다. "내가 진작 알았더라면……."

"해리! 해리! 여기야!"

소리 나는 쪽을 쳐다보자 헤르미온느 그레인저가 그린고트의 하얀 계단 꼭대기에 서 있었다. 그녀가 갈색 머리카락을 휘날리며 뛰어 내려왔다.

"네 안경이 어떻게 된 거니? 안녕하세요, 해그리드……. 아, 두 사람을 다시 만나게 돼서 정말 기뻐요……. 그린고트에 들어가려는 거니, 해리?"

"위즐리 가족을 찾으면." 해리가 말했다.

"오래 기다리지 않아도 될 거야." 해그리드가 싱긋 웃으며 말했다.

해리와 헤르미온느가 주위를 둘러보았다. 론, 프레드, 조지, 퍼시 그리고 위즐리 부부가 혼잡한 거리를 허둥지둥 달려오고 있었다.

"해리." 위즐리 씨가 헐떡거리며 말했다. "벽난로 하나만 더 지나갔으면 됐는데 말이야……." 그가 번쩍이는 대머리에서 흐르는 땀을 닦았다. "몰리 아줌마가 아주 걱정하고 있단다. 아줌마는 이제 곧 올 거다……."

"너 어디로 나왔니?" 론이 물었다.

"녹턴 앨리." 해그리드가 험악하게 말했다.

"*대단해.*" 프레드와 조지가 일제히 말했다.

"우린 거기에 가면 혼나는데." 론이 부러워하며 말했다.

"가면 당연히 안 되지." 해그리드가 투덜거렸다.

그때 먼발치에서 위즐리 부인이 한쪽 손에 핸드백을 들고 앞뒤로 세게 흔들며, 다른 쪽 손으로는 지니를 붙잡고 뛰어오는 것이 보였다.

"오, 해리……. 오, 얘야……. 어디에 있었던 거니?"

위즐리 부인은 숨을 헐떡이며 핸드백에서 커다란 옷솔을 꺼내더니, 해그리드가 미처 털어 내지 못한 그을음을 털어 내기 시작했다. 그리고 위즐리 씨가 해리의 안경을 가져가, 요술지팡이로 가볍게 건드리자 다시 새 안경처럼 변했다.

"저는 이만 가 봐야겠군요." 해그리드가 위즐리 부인에게 손이 붙들린 채 말했다("녹턴 앨리라고요! 해그리드 당신이 이 애를 발견하지 못했다면 어떡할 뻔했어요!"). "그럼 다들 호그와트에서 보자!" 그리고 그는 커다란 몸집을 흔들며 성큼성큼 걸어갔다.

"내가 '보진과 버크'라는 가게에서 누굴 봤는지 알아?" 그린고트 계단을 올라가며 해리가 론과 헤르미온느에게 물었다. "말포이와 그 애 아버지야."

"루시우스 말포이가 뭐라도 샀니?" 그들 뒤에 있던 위즐리 씨가 날카롭게 물었다.

"아뇨, 산 게 아니라 팔았어요⋯⋯."

"그래서 그렇게 걱정이 태산이었던 거로군." 위즐리 씨가 아주 만족스러운 표정으로 말했다. "루시우스 말포이를 어떻게든 잡아넣어야겠는데⋯⋯."

"조심해요, 아서." 은행으로 들어갈 때 문 앞에 있는 도깨비들의 인사를 받으며 위즐리 부인이 말했다. "그 집안은 골칫거리잖아요. 힘에 겨운 일은 하려고 들지 마세요⋯⋯."

"그러니까 당신은 내가 루시우스 말포이의 상대가 안 된다, 이거야?" 위즐리 씨가 버럭 성을 내며 말하다가, 헤르미온느의 부모를 보자 반색했다. 그들은 커다란 대리석 홀로 통하는 카운터 앞에 초조하게 서서, 헤르미온느가 그들을 소개해 주길 기다리고 있었다.

"머글들이시군요!" 위즐리 씨가 친근하게 말했다. "술 한잔해야겠군요! 그런데 그건 뭐죠? 아, 머글 돈을 바꾸시려는 거로군요. 몰리, 봐요!" 그가 흥분해서 그레인저 씨의 손에 든 10파운드짜리 지폐를 가리켰다.

"우리 여기서 다시 만나자." 위즐리 형제와 해리가 또 다른 그린고트 도깨비의 안내를 받아 지하 금고로 내려갈 때, 론이 헤르미온느에게 말했다.

금고에 가려면 도깨비들이 모는 작은 고속 궤도차를 타고 작은 규모의 기찻길을 따라 은행의 지하 터널을 지나가야 했다. 해리는 위즐리네 금고로 내려가는 위험천만한 여행을 오히려 즐겼지만, 금고가 열렸을 때는 녹턴 앨리에서 느꼈던 것보다 더 무거운 참담함을 느꼈다. 그 안에 들어 있는 건 약간의 은 시클과 단 한 개의 금 갈레온이 다였다. 위즐리 부인은 그 금고에 있는 돈을 박박 긁어모아 몽땅 핸드백 속에 쓸어 넣었다. 그러나 해리의 금고에 도달했을 때의 기분은 훨씬 더 참담했다. 해리는 그 안에 들어 있는 것들이 보이지 않도록 가리려고 애를 쓰며 허둥지둥 동전 한 줌을 가죽 가방 속에 밀어 넣었다.

그들은 대리석 계단이 있는 바깥으로 다시 나온 뒤 모두 헤어졌다. 퍼시는 새 깃펜이 필요하다고 중얼거리며 가 버렸고, 프레드와 조지는 호그와트의 친구인 리 조던을 만났다. 위즐리 부인과 지니는 중고 망토 가게로 갈 계획이었다. 위즐리 씨는 그레인저 부부를 리키 콜드런으로 데려가 한잔해야겠다고 고집하고 있었다.

"그럼 한 시간 뒤 '플러리쉬와 블러트' 서점에서 만나 교과서를 사도록 하자." 위즐리 부인이 지니와 함께 출발하면서 말했다. "그리고 녹턴 앨리에는 한 발짝도 들여놓지 말고!" 그녀가 친구와 함께 떠나는 쌍둥이의 등에 대고 큰 소리로 말했다.

해리와 론과 헤르미온느는 꼬불꼬불한 자갈길을 따라 한가로이 걸었다. 해리의 주머니에는 금화와 은화와 동화가 기분 좋게 땡그랑거리며 제발 써 달라고 아우성을 치고 있었다. 해리는 커다란 딸기 땅콩 아이스크림을 세 개 사서 셋이서 기분좋게 아이스크림을 빨아먹으면서 휘황찬란한 가게 쇼윈도 앞을 기웃거리며 걸어 다녔다. 론이 고급 퀴디치 용품점 창문 앞에서 처들리 캐논 망토를 동경의 눈초리로 한없이 바라보자, 헤르미온느가 잉크와 양피지를 사러 가자며 그들을 옆 가게로 끌고 갔다. 마법사들의 놀이 가게인 '갬볼과 제이프'에서 프레드와 조지와 리 조던을 만났는데, 그들은 '습식 점화 장치가 부착되어 하나도 안 뜨거운 필리버스터 박사의 불꽃놀이'를 사고 있었다. 그리고 부러진 요술지팡이와 한쪽으로 기울어진 저울과 더러운 약물 자국으로 뒤덮인 낡은 망토가 가득한 작은 고물상에서는 《힘을 얻은 반장들》이라는 굉장히 재미없는 작은 책에 푹 빠져 있는 퍼시를 발견했다.

"호그와트의 반장들과 그들의 졸업 후 진로에 대한 연구," 론이 그 책의 뒤표지를 큰 소리로 읽었다. "굉장히 *매혹적*으로 들리는데……."

"저리 가." 퍼시가 날카롭게 말했다.

"물론, 퍼시 형은 포부가 아주 거창해. 모든 계획을 다 짜 놓았어……. 형은 마법부 장관이 되고 싶어 하지……." 퍼시를 내버려 두고 나오며 론이 해리와 헤르미온느에게 말했다.

한 시간쯤 뒤, 그들은 '플러리쉬와 블러트'로 향했다. 하지만 그 서점으로 향하는 사람들은 그들만이 아니었다. 서점에 도착하자, 놀랍게도 많은 사람이 문밖에서 서로 밀치며, 안으로 들어가려 하고 있었다.

위쪽 창문에 붙어 있는 커다란 광고문을 보니 그 이유를 알 수 있었다.

질데로이 록허트
★ 신비한 나 ★

자서전 구입시 직접 사인을 해 드립니다.
오늘 12:30pm부터 4:30pm까지

"록허트를 실제로 만날 수 있겠다!" 헤르미온느가 흥분하며 말했다. "저 사람이 바로 우리가 살 교과서들을 대부분 쓴 사람이잖아!"

몰려 있는 사람들은 주로 위즐리 부인과 비슷한 나이의 부인들인 것 같았다. 어떤 마법사 하나가 매우 초조한 얼굴로 문 앞에 서서 큰 소리로 말했다. "숙녀 여러분, 침착하세요······. 밀지 마세요. 저기······ 책들 조심하세요, 자······."

해리와 론과 헤르미온느도 안으로 비집고 들어갔다. 가게 저 안쪽까지 긴 줄이 꼬불꼬불 늘어서 있었고, 그 끝에서는 질데로이 록허트가 자신의 책에 사인해 주고 있었다. 그들은 각각 《표준 마법서(2학년)》를 한 권씩 들고 위즐리 부부와 지니, 그리고 그레인저 부부가 함께 서 있는 줄로 몰래 다가갔다.

"오, 너희 왔구나, 그래." 위즐리 부인이 말했다. 위즐리 부인은 숨도 제대로 쉬지 못하는 것 같았고, 계속해서 머리를 매만지고 있었다. "이제 조금만 있으면 그를 볼 수 있을 게다……."

질데로이 록허트가 서서히 시야에 들어왔다. 그는 자기 얼굴이 커다랗게 나온 얼굴 사진에 둘러싸인 채 탁자에 앉아, 사람들 모두에게 눈짓을 해 보이며 하얀 이를 다 드러내고 환하게 웃고 있었다. 실제의 록허트는 그의 눈 빛깔과 똑같은 물망초빛 파란 망토를 입고 있었다. 그리고 구불구불한 머리 위에는 뾰족한 마법사 모자가 멋지게 비스듬히 쓰여 있었다.

신경질적으로 생긴 자그마한 남자 하나가 플래시가 터질 때마다 보랏빛 연기를 뿜어 내는 커다란 검은색 카메라를 들고 이리저리 뛰어다니며 사진을 찍고 있었다.

"좀 비켜서세요, 거기." 그가 사진을 더 잘 찍기 위해 뒷걸음질치며 론에게 딱딱거렸다. "이것은 《예언자일보》에 낼 사진입니다……."

"대단하군." 론이 사진사에게 밟힌 곳을 발로 문지르며 말했다.

질데로이 록허트가 론이 하는 말을 들었다. 그가 고개를 들어 론을 보았다……. 그러고 나서 해리를 발견하고 빤히 바라보았다. 그러고는 벌떡 일어서서 확실하다는 듯 큰 소리로 말했다. "해리 포터가 맞지?"

몰려 있던 사람들이 흥분해서 웅성거리며 길을 비켜 주었다. 록허트가 앞으로 달려와 해리의 팔을 덥석 잡더니 그를 앞으로 끌어당겼다. 군중이 갑자기 환호했다. 미친 듯이 찰칵거리며 위즐리 가족이 있는 쪽으로 뿌연 연기를 둥둥 떠가게 하고 있는 사진사에게 록허트가 손을 흔들자 해리의 얼굴이 벌게졌다.

"멋진 미소 한번 활짝 지어 봐라, 해리." 록허트가 이를 번득이며 말했다. "너와 난 함께 신문 제1면에 나올 만해."

그가 손을 놔주었을 때는, 해리는 손가락에 감각을 거의 느낄 수가 없었다. 그가 옆 걸음질을 쳐서 가만가만 위즐리 가족에게로 다시 가려고 하는 순간, 록허트가 한쪽 팔로 그의 어깨를 감싸더니 옆구리를 꽉 죄었다.

"신사숙녀 여러분." 그가 조용히 하라고 손짓하며 큰 소리로 말했다. "이 얼마나 멋진 순간입니까! 제가 오랫동안 생각해 왔던 것을 여러분에게 알려 드릴 아주 좋은 때가 된 것 같군요!"

"여기에 있는 어린 해리가 오늘 '플러리쉬와 블러트' 서점에 발을 들여놓은 것은 오직 저의 자서전을 사고 싶었기 때문입니다……. 저는 이제 해리 포터에게 제 책을 기꺼이 주려고 합니다, 무료로 말이죠……." 군중이 다시 한 번 환호했다. "해리는 이제

얼마 안 있으면……." 록허트가 해리를 잡고 약간 흔들자 해리의
안경이 코끝으로 미끄러졌다. "나의 책《신비한 나》보다 훨씬 더
많은 걸 얻게 되리라는 사실을 전혀 모르고 있습니다. 해리와 해
리의 학교 친구들은 이제 진짜《신비한 나》를 갖게 될 것입니다.
그렇습니다, 신사숙녀 여러분. 저는 이 자리에서 이번 9월에 제가
호그와트 마법학교의 새로운 '어둠의 마법 방어술' 교수로 부임
한다는 사실을 알려 드리게 되어서 무척 기쁩니다!"

군중이 박수갈채를 보냈고, 해리는 질데로이 록허트의 모든 책
을 공짜로 받게 되었다. 책이 어찌나 무거웠던지 몸이 휘청했다.
해리는 뭇사람들의 시선을 받는 자리에서 가까스로 물러나 와
한쪽 가장자리에 새로 산 냄비를 옆에 두고 서 있는 지니에게로
다가갔다.

"이것들 너 다 가져." 해리가 그 책들을 냄비 속에 넣으며 지니
에게 말했다. "난 다시 사면 돼……."

"굉장히 좋았겠다, 안 그래, 포터?" 해리가 단번에 알아들을
수 있는 목소리가 들려왔다. 해리는 몸을 똑바로 일으켜 세우고,
평상시처럼 비웃는 드레이코 말포이와 얼굴을 맞대고 섰다.

"유명하신 해리 포터께서는 책 한 권을 사러 나왔다가도 신문
제1면에 실리는군." 말포이가 말했다.

"해리를 놀리지 마. 자기가 원해서 이렇게 된 게 아니니까!"
지니가 말했다. 지니가 해리 앞에서 말한 건 그게 처음이었다.

그녀는 말포이를 노려보고 있었다.

"포터, 너 여자 친구 생겼구나!" 말포이가 점잔 빼며 말했다. 지니의 얼굴이 새빨개졌을 때 론과 헤르미온느가 록허트 책들을 움켜쥐고 한바탕 하려는 듯 걸어왔다.

"오, 너였구나." 마치 신발 바닥에 더러운 게 붙어 있기라도 한 것 같은 표정으로 말포이를 바라보며 론이 말했다. "여기서 해리를 봐서 놀랐지, 어?"

"널 서점에서 보고 훨씬 더 놀랐어, 위즐리." 말포이가 맞받아쳤다. "네 부모님은 그걸 모두 다 사고 나면 아마 한 달 동안은 쫄쫄 굶으셔야 할걸."

론의 얼굴이 지니처럼 새빨개졌다. 그가 책들을 냄비 속에 떨어뜨리고 말포이에게 덤벼들려고 하자, 해리와 헤르미온느가 론의 재킷을 잡았다.

"론!" 위즐리 씨가 프레드와 조지와 함께 군중 속을 헤쳐 나오면서 말했다. "너 뭐 하니? 이 안은 너무 혼잡하니까 밖으로 나가자."

"이게 누구야? 아서 위즐리 아닌가?"

그건 말포이 씨였다. 그가 드레이코와 똑같이 냉소를 보이며, 아들의 어깨에 한 손을 얹고 서 있었다.

"루시우스." 위즐리 씨가 차갑게 고개를 끄덕여 인사를 했다.

"마법부에선 바쁘다고 들었네." 말포이 씨가 말했다. "그 많은 불시 단속들하며…… 초과 근무 수당은 받고 있겠지?"

그가 지니의 큰 냄비로 걸어가더니 그럴듯한 록허트 책들 가운데에서, 아주 오래되고 낡을 대로 낡은 《초보자를 위한 변신술 지침서》라는 책 한 권을 뽑아 들었다.

"그렇지 못한 것 같군." 말포이 씨가 말했다. "저런, 자네조차 제대로 월급을 받지 못한다면 마법사라는 이름에 먹칠을 하는 게 아니고 무엇이겠나?"

위즐리 씨의 얼굴이 론이나 지니보다도 더 새빨개졌다.

"우린 마법사의 이름에 진정으로 먹칠하는 게 어떤 건지에 대해 견해가 아주 다른 것 같군, 말포이." 그가 말했다.

"아무렴." 말포이 씨가 걱정스러운 표정으로 쳐다보는 그레인저 부부에게 잠시 눈길을 주었다가 다시 말했다. "……위즐리, 난 이미 자네의 집안 형편이 기울 대로 기울었다고 생각했었지……."

지니의 냄비가 날아가더니 쨍그랑하고 커다란 금속음을 냈다. 그러고는 위즐리 씨가 말포이 씨에게 몸을 날려 그를 뒤에 있는 책꽂이 쪽으로 밀어붙였다. 수십 권의 무거운 마법 책들이 요란한 소리를 내며 머리 위로 떨어졌다. 프레드인지 조지인지 "혼내 줘요, 아빠!" 하는 외침이 들렸다. 위즐리 부인은 "안 돼요, 아서, 안 돼!"라며 비명을 지르고 있었다. 사람들이 우르르 뒤로 물러서자, 더 많은 책꽂이가 넘어졌다. "신사 양반들, 제발……, 제발!" 점원이 소리치는 순간, 또 다른 목소리가 들렸다.

"떨어지세요, 거기. 신사 양반들, 떨어지세요……."

해그리드가 바닥에 어지럽게 널린 책들을 헤치며 걸어오고 있었다. 그리고 눈 깜짝할 사이에 위즐리 씨와 말포이 씨를 잡아 떼어 놓았다. 위즐리 씨는 입술이 찢어졌고 말포이 씨는 《독버섯 백과사전》으로 눈을 맞았다. 그는 여전히 지니의 낡은 변신술 책을 들고 있었다. 그는 악의에 찬 눈을 번득이며 그 책을 지니에게 내밀었다.

"여기, 야…… 네 책 받아라……. 그게 네 아버지가 네게 줄 수 있는 최고의 책이란다……." 그가 해그리드에게 잡혀 있던 손을 뿌리치며 손짓으로 드레이코를 부르더니 서점에서 급히 나갔다.

"저런 사람은 무시해 버렸어야죠, 아서." 해그리드가 망토를 바로잡는 위즐리 씨를 거의 일으켜 세우다시피 하며 말했다. "썩을 대로 썩은 집안이잖아요. 그건 누구나 아는 사실이에요……. 악의에 가득 차 있는 말포이 가족의 말은 들을 가치도 없어요……. 자 어서…… 여기서 나가세요."

점원은 손해 배상 청구를 하기 전에는 그들이 나가지 못하도록 막고 싶은 표정이었지만, 해그리드가 있는 한 어림도 없다고 생각해서인지 일찌감치 포기한 것 같았다. 그들은 급히 거리로 나왔다. 그레인저 부부는 놀라서 떨고 있었고 위즐리 부인은 화가 나서 제정신이 아니었다.

"아이들에게 좋은 본보기를 보여 주셨네요……. 사람들 앞에서

싸움이나 하고…… 질데로이 록허트가 *뭐라고* 생각했겠어요."

"그는 기뻐했어요." 프레드가 말했다. "우리가 떠날 때 그가 하는 말 못 들으셨어요? 그가 《예언자일보》 기자에게 그 싸움을 기사에 실을 수 있는지 묻고 있었다고요……. 정말 좋은 기삿거리가 될 거라던데요……."

하지만 그들은 마음을 가라앉히고 리키 콜드런의 난롯가로 다시 향했다. 그곳에서 해리와 위즐리 가족은 산 물건을 들고 플루 가루를 이용해 다시 버로우로 돌아갈 것이다. 그들은 술집을 나와 반대편의 머글 거리로 향하는 그레인저 가족에게 작별 인사를 했다. 위즐리 씨는 그들에게 버스 정류장을 어떻게 이용하는지 물었다가, 위즐리 부인의 표정을 보고는 얼른 그만두었다.

해리는 플루 가루를 조금 잡기 전에 안경을 벗어 주머니 속에 안전하게 넣었다. 그것은 확실히 마음에 썩 내키는 여행 방법은 아니었다.

제 5 장

커다란 버드나무

여름방학이 너무나 빨리 지나가 버린 것 같았다. 해리는 물론 호그와트로 돌아가길 고대하고 있었지만, 버로우에서 보낸 한 달은 지금까지 사는 동안 가장 행복한 시간이었다. 그는 더즐리 가족이 있는 프리벳 가로 다시 돌아갔을 때를 생각하면 론이 부럽지 않을 수 없었다.

마지막 날 저녁에, 위즐리 부인은 눈 깜짝할 사이에 해리가 가장 좋아하는 음식들로만 가득 찬 화려한 저녁상을 차려 주었고, 마지막에는 군침이 도는 당밀 푸딩까지 내놓았다. 프레드와 조지는 필리버스터 불꽃놀이를 보여 줌으로써 그날 저녁을 멋지게 마무리했다. 적어도 30분 동안을 빨간색과 파란색 별들이 천장에서 벽으로 튀며 식당을 아름답게 수놓았다. 그 뒤 그들은 마지막으로 코코아를 한 잔 마신 뒤 잠자리에 들었다.

다음 날 아침을 시작하는 데는 한참이 걸렸다. 이른 새벽에 일어났음에도, 어쩐지 할 일이 아주 많이 남은 것 같았다. 위즐리 부인은 시무룩한 표정으로 여분의 양말과 깃펜 들을 찾아 이리저리 뛰어다녔다. 위즐리 형제들은 손에 토스트를 한 쪽씩 들고 옷을 반쯤 걸친 채로 계단에서 자꾸 부딪쳤고, 위즐리 씨는 지니의 가방을 차에 실으려고 급히 나가다가 마당에서 왔다 갔다 하는 닭에게 걸려 넘어지는 바람에 하마터면 목이 부러질 뻔했다.

해리는 작은 포드 앵글리아에 여덟 명의 사람과 여섯 개의 커다란 가방과 두 마리의 부엉이와 쥐 한 마리가 어떻게 다 탈 수 있을지 의심스러웠다. 사실 위즐리 씨가 만들어 놓은 특별한 마법이 아니었다면 어림도 없었을 것이다.

"몰리 아줌마에게는 말하지 마라." 그가 차 뒤 트렁크를 열어, 짐들이 쉽게 들어갈 수 있도록 마법으로 늘린 공간을 보여 주며 해리에게 속삭였다.

마침내 그들이 차 안에 다 탔을 때, 위즐리 부인이 해리, 론, 프레드, 조지 그리고 퍼시가 모두 나란히 편안하게 앉아 있는 뒷자리를 흘끗 쳐다보더니 이렇게 말했다. "머글들은 우리가 생각하는 것보다 확실히 더 많이 아는 것 같아요, 안 그래요?" 그녀와 지니는 공원의 의자처럼 긴 앞좌석에 앉아 있었다. "바깥에서 보았을 때는 이 차가 이렇게 넓은지 몰랐거든."

위즐리 씨가 시동을 걸자 차는 마당에서 굴러 나갔고, 해리는 그 집을 마지막으로 한 번 더 보기 위해 고개를 돌렸다. 그러나 그가 이 집을 언제 다시 볼 수 있을까 생각하자마자 그들은 다시 되돌아갔다. 조지가 필리버스터 불꽃놀이 상자를 두고 왔던 것이다. 그 뒤 5분쯤 지나서는, 빗자루를 두고 온 프레드 때문에 다시 돌아가야 했다. 그런데 고속도로에 거의 다 왔을 때 지니가 다이어리를 안 가져왔다며 소리를 질렀다. 지니가 차 안으로 다시 기어 들어왔을 때쯤 돼서는, 차는 이제 화가 치밀 대로 치민 듯 기어가는 것처럼 아주 천천히 달렸다.

위즐리 씨가 손목시계를 흘끗 쳐다보고는 아내를 바라보았다.

"여보……."

"안 돼요, 아서……."

"아무도 보지 않을 거요……. 여기에 있는 이 작은 단추는 내가 설치한 투명 부스터라오……. 이걸 누르면 당장 공중으로 올라갈 거요……. 그러면 우린 구름 위에서 나는 거예요. 우린 10분이면 그곳에 도착할 거고 아무도 전혀 눈치채지 못……."

"안 된다고 말했어요, 아서. 벌건 대낮에는 안 돼요……."

그들은 킹스 크로스 역에 11시 15분 전에 도착했다. 위즐리 씨가 쏜살같이 길을 건너가 가방들을 실을 손수레를 가져오자, 그들 모두 허둥지둥 역 안으로 들어갔다.

해리는 작년에 그 호그와트 급행열차를 발견했다. 까다로운 부분은 머글들의 눈에는 보이지 않는 9와 4분의 3번 승강장으로 가는 것이었다. 하지만 그저 9번과 10번 승강장을 가르는 딱딱한 개찰구를 통해 걸어가기만 하면 되었다. 그 개찰구를 통해 들어간다고 다치는 건 전혀 아니었지만, 단지 머글들이 눈치채지 못하도록 조심스럽게 행동해야만 했다.

"퍼시가 먼저 가거라." 위즐리 부인이 머리 위에 있는 시계를 초조하게 바라보며 말했다. 그 시계에 따르면 개찰구로 들어가야 할 시간은 5분밖에 남아 있지 않았다.

퍼시가 힘차게 앞으로 성큼성큼 걸어 나가더니 사라졌다. 다음에는 위즐리 씨가 갔다. 그리고 프레드와 조지가 그 뒤를 따랐다.

"엄마는 지니를 데리고 갈 테니 너희 둘은 우리 바로 뒤에 오너라." 위즐리 부인이 지니의 손을 잡고 앞으로 걸어가며 해리와 론에게 말했다. 그들은 눈 깜빡할 사이에 사라졌다.

"우린 함께 가자, 1분밖에 안 남았어." 론이 해리에게 말했다.

해리는 헤드위그의 새장이 가방 위에 안전하게 고정되어 있는지 확인한 뒤 손수레를 개찰구 쪽으로 밀고 갔다. 해리는 아주 자신만만했다. 이것은 플루 가루를 이용하는 것만큼 어렵지는 않았다. 그들은 둘 다 손수레의 손잡이 쪽으로 몸을 바짝 숙이고 과감하게 개찰구를 향해 점점 더 빠른 걸음으로 걸어갔다. 그리고 얼마 남지 않았을 때, 갑자기 달리기 시작했다. 그리고······.

쾅!

손수레 두 대가 동시에 개찰구에 부딪치며 뒤로 튕겨 나왔다. 론의 가방이 쿵 하는 소리와 함께 떨어졌고, 해리는 발부리가 걸려 나가떨어졌다. 헤드위그의 새장이 높이 튀어 올랐다가 반들반들한 바닥으로 떨어지자, 부엉이가 빠져나와 끽끽대며 날카로운 소리를 냈다. 주위에 있던 사람들이 빤히 바라보고 있는 사이, 근처에 있던 차장 하나가 소리쳤다. "도대체 너희 뭐 하고 있는 거니?"

"손수레가 제멋대로 움직였어요." 해리가 일어서서 가슴을 움켜잡고 헐떡이며 말했다. 론이 헤드위그를 잡으려고 이리저리 뛰어다니며 소동을 피우자 주위에 있는 사람들이 동물을 학대한다며 수군거렸다.

"우리가 왜 통과하지 못한 거지?" 해리가 론에게 불만스럽게 말했다.

"나도 몰라……."

론이 당황해하며 주위를 둘러보았다. 무슨 일인지 궁금한 듯 아직도 10여 명의 사람들이 그들을 지켜보고 서 있었다.

"기차를 놓칠 거야." 론이 작은 소리로 말했다. "출입구가 왜 저절로 막힌 건지 모르겠어……."

해리는 속이 울렁대는 걸 느끼며 거대한 시계를 올려다보았다. 10초…… 9초…….

그는 손수레를 조심성 있게 개찰구까지 밀고 나가 다시 한 번 힘껏 밀었다. 그 금속은 여전히 딱딱했다.

3초…… 2초…… 1초…….

"가 버렸어." 론이 어리벙벙해진 목소리로 말했다. "기차가 떠났어. 엄마와 아빠가 우리에게로 다시 오시지 않으면 어떡하지? 너 머글 돈 있니?"

해리가 공허한 웃음을 지어 보였다. "더즐리 가족은 6년 동안 내게 용돈이라곤 한 푼도 준 적이 없어."

론이 차가운 개찰구에 귀를 바짝 갖다 댔다.

"아무 소리도 안 나." 그가 절박하게 말했다. "이제 어떻게 하지? 엄마와 아빠가 언제쯤 돌아오실지도 모르는데."

그들은 주위를 둘러보았다. 사람들이 여전히 그들을 지켜보고 있었는데, 그건 헤드위그가 계속해서 찍찍 비명을 지르고 있었기 때문이었다.

"차에 가서 기다리는 게 좋겠어." 해리가 말했다. "사람들이 자꾸 우릴 이상한 눈초리로 쳐다보고 있……."

"해리!" 론이 눈을 반짝이며 말했다. "자동차!"

"그게 어떻다고?"

"우린 그 차를 타고 호그와트로 날아갈 수 있을 거야!"

"하지만 난……."

"다른 방법이 없잖아. 그리고 우린 학교에 가야 하고, 안 그래? 그리고 진짜 긴급한 상황이라면 미성년 마법사들일지라도 마법을 써도 된다고, 실제적 제한 규정 19항인가 어디에 나와 있어⋯⋯."

"하지만 너희 엄마와 아빠는⋯⋯." 해리가 다시 열릴지도 모른다는 헛된 희망에 개찰구를 다시 한 번 밀며 말했다. "그러면 그분들은 어떻게 집에 가시지?"

"엄마 아빠는 차가 필요하지 않아!" 론이 얼른 말했다. "그분들은 순간이동을 하시거든! 너도 알잖아, 뿅 하고 사라졌다가 다시 나타나는 것 말이야! 그분들이 플루 가루나 자동차에 신경 쓰시는 건 단지 우리가 아직 미성년이라 순간이동을 쓰지 못하게되어 있기 때문이야⋯⋯."

겁먹었던 해리의 얼굴에 희색이 돌기 시작했다.

"너 그 차를 날게 할 수 있어?"

"문제없어." 론이 손수레를 출구 쪽으로 돌리며 말했다. "어서, 가자. 서두르면 호그와트 급행열차를 따라잡을 수 있을 거야⋯⋯."

론과 해리는 자기들을 이상한 눈초리로 쳐다보는 머글들을 지나 기차역 밖으로 걸어 나가, 낡은 포드 앵글리아가 있는 주차장으로 다시 나왔다.

론이 요술지팡이로 몇 번 치자 차 트렁크가 열렸다. 그들은 짐을 다시 그 안에 넣고, 헤드위그를 뒷자리에 놓은 뒤 앞에 탔다.

"아무도 보고 있지 않은지 살펴봐." 론이 요술지팡이를 한 번 더 쳐서 시동을 걸며 말했다. 해리가 고개를 창밖으로 쭉 내밀었다. 앞에 있는 대로에는 많은 차들이 덜거덕거리며 지나가고 있었지만, 그들이 있는 길에는 차가 한 대도 지나가지 않았다.

"좋았어." 그가 말했다.

론이 계기반에 있는 작은 은색 단추를 눌렀다. 그러자 그들이 차와 함께 투명해졌다. 해리는 좌석이 밑에서 진동하는 것도 느끼고 엔진 소리도 듣고 무릎에 올린 손과 코에 걸친 안경까지도 느낄 수 있었지만, 차들이 가득 세워진 거무죽죽한 거리에는 그저 그의 눈알 한 쌍만 동동 떠 있었다.

"가자." 운전석에서 론의 목소리가 들렸다.

차가 하늘로 올라가면서 거리와 낡은 건물들이 점점 작아졌다. 잠시 뒤, 자욱한 스모그 속에 가려진 눈부신 런던 거리가 저 밑에 누워 있었다.

그러곤 펑 하는 소리가 나더니 차와 해리와 론이 다시 나타났다.

"어어." 론이 투명 부스터를 쿡 누르며 말했다. "이게 왜 이러지?"

그들은 둘이서 그것을 주먹으로 계속 때렸다. 차가 사라졌다가 깜박하더니 다시 나타났다.

"꽉 잡아!" 론이 이렇게 소리치더니, 발로 액셀러레이터를 꾹 밟았다. 그들이 곧장 양털 같은 구름 속으로 돌진하자 시야가 흐릿하게 보였다.

"이제 어떡하지?" 해리가 사방을 뒤덮은 빽빽한 구름을 힐끗 보며 말했다.

"어느 쪽으로 가야 할지 알려면 기차를 찾아야지." 론이 말했다.

"다시 밑으로 내려가……. 얼른."

그들은 다시 구름 밑으로 내려갔고, 창밖으로 목을 빼 땅을 잠깐 내려다보았다.

"보인다!" 해리가 외쳤다. "저기 저 앞에…… 저기!"

호그와트 급행열차가 자줏빛 뱀처럼 저 아래에서 질주하고 있었다.

"정북 방향이야." 론이 계기반에 있는 나침반을 살펴보며 말했다. "좋았어, 30분마다 살펴보기만 하면 돼……. 꽉 잡아……."

그들은 다시 구름 속으로 힘차게 올라가 타오르는 햇살 속으로 튀어나왔다.

그곳은 완전히 다른 세계였다. 차바퀴가 복슬복슬한 구름바다와 눈부시게 하얀 태양 아래로 끝없이 펼쳐진 파란색의 밝은 하늘을 미끄러지듯 나아갔다.

"이제 비행기만 조심하면 돼." 론이 말했다.

그들은 얼굴을 마주 보고 한참 소리 내어 웃었다.

마치 멋진 꿈을 꾸고 있는 것 같았다. 해리는 하늘을 나는 자동차를 타고 운전대 앞 계기반에 달린 사물함에 사탕 한 봉지를 넣고 하나씩 빼 먹으며, 뜨겁고 밝은 햇살을 받으면서, 소용돌이치는 새하얀 구름을 뚫고 지나가 호그와트 성 앞에 있는 넓은 잔디 밭에 매끄럽고 멋지게 내리는 상상을 해 보았다. 프레드와 조지 의 부러워하는 모습이 눈에 선했다. 이런 여행은 누구도 해 본 적 이 없을 것이다.

그들은 수시로 구름 밑으로 내려가 기차의 방향을 살피면서 점 점 더 북쪽으로 날았다. 구름 밑으로 한 번씩 내려갈 때마다 풍경 이 달라져 있었다. 런던을 벗어나자, 산뜻한 초록 들판이 나타났 고, 이어서 넓고 자줏빛을 띤 황야가 보였다. 색색의 자동차가 개미 떼처럼 우글거리던 대도시와 장난감같이 작게 보이는 교회 들이 있는 마을도 지나갔다.

그렇게 평온한 몇 시간이 흐르자, 해리는 점점 따분해졌다. 사 탕을 먹은 탓에 갈증이 몹시 났지만 마실 게 아무것도 없었다. 스 웨터는 벌써 벗어 버렸는데도, 해리의 티셔츠는 땀으로 등에 딱 들러붙어 있었고, 안경은 땀이 송골송골 맺힌 코끝으로 자꾸 흘 러내렸다. 그는 이제 이상한 모양의 구름 찾기 놀이를 하는 것도 싫증이 났고 아래에 있는 기차로 내려가고 싶다는 생각뿐이었 다. 기차에서는 뚱뚱한 마녀가 밀고 다니는 손수레에서 얼음처 럼 시원한 호박 주스를 살 수 있기 때문이었다. 그런데 그들은 왜 9와 4분의 3번 승강장으로 들어갈 수 없었던 걸까?

"이제 멀지 않았겠지?" 태양이 구름 밑으로 떨어지며, 진한 붉은빛으로 물들자, 몇 시간 동안 조용하던 론이 마침내 쉰 목소리로 말했다. "기차를 한 번 더 살펴볼까?"

기차는 여전히 그들 바로 밑에서 눈 덮인 산을 구불구불 지나가고 있었다. 이제는 구름 밑이 훨씬 더 어두웠다.

그런데 웬일인지 론이 발을 액셀러레이터에 놓고 다시 위쪽으로 차를 몰자마자, 엔진이 윙윙거리는 소리를 내기 시작했다.

해리와 론은 겁먹은 눈길로 서로 쳐다보았다.

"아마 너무 지쳐서 그럴 거야." 론이 말했다. "이렇게 멀리 와본 적이 없었거든……."

하늘이 점점 더 어두워지자 그들은 둘 다 그 윙윙대는 소리가 점점 더 커지는 것을 애써 무시하려 했다. 별들이 어둠 속에 하나둘 나타나기 시작했다. 해리는 앞 차창 와이퍼가 마치 항의라도 하듯 힘없이 흔들리는 걸 못 본 척하며 다시 스웨터를 입었다.

"멀지 않았어." 론은 해리가 아니라 차에게 말하는 것 같았다. "이제 얼마 남지 않았어." 그리고 그는 계기반을 초조하게 두드렸다.

잠시 뒤 다시 구름 밑으로 내려갔을 때는 사방이 어두워 잘 보이지 않아서 실눈을 뜨고 기차를 찾아야 했다.

"*저기다!*" 해리의 갑작스러운 소리에 론과 헤드위그는 깜짝 놀랐다. "바로 저 앞에!"

어두운 지평선에 뚜렷한 윤곽을 드러내며, 호수 너머 절벽 높은 곳에 호그와트 성의 많은 작은 탑들이 서 있었다.

그런데 갑자기 차가 덜덜거리더니 점점 속도가 줄었다.

"자, 조금만 더." 론이 핸들을 잡아 흔들며 말했다. "거의 다 왔어, 조금만 더……."

엔진에서 삐걱거리는 소리가 났다. 그리고 자동차 보닛 밑에서 증기가 뿜어져 나오기 시작했다. 차가 호수 쪽으로 날아가자 해리는 의자 끝을 꽉 붙잡았다.

차가 심하게 한 번 흔들렸다. 창밖을 흘끗 내다보자, 몇 미터 밑에 매끄러운 까만 유리 표면 같은 물이 보였다. 론은 손가락 마디가 새하얘질 정도로 핸들을 꽉 잡았다. 차가 다시 흔들렸다.

"조금만." 론이 중얼거렸다.

그들은 호수 위에 있었다……. 성은 바로 앞쪽에 있었다……. 론은 한쪽 발로 액셀러레이터를 밟았다.

그 순간 쾅, 푸푸 하는 커다란 소리가 나더니 엔진이 완전히 꺼졌다.

"어, 어."

차 앞부분이 아래로 기울어졌다. 그들은 점점 더 빠른 속도로 곧장 딱딱한 성벽을 향해 추락하고 있었다.

"안 돼앳!" 론이 핸들을 홱 돌리며 소리쳤다. 차가 어두운 돌벽을 간발의 차이로 스치고 지나가더니 큰 호를 그리며 어두운 온실과 채소밭, 까만 잔디밭 위로 점점 떨어지고 있었다.

론이 핸들을 완전히 놓더니 뒷주머니에서 요술지팡이를 꺼냈다…….

"멈춰! 멈춰!" 그가 계기반과 앞 차창을 세게 치면서 큰 소리로 말했지만, 아무 소용이 없었다. 그들은 여전히 땅으로 땅으로 똑바로 떨어지고 있었다…….

"저 나무를 조심해!" 해리가 핸들을 잡으려고 하며 고함을 쳤지만, 이미 너무 늦어 버렸다…….

쾅!

금속이 나무와 충돌하는 귀청이 찢어질 듯한 소리와 함께, 차가 굵은 나무 몸통에 부딪치고는 덜커덩거리며 땅바닥으로 떨어졌다. 뒤틀린 보닛 밑에서 뿜어져 나온 증기가 소용돌이치고 있었다. 헤드위그는 혼비백산해서 날카로운 소리로 울어 대고 있었다. 해리는 앞 차창에 머리를 부딪치는 바람에 골프공만 하게 부풀어 오른 혹 부위가 욱신욱신 쑤셔 오는 걸 느꼈다. 오른쪽에서 론이 다 죽어 가는 신음을 내고 있었다.

"괜찮니?" 해리가 다급하게 물었다.

"내 요술지팡이." 론이 떨리는 목소리로 말했다. "내 요술지팡이 좀 봐……."

론의 요술지팡이는 거의 두 동강이 난 상태로, 끝 부분에는 부서진 조각들이 간신히 붙은 채, 힘없이 대롱대롱 매달려 있었다.

해리는 학교에 가면 확실히 고칠 수 있을 거라고 말하려 했지만, 그가 말을 꺼내려는 순간에, 무언가 황소가 돌진해 오는 듯한 굉장한 힘으로 차의 옆구리를 세게 쳤고, 그 충격으로 해리는 론 위로 쓰러져 버렸다. 그리고 동시에 차 지붕에도 강한 충격이 가해졌다.

"무슨 일이지?"

론은 숨을 몰아쉬며 앞 차창을 빤히 바라보았고, 해리가 주위를 둘러보는 순간 비단뱀만큼이나 굵은 나뭇가지가 차창을 세게 내리쳤다. 그들이 부딪쳤던 나무가 계속해서 공격을 가하고 있었다. 그 나무는 미친 듯이 몸을 구부렸다 폈다 하면서 옹이가 크게 박힌 굵은 나뭇가지로 자동차의 이곳저곳을 계속 후려치고 있었다.

"아으으!" 비틀린 또 다른 가지가 운전석 쪽의 문을 쳐서 문이 움푹 들어가자, 론이 신음했다. 앞 차창은 이제 손가락 마디만 한 작은 나뭇가지들의 빗발치는 공격으로 몸살을 앓고 있었고, 굵은 나뭇가지 하나가 지붕을 세게 내려치는 순간 자동차 천장이 주저앉아 버렸다.

"도망쳐!" 론이 온몸으로 자동차 문을 밀면서 소리쳤지만, 다음 순간 그는 또 다른 나뭇가지가 날린 강한 올려치기에 맞아 해리의 무릎으로 나가떨어지고 말았다.

"우린 이제 죽었어!" 천장이 점점 더 내려앉는 걸 보면서 론이 신음하며 말했다. 그런데 갑자기 차의 바닥이 진동했다. 엔진의 시동이 다시 걸린 것 같았다.

"*후진!*" 해리가 외치자, 차가 힘차게 뒤로 움직였다. 그 나무는 여전히 그들을 공격하려고 안간힘을 쓰고 있었다. 멀어져 가는 그들을 잡기 위해 나무가 몸을 통째로 일으켜 세우는지 뿌리가 뽑히는 소리까지 들렸다.

"하마터면……." 론이 안도의 한숨을 쉬며 말했다. "큰일 날 뻔했어. 잘했어, 차야……."

그러나 차는 결국 끝장이 나고야 말았다. 두어 번 쾅쾅 하며 날카로운 소리를 내더니, 차 문이 갑자기 홱 열렸다. 그 바람에 해리는 몸이 옆으로 기울어지는가 싶더니 어느새 축축한 땅바닥에 벌렁 나자빠져 버렸다. 쿵 하는 큰 소리가 들리는 것으로 보아 차가 트렁크에서 그들의 짐을 내던지는 것 같았다. 헤드위그의 새장이 공중으로 날아가더니 갑자기 확 열렸다. 부엉이는 성난 비명을 내며 새장 밖으로 나와 뒤도 돌아보지 않고 쏜살같이 성 쪽으로 날아갔다. 여기저기가 움푹 들어가고 긁힌 채로 여전히 증기를 뿜어 내던 차는 화가 난 듯 미등을 번쩍이면서 어둠 속으로 덜거덕덜거덕 가고 있었다.

"돌아와!" 론이 부러진 요술지팡이를 휘두르며 차 뒤에다 대고 소리쳤다. "아빠한테 혼난단 말이야!"

하지만 차는 배기관에서 마지막으로 한 번 더 증기를 뿜어 내고는 시야에서 사라졌다.

"정말 *재수* 없군." 론이 스캐버스를 잡기 위해 허리를 굽히며 비참하게 말했다. "하고많은 나무 중에, 하필 되받아치는 나무에 떨어질 게 뭐람."

그는 어깨 너머로 그 오래된 나무를 흘끗 바라보았다. 그 나무는 여전히 나뭇가지들을 험악하게 움직이고 있었다.

"자, 이제." 해리가 지쳐서 말했다. "학교로 가는 게 좋겠어."

지금 상황은 멋지게 학교에 들어가려 했던 그들의 상상과는 너무나 거리가 멀었다. 온몸이 뻐근하고 춥고 멍투성이가 된 그들은, 가방을 잡고 풀이 우거진 비탈길 위로 질질 끌어올리며, 거대한 오크 문으로 향했다.

"연회가 벌써 시작된 것 같아." 론이 정문 계단 밑에 가방을 떨어뜨리고 조용히 걸어가 밝게 불 밝혀진 창문 안을 들여다보며 말했다. "야, 해리. 이리 와서 봐……. 기숙사 배정식이야!"

해리는 급히 걸어가 론과 함께 연회장을 들여다보았다.

사람들이 가득 찬 네 개의 긴 테이블 위에서, 무수히 많은 초가 공중을 떠돌며 황금 접시와 잔들을 비추고 있었다. 머리 위에는, 항상 바깥 하늘과 똑같은 모습이 되도록 마법을 걸어 둔 천장이 별들로 반짝이고 있었다.

수도 없이 많은 뾰족한 검은색 호그와트 모자들 사이로, 겁먹은 1학년생들이 줄지어 연회장 안으로 들어가는 게 보였다. 지니도 그들 가운데 있었다. 그녀가 쉽게 눈에 띄었던 것은 위즐리 집안 특유의 불타는 듯한 새빨간 머리카락 때문이었다. 한편, 안경을 쓰고 머리를 타래 모양으로 틀어 올린 맥고나걸 교수는 유명한 호그와트의 마법의 모자를 신입생들 앞에 있는 의자 위에 올려놓았다.

누덕누덕 기워지고 해지고 더러워진 이 오래된 낡은 모자는 해마다 새로운 학생들을 그리핀도르, 후플푸프, 래번클로 그리고 슬리데린 이렇게 네 개의 호그와트 기숙사로 배정해 주었다. 해리는 정확히 1년 전, 잔뜩 겁먹은 채 모자의 결정을 기다리는 동안, 그 모자가 귀에 대고 큰 소리로 중얼거리던 말이 기억났다. 잠시였지만 그는 그 끔찍한 시간 동안 마법의 모자가 혹시 자기를, 어둠의 마녀와 마법사를 많이 배출한 기숙사인 슬리데린에 넣지 않을까 걱정했었다. 하지만 그는 론과 헤르미온느와 위즐리의 다른 형제들과 함께 그리핀도르로 결정되었다. 그리고 지난 학기에 해리와 론은 그리핀도르가 7년 만에 처음으로 슬리데린을 제치고 기숙사 우승컵을 타는 데 기여했었다.

회색 머리카락의 조그마한 남자아이 하나가 호명되자 앞으로 걸어 나가 모자를 쓰고 앉았다. 해리의 시선이 그 애를 지나, 상석에 앉아 배정식을 지켜보고 있는 호그와트의 교장 덤블도어에게로 옮겨갔다. 그의 긴 은빛 수염과 반달형 안경이 촛불에 비쳐 반짝이고 있었다. 몇 좌석 건너에는 옥색 망토를 입은 질데로이 록허트가 보였다. 그리고 제일 끝에서는 털이 많은 거구의 해그리드가 술을 마시고 있었다.

"잠깐만⋯⋯." 해리가 론에게 중얼거렸다. "교수 테이블에 빈 의자가 하나 있네⋯⋯. 스네이프 교수는 어디에 있지?"

세베루스 스네이프 교수는 해리가 가장 싫어하는 선생이었다. 해리 또한 스네이프가 가장 싫어하는 학생이기도 했다. 스네이프는 마법의 약을 가르치는 선생이었는데 쌀쌀맞고, 빈정대기 좋아했으며, 자신의 기숙사(슬리데린) 학생들을 제외하고는 누구도 좋아하지 않았다.

"아픈 건지도 몰라!" 론이 희망적으로 말했다.

"어쩌면 *떠났을지*도 몰라." 해리가 말했다. "어둠의 마법 방어술 과목을 *또* 맡지 못하게 돼서 말이야!"

"아니 *파면당했*을 수도 있어!" 론이 신이 나서 말했다. "모두가 싫어하니까 말이야⋯⋯."

"아니 어쩌면⋯⋯." 그들 바로 뒤에서 매우 차가운 목소리가 들려왔다. "너희 둘이 왜 학교 기차를 타고 오지 않았는지 들으려고 기다리고 있는지도 모르지."

해리는 핵 돌아섰다. 거기엔 세베루스 스네이프가 까만 망토를 차가운 산들바람에 찰랑거리며 서 있었다. 누르스름한 피부의 마른 체구에다 매부리코에, 매끄러운 까만 머리카락이 어깨까지 내려오는 그는 차가운 미소를 짓고 있었다. 그 미소는 마치 '너희는 이제 죽었다'라고 말하는 듯했다.

"따라와라." 스네이프 교수가 말했다.

감히 서로 얼굴도 보지 못한 채, 스네이프 교수를 따라 타오르는 횃불이 어둠을 밝힌 현관 안의 거대한 홀로 들어가자 그들의 발소리가 무겁게 울려 퍼졌다. 연회장에서 맛있는 음식 냄새가 풍겨 왔지만, 스네이프 교수는 그들을 온기와 불빛이라곤 전혀 없는 지하 감옥으로 이어지는 좁은 돌계단으로 데려갔다.

"들어가!" 그가 어두운 복도를 반쯤 걸어 내려가다가 어떤 문을 열며 가리켰다.

그들은 부들부들 떨면서 스네이프 교수의 사무실로 들어갔다. 어슴푸레 보이는 벽에는 커다란 유리병들이 놓인 선반이 죽 늘어서 있었는데, 그 안에는 정말로 이름조차도 알고 싶지 않은 온갖 종류의 불쾌한 것들이 둥둥 떠 있었다. 벽난로는 어둡고 텅 비어 있었다. 스네이프 교수는 문을 닫고 돌아서서 그들을 바라보았다.

"그러니까……." 그가 부드럽게 말했다. "그 기차는 유명한 해리 포터와 그의 충실한 친구 위즐리에겐 별로 마음에 들지 않았나 보지? *기세 좋게* 도착하고 싶었던 거냐?"

"아니에요, 선생님. 문제는 킹스 크로스의 개찰구였어요, 그게……."

"조용히 해!" 스네이프 교수가 차갑게 말했다. "그 차로 무슨 짓을 한 거지?"

론이 침을 꿀꺽 삼켰다. 해리는 전에도 한 번 그랬지만, 스네이프 교수가 사람의 마음을 읽을 수 있다는 느낌을 받았다. 그러나 잠시 뒤, 스네이프 교수가 오늘 발행된 《예언자일보》 석간을 펼치자, 그제야 그게 아니었다는 걸 알았다.

"너희가 나왔더구나." 스네이프가 '날아다니는 포드 앵글리아가 머글을 어리둥절하게 하다'라는 1면 기사를 보여 주며 쌀쌀맞게 말했다. 그는 큰 소리로 읽기 시작했다. "'런던에 있는 머글두 명은, 낡은 차 한 대가 우체국 탑 위로 날아가는 걸 분명히 보았다고 말했다……. 노폭에 사는 헤티 베이리스 부인은 정오에 빨래를 널다가…… 피블스의 앵구스 플리트 씨가 경찰에 신고했다…….' 모두 해서 예닐곱 명의 머글들이다. 네 *아버지가* 머글문화유물 오용 관리과에서 일하시지?" 그가 론을 올려다보며 훨씬 더 심술궂은 미소를 지어 보였다. "이런, 이런, 바로 그의 아들이……."

해리는 꼭 되받아치는 나무의 커다란 나뭇가지로 배를 세게 맞은 것 같은 기분이 들었다. 만약 누구라도 위즐리 씨가 그 차에 마법을 걸었다는 걸 알아낸다면…… 그것은 미처 생각지 못했었다…….

"공원을 조사해 보니, 매우 귀중한 커다란 버드나무가 크게 다쳤더구나." 스네이프 교수가 말했다.

"저희가 그 나무 때문에 더 많이 다쳤어요." 론이 따지듯이 말했다.

"*조용히 해!*" 스네이프 교수가 다시 날카롭게 말했다. "가장 유감스러운 일은, 너희가 내 기숙사가 아니라서 퇴학시킬 권한이 내겐 없다는 사실이야. 내가 가서 그 행복한 결정권을 가진 사람들을 데려올 테니 너희는 여기서 꼼짝 말고 있거라."

해리와 론은 얼굴이 새하얘져서 서로 쳐다보았다. 해리는 이제 배가 고픈 것도 잊어버렸다. 속이 메스꺼웠다. 그는 스네이프 교수의 책상 뒤 선반에 있는 초록색 액체 속에 떠 있는 커다란, 불쾌한 물체들을 보지 않으려고 애썼다. 만일 스네이프 교수가 그리핀도르 기숙사 담당인 맥고나걸 교수를 데리러 간 것이라면, 상황은 조금도 나아질 게 없었다. 그녀는 스네이프 교수보다 편견이 적고 더 공평할지는 모르겠지만, 그럼에도 매우 엄격했기 때문이다.

10분쯤 뒤, 스네이프 교수는 역시나 맥고나걸 교수와 함께 돌아왔다. 맥고나걸 교수가 화내는 걸 몇 번 보긴 했지만, 이번처럼 화난 모습은 처음이었다. 그녀는 들어오자마자 지팡이를 들어 올렸다. 해리와 론은 둘 다 움찔했지만, 그건 그저 빈 벽난로 쪽을 가리켰을 뿐이었다. 벽난로에서 갑자기 평 하는 소리가 나더니 불꽃이 타올랐다.

"앉아라." 그녀의 말에 따라 그들 모두 뒤로 물러나서 난롯가 의자에 앉았다.

"설명해 봐라." 그녀가 안경을 험악하게 번득이며 말했다.

론이 기차역의 개찰구가 그들을 들여보내 주지 않았다는 것부터 그 이후 일어났던 일들을 하나하나 말하기 시작했다.

"……그래서 저희는 어쩔 수 없었어요, 교수님. 기차에 탈 수 없었으니까요."

"왜 우리에게 부엉이로 편지를 보내지 않았니? 네가 부엉이를 갖고 있다고 알고 있는데?" 맥고나걸 교수가 해리에게 차갑게 말했다.

해리가 입을 벌리고 그녀를 멍하니 바라보았다. 그녀의 말을 들으니, 확실히 그랬어야 했다.

"미처 생…… 생각하지 못했어요……."

"뻔하지." 맥고나걸 교수가 말했다.

노크 소리가 나자 스네이프 교수가 그 어느 때보다도 만족스러운 표정으로 문을 열었다. 거기엔 교장인 덤블도어 교수가 서 있었다.

해리는 온몸이 얼어붙었다. 덤블도어 교수가 보통 때와는 달리 심각한 표정을 짓고 있었다. 그가 구부러진 코밑에 걸친 안경 너머로 그들을 뚫어지게 바라보자, 해리는 차라리 아직도 그 커다란 버드나무에게 얻어터지고 있는 게 나을 뻔했다는 생각이 들었다.

긴 침묵이 흘렀다. 그 뒤 덤블도어 교수가 말했다. "왜 이런 짓을 했는지 설명해 보거라."

덤블도어가 소리를 질렀다면 차라리 나았을 것 같았다. 해리는 실망이 가득 담긴 그의 목소리에 더욱 몸 둘 바를 몰랐다. 그는 덤블도어 교수의 눈을 쳐다보지 못하고, 무릎만 내려다보았다. 그는 위즐리 씨가 마법에 걸린 차를 갖고 있다는 말은 쏙 빼고 론과 함께 우연히 기차역 앞에 날아다니는 차가 서 있는 걸 발견한 것처럼 꾸며 모든 것을 덤블도어 교수에게 말했다. 그는 덤블도어 교수가 이것을 즉시 꿰뚫어 보리라는 걸 알았지만, 덤블도어 교수는 그 차에 대해서는 아무것도 묻지 않았다. 그리고 해리가 말을 다 했는데도, 그저 계속 안경 너머로 그들을 빤히 바라보기만 했다.

"저희 가서 짐 챙겨 올게요." 론이 풀이 죽은 목소리로 말했다.

"무슨 소리를 하는 거니, 위즐리?" 맥고나걸 교수가 호통을 쳤다.

"저희를 쫓아내실 거잖아요, 그렇지 않나요?" 론이 말했다.

"오늘은 아니에요, 위즐리 군." 덤블도어 교수가 말했다. "하지만 두 사람이 얼마나 큰일을 저질렀는지 각자 반성하도록 해요. 난 오늘 밤 두 사람의 가족에게 편지를 써서 이 사실을 알릴 겁니다. 또한 만약 이런 일이 한 번만 더 일어난다면, 그때는 퇴학시키지 않을 수 없다는 걸 경고합니다."

스네이프 교수가 마치 크리스마스가 취소된 것 같은 표정을 지었다. 그가 목을 가다듬더니 말했다. "덤블도어 교수님, 이 아이들은 미성년 마법사들의 제한 법령을 무시하고, 오래되고 매우 귀중한 나무에 심각한 손상을 입혔습니다…… . 상황을 미루어 볼 때 확실히 적절한 조치가…… ."

"이 아이들의 처벌에 관해서는 맥고나걸 교수가 결정할 것입니다, 세베루스." 덤블도어 교수가 조용히 말했다. "이번 일은 애들의 담임 교수인 맥고나걸 교수에게 맡겨 둡시다." 그가 맥고나걸 교수에게로 돌아섰다. "난 연회장으로 돌아가야겠어요, 맥고나걸 교수. 몇 가지 주의 줘야 할 게 있어서 말이오. 갑시다, 세베루스. 내가 맛보고 싶은 먹음직스러운 커스터드 타르트가 있던데…… ."

스네이프 교수는, 여전히 노기등등한 독수리처럼 해리와 론을 노려보는 맥고나걸 교수를 지나 사무실에서 휙 나가며 그들을 날카롭게 쏘아보았다.

"병동에 가는 게 좋겠다, 위즐리. 피가 나잖니."

"많이는 아니에요." 론이 눈 위에 난 상처를 소매로 급히 훔치며 말했다. "교수님, 제 여동생이 배정되는 걸 보고 싶어요…… ."

"배정식은 끝났단다." 맥고나걸 교수가 말했다. "네 여동생도 그리핀도르에 들어왔단다."

"잘됐군요." 론이 말했다.

"그리고 그리핀도르는…… ." 맥고나걸 교수가 말하는 순간 해리가 끼어들었다. "교수님, 저희가 그 차를 가져간 건, 아직 학기가 시작되기 전이에요. 그러니까…… 그러니까 그리핀도르는 그 것 때문에 감점되어서는 안 돼요……. 그렇죠?" 해리가 간절히 바라는 표정으로 그녀를 바라보았다.

맥고나걸 교수가 그를 날카롭게 바라보았지만, 해리는 교수가 보일 듯 말 듯한 미소를 지었다고 확신했다. 어쨌든 그녀의 모습 이 조금 전처럼 무섭게 보이지는 않는 것 같았다.

"그리핀도르를 감점하지는 않겠다." 그녀가 이렇게 말하자, 해 리는 마음이 한결 가벼워졌다. "하지만 너희 둘 다 징계를 받아 야 할 거야."

그건 해리가 예상했던 것보다 나았다. 덤블도어 교수가 더즐리 가족에게 편지를 쓰는 것, 그것은 아무것도 아니었다. 해리는 더 즐리 가족이 오히려 커다란 버드나무가 자기를 짓눌러 찌부러뜨 리지 못한 걸 안타까워할 뿐이라는 걸 너무도 잘 알고 있었다.

맥고나걸 교수가 다시 요술지팡이를 들어 올리더니 스네이프 교수의 책상에다 갖다 댔다. 그러자 펑 하며 커다란 샌드위치 접 시와 두 개의 은 술잔 그리고 얼음이 담긴 호박 주스 단지가 나타 났다.

"여기서 먹고 나서 곧장 기숙사로 올라가거라." 그녀가 말했 다. "나도 연회장으로 돌아가 봐야겠다."

그녀가 나가고 문이 닫히자, 론이 휴 하고 길고 낮은 안도의 숨 을 내쉬었다.

"난 퇴학 맞는 줄 알았어." 그가 샌드위치 하나를 집었다.

"나도 그랬어." 해리도 하나를 집으며 말했다.

"하지만 재수 되게 없다, 그지?" 론이 치킨과 햄을 잔뜩 입에 넣은 채로 말했다. "프레드와 조지는 그 차를 타고 대여섯 번을 날았어도 단 한 명의 머글에게도 발견된 적이 없었거든." 그가 꿀꺽 삼키고는 한 입을 더 크게 베어 먹었다. "그런데 우린 왜 개찰구를 통과하지 못한 걸까?"

해리가 어깨를 으쓱해 보였다. "하지만 지금부터 우리는 신중히 행동해야 해." 그가 호박 주스를 조금 들이켜며 말했다. "우리도 연회장에 가면 좋겠다……."

"맥고나걸 교수님이 우리더러 곧장 기숙사로 올라가라고 하셨잖아." 론이 점잔 빼며 말했다. "다른 아이들이 날아다니는 차로 학교에 들어오는 게 멋진 아이디어였다고 생각하면 안 될 테니까 그러실 거야."

먹을 수 있는 만큼 많은 샌드위치를 먹자(접시는 계속해서 다시 채워졌다) 그들은 사무실을 나와 익숙한 통로를 지나 그리핀도르 탑으로 올라갔다. 성은 조용했다. 연회가 끝난 것 같았다. 중얼거리는 초상화와 삐걱대는 갑옷을 지나 좁다란 돌계단을 올라가자, 마침내 그리핀도르로 가는 비밀 입구가 숨겨진, 분홍빛 실크 드레스를 입은 아주 뚱뚱한 여인의 초상화가 있는 통로가 나타났다.

"암호?" 그들이 다가가자 초상화의 여인이 말했다.

"어……."

그들은 그리핀도르의 반장을 아직 만나지 못했으므로, 새 학년의 암호를 몰라 우물댔다. 바로 그때 도우미가 나타났다. 뒤에서 급히 서두르는 발소리가 나서 고개를 돌리자 헤르미온느가 달려오고 있었다.

"너희 여기 있었구나! 도대체 어디에 갔었던 거니? 얼마나 터무니없는 소문이…… 누가 그러는데 너희가 글쎄 날아다니는 차를 타고 학교에 들어오려다가 쫓겨났다는 거야."

"우린 쫓겨나지 않았어." 해리가 그녀를 안심시켰다.

"그럼 너희가 날아온 건 확실하단 얘기니?" 헤르미온느가, 거의 맥고나걸 교수만큼이나 엄격한 목소리로 말했다.

"추궁은 그만둬." 론이 성급하게 말했다. "새 암호나 말해 줘."

"'칠면조'야." 헤르미온느가 얼른 말해 주었다. "그런데 그게 중요한 게 아니고……."

그러나 그 뚱보 여인의 그림이 홱 열리며 갑자기 우레와 같은 박수 소리가 들리자 헤르미온느의 말은 거기서 끊기고 말았다. 그리핀도르 기숙사의 학생들이 모두 아직 잠을 자지 않고 둥그런 학생 휴게실에 잔뜩 모여서, 한쪽으로 기울어진 탁자와 푹 꺼진 안락의자에 선 채로 해리와 론이 도착하길 기다리고 있었던 것 같았다. 사진 구멍으로 팔들이 뻗어 나와 해리와 론을 안으로 잡아끌었다. 헤르미온느도 그들을 따라 급히 안으로 들어갔다.

"기막힌 생각이었어!" 리 조던이 소리쳤다. "감동적이었어! 그렇게 멋지게 학교로 들어오다니! 차를 타고 곧장 커다란 버드나무 속으로 날아가다니, 두고두고 이야깃거리가 될 거야……."

"잘했어." 해리가 한번도 얘기해 본 적이 없는 어떤 5학년생이 말했다. 해리가 막 마라톤에서 1등을 하기라도 한 것처럼 누군가가 그의 등을 두드려 댔다. 프레드와 조지가 사람들을 밀치고 앞으로 걸어 나와 일제히 말했다. "우리에겐 왜 그 차로 오자고 하지 않았던 거지, 어?"

론이 얼굴을 붉히며, 멋쩍은 듯이 씩 웃었다. 그런데 그때 해리의 눈에 퍼시가 들어왔다. 그는 흥분한 1학년생들 뒤에 서 있었는데, 기뻐하는 기색은커녕 금방이라도 잔소리를 퍼부어 댈 것같은 표정을 짓고 있었다. 해리가 슬쩍 론의 옆구리를 찔러 퍼시 쪽으로 고갯짓하자 론이 금방 알아챘다.

"2층으로 올라가야겠어……. 좀 피곤해." 론이 말했다. 그리고 그들 둘은 사람들을 헤치고 나선형 계단과 기숙사들로 이어지는 휴게실 반대편 문 쪽으로 걸어갔다.

"잘 자." 해리가 꼭 퍼시처럼 못마땅한 표정을 짓고 있는 헤르미온느에게 말했다.

그들은 여전히 등을 찰싹찰싹 때려 대는 아이들 등살에 가까스로 빠져나와 계단에 이르러서야 평온을 찾았다. 그들은 계단을 급히 올라가, 기숙사 방문 앞에 도착했다. 문에는 이제 2학년이라는 팻말이 붙어 있었다. 그들은 다섯 개의 침대마다 빨간 벨벳이 늘어져 있고, 높고 좁다란 창문이 있는 동그란 방 안으로 들어갔다. 가방은 이미 침대 끝에 놓여 있었다.

론은 죄를 지은 듯한 표정으로 해리를 보고 씩 웃었다.

"나도 그런 짓을 하지 말았어야 한다는 거 알아. 하지만……"

그때 기숙사 방문이 홱 열리더니 그리핀도르의 다른 2학년생인 시무스 피니간과 딘 토마스 그리고 네빌 롱바텀이 들어왔다.

"*믿을 수 없어!*" 시무스가 말했다.

"멋져." 딘이 말했다.

"놀라워." 네빌이 감동받은 듯이 말했다.

해리는 어쩔 수가 없었다. 그래서 역시 씩 웃었다.

제 **6** 장

질데로이 록허트

그러나 다음 날, 해리는 거의 웃지 못했다. 연회장에서 아침을 먹을 때부터 상황이 이상해지기 시작했다. 마법에 걸린 천장(오늘은 우중충하고, 구름이 잔뜩 낀 회색빛이다) 밑의 기다란 네 개의 기숙사 테이블에는 포리지(오트밀에 우유 또는 물을 넣어 만든 죽─옮긴이)가 담긴 뚜껑 달린 움푹한 그릇과 훈제 청어가 담긴 접시와 산더미 같은 토스트와 달걀과 베이컨 접시들이 놓여 있었다. 해리와 론은 그리핀도르 테이블에서 《흡혈귀와의 여행》 책을 펼쳐 우유 단지에 받쳐 놓고 읽고 있는 헤르미온느의 옆자리에 앉았다. "안녕"이라고 말하는 헤르미온느의 말투가 약간 딱딱하게 들리는 것으로 봐서, 그녀가 아직도 그 날아다니는 차 사건을 못마땅하게 여기는 게 분명했다. 네빌 롱바텀이 맞은편에서 유쾌하게 인사를 했다. 둥그런 얼굴의 네빌은 해리가 지금까지 만난 사람들 가운데 기억력이 가장 나쁜 사고 뭉치였다.

"우편물이 곧 도착할 거야……. 아마 할머니가 내가 잊고 가져오지 않은 물건 몇 가지를 보내실 거야."

해리가 막 포리지를 한 숟가락 뜨기 시작했을 때, 정말로 머리위에서 급히 날갯짓하는 소리가 들리더니 수백 마리의 부엉이가 잇따라 들어와 홀을 빙빙 돌며, 재잘거리는 사람들에게 편지와 소포들을 떨어뜨렸다. 육중하고 커다란 꾸러미 하나가 네빌의 머리로 떨어졌고, 잠시 뒤 커다란 회색빛의 무언가가 헤르미온느의 우유 단지 안으로 툭 떨어지면서 그들 모두에게 우유와 깃털을 튀겼다.

"에롤!" 론이 흠뻑 젖은 부엉이의 발을 잡아끌었다. 에롤은 푹젖은 빨간 봉투 하나를 부리에 물고 다리를 공중으로 쳐든 채 의식을 잃고 테이블 위로 쿵 떨어졌다.

"이런……." 론은 숨이 막혔다.

"괜찮아, 아직 살아 있어." 헤르미온느가 손가락 끝으로 에롤을 부드럽게 살피며 말했다.

"에롤 말고…… 저거."

론은 빨간 봉투를 가리켰다. 그건 해리에게는 아주 평범하게 보였지만, 론과 네빌은 둘 다 그것이 금방 폭발하기라도 할 것처럼 바라보고 있었다.

"무슨 일이야?" 해리가 물었다.

"엄마가 내게 호울러를 보냈어." 론이 머뭇거리며 말했다.

"뜯어보는 게 좋을 거야, 론." 네빌이 걱정스러워하며 작은 목소리로 말했다. "뜯어보지 않으면 더 안 좋을 거야. 내게도 할머니가 한 번 저걸 보낸 적이 있는데 모른 체했다가 그만……." 네빌이 침을 꿀꺽 삼켰다. "끔찍했어."

해리는 그들의 겁먹은 얼굴과 그 빨간 봉투를 번갈아 보았다.

"호울러가 뭔데?" 그가 물었다.

하지만 론의 정신은 온통 한쪽 귀퉁이에서 연기가 피어오르기 시작한 그 편지에 쏠려 있었다.

"뜯어봐." 네빌이 재촉했다. "몇 분이면 다 끝날 거야……."

론이 떨리는 손을 뻗어 에롤의 부리에서 봉투를 빼내어 세로로 가느다랗게 찢어 열었다.

네빌이 손가락으로 귀를 틀어막았다. 잠시 뒤에야 해리는 그 이유를 알았다. 처음에 해리는 그것이 폭발했다고 생각했다. 고함치는 소리가 그 거대한 홀을 어찌나 쩌렁쩌렁 울리던지, 천장에서 먼지가 떨어질 정도였다.

"차를 훔치다니, 엄만 네가 학교에서 쫓겨났어도 놀라지 않았을 거다. 당장 잡으러 갈 테니 기다려라. 차가 없어진 것을 알았을 때 네 아버지와 엄마가 어떤 일을 겪게 될지는 조금도 생각하

지 않았겠지……."

보통 때보다 수백 배나 더 큰 위즐리 부인의 고함이 귀청이 터질 것처럼 돌벽에 울려 퍼지면서, 테이블에 놓인 접시와 숟가락들이 덜커덕거렸다. 연회장 여기저기에 있는 사람들은 누가 호울러를 받았는지 보려고 두리번거렸고, 론은 의자 밑으로 깊숙이 숨어 새빨간 이마만 보였다.

"……어젯밤에 덤블도어 교수님이 보낸 편지를 받았다. 네 아버지는 아마 창피해서 죽을 지경일 게다. 우린 널 이런 식으로 키우지 않았다. 너와 해리 모두 죽었더라면 어쩔 뻔했니……."

해리는 자신의 이름이 언제 튀어나올까 걱정하고 있던 차에 그 소리를 듣자, 고막을 진동시키는 그 목소리를 듣지 못한 척하려고 안간힘을 썼다.

"……정말 넌더리가 난다. 네 아버지는 직장에서 조사를 받고 계신다. 너 때문에 말이다. 만약 한 번만 더 규칙을 어겼다간 당장 집으로 끌려올 줄 알아라."

귀가 먹먹했다. 그 빨간 봉투가 론의 손에서 툭 떨어져, 갑자기 타오르더니 순식간에 재로 변해 버렸다. 해리와 론은 마치 해일이 지나가기라도 한 듯, 어리벙벙한 얼굴로 앉아 있었다. 몇몇 사람들이 소리 내어 웃는가 싶더니, 점차 다시 왁자지껄해졌다.

헤르미온느가 《흡혈귀와의 여행》 책을 덮고 론의 머리를 내려다보았다.

"그럴 줄 알았어, 론. 넌……."

"그래도 싸다고 말하진 마." 론이 말을 탁 끊었다.

해리는 포리지를 밀어냈다. 죄책감으로 속이 뒤틀렸다. 위즐리 아저씨가 직장에서 조사를 받고 있다니…… 위즐리 부부가 여름 내내 자신에게 얼마나 잘해 주었는데…….

하지만 이 문제에 대해 곰곰이 생각할 시간조차 없었다. 맥고 나걸 교수가 그리핀도르 테이블을 따라 걸어오며, 학과 수업 시 간표를 나눠 주고 있었다. 시간표를 받아 든 해리는 약초학 수업 을 후플푸프와 함께 듣게 되었다는 걸 알았다.

해리는 론과 헤르미온느와 함께 성을 나와 채소밭을 가로질러 신비한 식물들이 자라는 온실로 향했다. 적어도 그 호울러로 인 해 한 가지 좋은 일은 있었다. 헤르미온느가 이제는 그들이 벌을 받을 만큼 받았다고 생각했는지, 다시 호의적으로 대해 주었던 것이다.

온실로 가자 이미 아이들이 바깥에 서서 스프라우트 교수를 기다리고 있었다. 해리와 론과 헤르미온느가 그 무리 속에 끼 자마자 스프라우트 교수가 질데로이 록허트와 함께 잔디밭으 로 성큼성큼 걸어왔다. 스프라우트 교수의 팔은 온통 반창고투 성이였고, 저 멀리에 서 있는 커다란 버드나무 나뭇가지에 붕 대가 친친 감긴 걸 발견하자 해리는 또 한 번 양심의 가책을 느 꼈다.

스프라우트 교수는 바람에 나부끼는 머리에 여기저기 기운 모자를 눌러 쓴 땅딸막한 작은 마녀였다. 그녀의 옷에는 언제나 흙이 묻어 있었다. 만약 페투니아 이모가 그녀의 손톱을 봤다면 아마 기절해 버렸을 것이다. 반면 질데로이 록허트는 티 하나 없이 깨끗한 청록색 망토를 입고 있었으며, 조금도 삐뚤어지지 않고 똑바로 쓰인, 금테가 둘린 모자 밑으로 아름다운 금발이 반짝이고 있었다.

"오, 안녕하세요 여러분!" 그가 모여 있는 학생들에게 밝게 미소 지으며 인사했다. "스프라우트 교수에게 지금 막 커다란 버드나무를 치료하는 올바른 방법을 알려 드렸답니다! 하지만 내가 스프라우트 교수보다 약초학을 더 많이 안다고 지레짐작하지는 않길 바랍니다! 난 그저 여행 중에 특이한 식물들 몇 가지를 우연히 접했을 뿐이니까요……."

"오늘은 3번 온실이다!" 스프라우트 교수가 평상시의 명랑한 모습과는 달리, 아주 불만스러운 표정으로 말했다.

그러자 여기저기서 학생들이 즐거워하는 소리가 들렸다. 이제까지는 1번 온실에서만 작업했던 것이다—3번 온실에는 훨씬 더 신기하고 위험한 식물들이 있었다. 스프라우트 교수가 벨트에서 커다란 열쇠 하나를 꺼내 온실의 자물쇠를 열었다. 해리는 축축한 흙냄새와 천장에 대롱대롱 매달려 있는 우산만 한 거대한 꽃들의 진한 향기와 뒤섞인 비료 냄새를 맡을 수 있었다. 그가 론과 헤르미온느를 따라 안으로 들어가려고 할 때 록허트가 손을 쭉 뻗었다.

"해리! 얘기 좀 나누자. 이 애가 2, 3분 정도 늦어도 괜찮으시겠죠, 스프라우트 교수님?"

스프라우트 교수의 찌푸린 얼굴로 볼 때, 전혀 괜찮은 것 같지 않았지만, 록허트는 "아, 정말 고마워요!"라고 말하고는 그녀 앞에서 온실 문을 쾅 닫았다.

"해리." 록허트가 고개를 저으면서 말했다. 그의 커다란 하얀 이가 햇빛을 받아 번득였다. "해리, 해리, *해리.*"

해리는 난처해져서 아무 말도 하지 않았다.

"그 말을 들었을 때…… 글쎄, 물론, 그건 다 내 잘못이었어. 나 자신을 탓해야겠지."

해리는 그가 도대체 무슨 말을 하고 있는지 알 수 없었다. 그래서 무슨 말이냐고 물어보려고 했을 때 록허트가 말을 계속했다. "내가 더 충격받았던 게 언제였는지 아니? 차를 타고 하늘을 날아 호그와트로 오다니! 글쎄, 물론, 네가 왜 그렇게 했는지는 금방 알았지. 굉장히 튀었어. 해리, 해리, *해리.*"

말할 때뿐만 아니라 말하고 있지 않을 때도 그가 그 멋진 이를 어떻게 다 내보일 수 있는 건지 참으로 놀라웠다.

"내가 너한테 명성의 맛을 보여 주었지, 안 그랬니?" 록허트가 말했다. "네가 잘난 체할 수 있게 해 주었지. 넌 나와 함께 신문 제1면에 실리자 또다시 그 맛을 보고 싶어 못 견뎠던 거야."

"아니에요, 교수님. 그게……."

"해리, 해리, 해리." 록허트가 손을 뻗어 그의 어깨를 잡았다. "난 이해할 수 있어. 명성이란 것은 그 첫맛을 보면 더 빠지게 되어 있어. 네게 그런 기회를 준 나 자신을 탓해야지. 그것 때문에 명성에 대한 욕심을 갖게 되었을 수도 있는 거니까 말이야……. 하지만 애야, 주목받으려고 날아다니는 차를 타면 안 되지. 침착해야 해, 알았지? 나이가 들면 그 모든 것을 할 수 있는 충분한 시간이 있단다. 그래, 그래, 무슨 생각을 하는지 다 안다! '그 사람 때문이다, 그가 벌써 국제적으로 유명한 마법사가 되었기 때문이다' 이거겠지. 하지만 내가 열두 살이었을 때, 난 지금의 너처럼 그저 보잘것없는 사람에 지나지 않았단다! 정말이야, 정말 아무것도 아니었지. 무슨 말인고 하니, 넌 네가 굉장히 유명하다고 생각하겠지만, 실은 너에 대해서 들어 본 적이 있는 사람들은 얼마 안 된다는 말이란다. 그렇지 않니? 이름을 말해서는 안 되는 그자와 관련된 모든 것들도 말이다!" 그가 해리의 이마에 난 번개 모양의 흉터를 흘끗 쳐다보았다. "안다, 알아……. 그게 내가 《마녀주간지》의 '가장 매력적인 미소상'을 연달아 다섯 번 받은 것만큼 대단한 건 아니라는 걸 말이다……. 하지만 *유리한 조건이긴 하지, 해리. 유리한 조건이야.*"

그는 해리에게 애정 어린 눈짓을 한 번 해 보이고는 성큼성큼 걸어갔다. 해리는 어리벙벙해서 잠시 서 있다가, 온실에 들어가야 한다는 걸 기억하고, 문을 열고 살금살금 안으로 들어갔다.

스프라우트 교수가 온실 한가운데에 있는 긴 의자 뒤에 서 있었다. 의자 위에는 스무 개쯤 되는 여러 가지 색깔의 방한용 귀마개가 놓여 있었다. 해리가 론과 헤르미온느 사이로 들어가 서자, 스프라우트 교수가 말했다. "우린 오늘 맨드레이크를 큰 화분에 옮겨 심을 거예요. 자, 누가 맨드레이크의 성질을 말해 줄 수 있을까?"

모두가 예상했던 대로, 헤르미온느의 손이 가장 먼저 번쩍 올라갔다.

"맨드레이크는 맨들라고라라고도 불리는 강력한 의식 회복제입니다." 헤르미온느가 평상시처럼 교과서를 통째로 삼켜 버리기라도 한 듯이 말했다. "그것은 변신되었거나 저주받은 사람들을 원래의 상태로 돌아오게 하는 데 사용됩니다."

"훌륭해요. 그리핀도르에 10점을 주겠어요." 스프라우트 교수가 말했다. "맨드레이크는 대부분의 해독제에 필수적으로 들어갑니다. 그러나 이것은 위험하기도 해요. 누가 그 이유를 말해 줄 수 있을까?"

헤르미온느의 손이 다시 번쩍 올라가며 해리의 안경을 살짝 건드렸다.

"맨드레이크의 울음소리를 들으면 치명적일 수 있기 때문입니다." 그녀가 재빨리 말했다.

"바로 맞았어요. 10점을 더 주겠어요." 스프라우트 교수가 말했다. "그러나 여기에 있는 맨드레이크들은 아직 어려요."

그녀가 주르르 늘어서 있는 깊숙한 상자들을 가리키자, 모두가 더 자세히 보려고 앞으로 다가섰다. 술이 많이 달린 보랏빛도는 초록색 식물 100여 개가 열을 지어서 자라고 있었다. 그러나 헤르미온느가 말한 맨드레이크의 '울음'이라는 게 무슨 뜻인지 전혀 몰랐던 해리에게는 그것들이 그다지 이상하게 보이지 않았다.

"모두 귀마개를 쓰세요." 스프라우트 교수가 말했다.

모두 복슬복슬한 분홍빛이 아닌 다른 귀마개를 잡으려고 쟁탈전을 벌였다.

"내가 귀마개를 쓰라고 말하면, 귀가 완전히 덮이도록 귀마개를 푹 눌러쓰세요." 스프라우트 교수가 말했다. "그것을 빼도 안전할 때가 되면, 내가 엄지손가락을 위로 올려 표시를 해 주겠어요. 좋아요……. 귀마개 착용."

해리는 얼른 귀마개를 썼다. 그것을 쓰자 아무 소리도 들리지 않았다. 스프라우트 교수는 복슬복슬한 분홍빛 귀마개를 쓰고는, 망토 소매를 걷어 올리더니, 술이 많은 그 식물을 하나 단단히 잡고, 세게 뽑아냈다.

비록 아무도 들을 수는 없었지만 해리는 놀라서 가쁜 숨을 몰아쉬었다.

땅속에서는 뿌리 대신, 진흙투성이인 아주 작고 못생긴 어린아이 하나가 튀어나왔다. 그 아이의 머리에서 잎들이 자라고 있었다. 피부에 엷은 초록빛의 얼룩덜룩한 반점이 있는 그 아이는 목청이 터져라 큰 소리로 울어 대고 있었다.

스프라우트 교수는 탁자 밑에서 커다란 화분을 하나 꺼내 맨드레이크를 그 안으로 던져 넣더니, 술이 달린 잎들이 보이지 않을 때까지 그 아이를 거무스름하고, 축축한 퇴비 속에 묻었다. 그러고는 손에서 흙을 털어 내고 그들 모두에게 엄지손가락을 들어 보이고 자신의 귀마개를 벗었다.

"여기 온실에 있는 맨드레이크들은 묘목에 불과하기 때문에, 아직은 그 울음소리를 듣는다고 죽는 일은 없을 겁니다." 그녀가 마치 베고니아에 물을 주는 것 같은 아주 간단한 일을 설명하는 것처럼 태연하게 말했다. "그러나 몇 시간 동안 정신을 잃을 정도로 위력이 강하므로, 학기 첫날을 망치고 싶지 않다면, 작업하는 동안 귀마개가 귀를 잘 가리고 있는지 단단히 확인하기 바랍니다. 작업을 그만둘 때가 되면 알려 주겠어요."

"한 상자에 네 명씩……, 여기엔 화분이 있고…… 퇴비는 저쪽 자루에 있어요. 그리고 베네무스 텐타큘라를 조심하세요, 표면이 까칠까칠하니까요."

해리와 론과 헤르미온느가 작업할 상자에, 해리가 얼굴은 알고 있지만 말은 한번도 해 본 적이 없는 후플푸프의 곱슬머리 남자 아이가 합류했다.

"저스틴 핀치 플레츨리야." 그가 해리와 악수를 나누며 밝게 말했다. "너희가 누군지 물론 알아. 그 유명한 해리 포터…… 그리고 넌 헤르미온느 그레인저…… 전 과목에서 항상 1등이지. (헤르미온느도 악수를 하며 밝게 미소 지었다.) 그리고 론 위즐리. 저 날아다니는 차가 너희 차 아니었니?"

론은 미소 짓지 않았다. 호울러가 여전히 마음속에 남아 있는 게 분명했다.

"록허트 교수는 정말 대단해, 그렇지 않니?" 식물 화분에 용의 똥 퇴비를 채우기 시작하며 저스틴이 유쾌히 말했다. "굉장히 용감한 사람이야. 그의 책들 읽어 봤니? 나 같으면 늑대인간에 쫓겨 전화 부스 속에 갇히면 무서워서 죽어 버렸을 텐데, 그는 태연하게 있다가 단숨에 해치워 버렸어……. 그저 놀라울 따름이야. 나는 사실 이튼(1440년에 설립된 영국의 전통 있는 사립 중학교—옮긴이)에 가기로 되어 있었어. 하지만 난 거기에 가지 않고 여기에 오게 된 게 얼마나 기쁜지 몰라. 물론, 엄마는 약간 실망하셨지만, 록허트의 책을 읽으신 뒤로는 가족 중에 제대로 교육받은 마법사가 한 명쯤 있다는 게 얼마나 유용한지 알게 되신 것 같아……."

더 이상 말할 기회가 없었다. 귀마개를 다시 착용했으므로 온 정신을 맨드레이크에만 집중해야 했다. 스프라우트 교수가 시범을 보일 때는 아주 쉬워 보였지만, 사실은 그렇지가 않았다. 맨드레이크는 땅에서 나오는 것도 좋아하지 않았지만, 다시 땅속으로 들어가는 것도 바라지 않는 것 같았다. 그것들은 몸부림치고 발길질을 하고 날카롭고 작은 주먹을 휘두르는가 하면, 이빨을 뿌득뿌득 갈기도 했다. 해리는 아주 살진 녀석을 화분 속으로 밀어 넣느라 꼬박 10분을 보내야 했다.

수업이 끝날 즈음, 해리는 다른 아이들과 마찬가지로, 땀투성이에 온몸이 쑤셨으며 온통 흙으로 뒤범벅되어 있었다. 모두 성으로 돌아가자마자 씻었고, 그리핀도르 학생들은 서둘러 변신술 수업을 받으러 갔다.

맥고나걸 교수의 수업은 언제나 어려웠지만, 오늘은 특히 더했다. 해리는 1학년 때 배웠던 것들이 여름방학 동안에 모두 머릿속에서 빠져나간 것 같았다. 그는 딱정벌레를 단추로 변신시켜야 했지만, 딱정벌레가 책상 위에서 요술지팡이를 피해 요리조리 달아났으므로, 그저 딱정벌레에게 운동만 시키는 꼴이 되고 말았다.

론은 문제가 훨씬 더 심각했다. 그는 마법 테이프를 빌려 요술지팡이를 일시적으로 붙였는데, 너무 심하게 망가져서 전혀 고쳐질 것 같지가 않았다. 그것은 이따금 우지직우지직 소리를 내며 불꽃이 튀곤 했고, 론이 딱정벌레를 변신시키려고 할 때마다 썩은 달걀 냄새가 나는 진한 회색빛 연기를 뿜어냈다. 자욱한 연기 때문에 주위를 살필 수 없었던 론은, 그만 팔꿈치로 딱정벌레를 눌러 찌부러뜨리는 바람에 새 딱정벌레를 얻어야 했다. 맥고 나걸 교수는 매우 못마땅해했다.

해리는 점심시간을 알리는 종소리를 듣자 마음이 놓였다. 그는 뇌가 마치 짜부라진 스펀지처럼 느껴졌다. 요술지팡이로 책상을 미친 듯이 내려치고 있는 론과 해리를 제외하고는 모두가 줄지어 교실 밖으로 나갔다.

"빌어먹을…… 아무짝에도 쓸모가 없어……."

"하나 더 사 달라고 집에 편지해." 론의 요술지팡이가 폭죽처럼 연달아 탕탕탕 소리를 내자 해리가 넌지시 말했다.

"그랬다간 호울러를 하나 더 받게?" 론이 이제 쉿 소리를 내고 있는 지팡이를 가방 속에 쑤셔 넣으며 말했다. "*지팡이를 부러뜨린 건 너니까 네가 알아서 해.*"

점심을 먹으러 내려갔을 때 헤르미온느가 변신술 수업에서 만들어 낸 진짜 코트 단추를 한 줌이나 보여 주자 론은 기분이 더 우울해졌다.

"오늘 오후엔 무슨 수업이 있지?" 해리가 급히 화제를 바꾸며 말했다.

"어둠의 마법 방어술." 물어보기가 무섭게 헤르미온느가 즉각 대답했다.

"*왜?*" 론이 그녀의 시간표를 뺏어 보면서 물었다. "록허트의 강의 시간마다 작은 하트를 그려 놓은 거니?"

헤르미온느가 얼굴이 새빨개져서 그 시간표를 다시 홱하고 낚아챘다.

그들은 점심을 다 먹고 구름이 잔뜩 낀 안마당으로 나왔다. 헤르미온느는 돌계단에 앉아 다시 《흡혈귀와의 여행》 책에 몰두했다. 해리와 론은 서서 퀴디치에 대해 이야기하고 있었는데, 해리는 계속 누군가가 자신을 열심히 지켜보고 있다는 걸 느꼈다. 고개를 든 해리는, 지난밤에 마법의 모자를 쓰고 배정받으려고 앉아 있는 것을 우연히 보았던 바로 그 자그마한 회색 머리의 남자아이가 마치 그 자리에 못이 박히기라도 한 듯 자기를 뚫어지게 쳐다보고 있다는 걸 알았다. 그는 보통 머글 카메라처럼 생긴 것을 움켜쥐고 있었는데, 해리와 눈이 마주치는 순간, 그의 얼굴이 빨개졌다.

"맞지, 해리? 난…… 난 콜린 크리비야." 그가 주저하듯 앞으로 한 발짝 내디디며 떨리는 목소리로 말했다. "나도 그리핀도르에 있어. 저기…… 사진 한 장 찍어도…… 괜찮겠지?" 해리가 허락해 주길 바라는 듯, 콜린은 카메라를 들어 올리며 말했다.

"사진?" 해리가 멍하니 되풀이해서 물었다.

"내가 형을 만났다는 걸 입증할 수 있도록 말이야." 콜린 크리비가 조금 더 앞으로 다가오며 간절히 말했다. "난 형에 대해 모두 알아. 아이들이 말해 주었어. 그 **사람**이 죽이려 했을 때 형이 어떻게 살아남았으며 그가 어떻게 사라졌고 어떻게 이마에 번개 모양의 흉터를 갖게 되었는지 모두 다 말이야." 그의 시선이 해리의 이마로 향했다. "그리고 우리 방에 있는 아이가 그러는데, 필름을 적당량의 약물에 넣어 현상하면 사진이 *움직인대*." 콜린이 흥분으로 몸을 떨었다. "이곳은 놀라운 곳이야, 안 그래? 난 호그와트에서 편지를 받을 때까지 내가 가끔 하던 이상한 행동이 마법이라는 걸 전혀 몰랐어. 우리 아버진 우유 배달부인데, 내가 마법학교에 가게 되었다는 걸 전혀 믿지 못하셨어. 그래서 집에 계신 아버지께 보내 드리려고 사진을 많이 찍고 있는 거야. 그리고 형 사진을 하나쯤 갖는 것도 정말 좋을 것 같고 말이야." 그가 해리에게 애원하는 듯한 표정을 지었다. "형 친구도 함께 찍어도 돼. 나도 형 옆에 서서 찍어도 될까? 그리고 사진이 나오면 사인해 줄 수 있어?"

"*사인이 있는 사진이라고? 너 사인이 있는 사진을 배포할 거니, 포터?*"

갑자기 드레이코 말포이의 목소리가 안마당에 크게 울려 퍼졌다. 그는 호그와트에서 언제나 그랬던 것처럼, 몸집이 크고 불쾌하게 생긴 친구 크레이브와 고일의 호위를 받으며 콜린 바로 뒤에 서 있었다.

"모두 모여 봐!" 말포이가 아이들에게 소리쳤다. "해리 포터가 사인이 있는 사진을 배포한대!"

"아니야, 그렇지 않아." 해리가 화가 나서 주먹을 불끈 쥐며 말했다. "입 닥쳐, 말포이."

"샘내는 거지?" 몸통이라고 해 봐야 크레이브의 목 굵기만큼밖에 되지 않는 콜린이 날카로운 소리로 말했다.

"*샘낸다고?*" 말포이가 말했다. 안마당에 있는 사람들 대부분이 듣고 있었으므로 그는 더 이상 소리 지를 필요가 없었다. "뭘? 고맙지만, 이마에 난 이상한 흉터 따위 갖고 싶지도 않아. 이마에 모두가 알고 있는 흉터를 갖고 있다고 특별해지는 건 아니니까 말이야."

크레이브와 고일이 멍청하게 낄낄거리고 있었다.

"엿이나 먹어, 말포이." 론이 화가 나서 말했다. 크레이브가 웃음을 싹 거두고 위협적으로 손가락 마디를 뚝뚝 꺾기 시작했다.

"조심해, 위즐리." 말포이가 비웃으며 말했다. "문제를 또 일으키고 싶지 않다면 말이야. 한 번만 더 그랬다간 네 엄마가 학교에 와서 널 당장 끌고 갈 테니까 말이야." 그가 날카로운 목소리로 흉내를 냈다. "*한 번만 더 규칙을 어겼다간⋯⋯.*"

근처에 있던 슬리데린 5학년 학생들이 이 소리를 듣고 큰 소리로 웃었다.

"위즐리는 분명 사인이 있는 사진을 갖고 싶을 거야, 포터." 말포이가 능글맞게 웃었다. "그건 론네 집보다도 값이 훨씬 더 비쌀 테니까……."

론이 마법의 테이프로 붙인 지팡이를 홱 꺼내자, 헤르미온느가 《흡혈귀와의 여행》 책을 탁 덮으며 작은 소리로 말했다. "조심해!"

"웬 소동이니, 웬 소동이야?" 질데로이 록허트가 청록색 망토를 휘날리며 성큼성큼 걸어오며 말했다. "누가 사인이 있는 사진을 배포한다는 거지?"

해리가 말하려고 했지만, 록허트가 해리의 어깨에 팔을 올리고는 큰 소리로 유쾌하게 "하하! 물을 필요도 없겠군. 또 만났구나, 해리!" 하고 선수치는 바람에 말을 꺼내지도 못했다.

해리는 록허트의 옆구리에 꼼짝 못하게 눌려서 굴욕감에 얼굴이 화끈거리는 걸 느꼈다. 말포이는 히죽히죽 웃으며 사람들 뒤로 빠져나가고 있었다.

"어서, 콜린 군." 록허트가 콜린에게 밝게 미소 지으며 말했다. "둘이 함께 찍은 사진, 그러면 더 좋을 거야. 우리가 둘 다 사인해 주지."

콜린이 카메라를 더듬더듬하며 셔터를 누르자마자, 뒤에서 오후 수업의 시작을 알리는 종이 울렸다.

"어서들 가라, 어서." 록허트는 주위에 모여 있던 아이들에게 큰 소리로 이렇게 말하고는, 해리와 함께 성으로 걸어갔다. 해리는 여전히 그의 옆구리에 꼭 껴안긴 채, '사라져 버리는 마법'을 알았더라면 하고 바랐다.

"조언을 하나 해 주마, 해리." 건물의 옆문으로 들어가며 록허트가 아버지처럼 다정하게 말했다. "콜린이 있는 자리에서는 내가 일부러 널 도와준 거란다. 잘난 척하면 호감을 살 수 없잖니. 그 애가 내 사진도 찍는다면, 학교 친구들이 네가 그렇게 잘난 척한다고 생각하지는 않을 거란 말이야……"

해리는 그게 아니라며 뭐라고 중얼거렸지만, 록허트는 들은 척만 척한 채, 옷자락을 끌고 학생들이 죽 늘어서 빤히 쳐다보고 있는 복도를 지나 계단을 올라갔다.

"겨우 이런 정도의 출세로 사인을 한 사진을 나누어 주는 건 현명하지 않은 처사라는 걸 말해 주고 싶구나. 솔직히 말해, 넌 좀 잘난 척하는 사람처럼 보인단다, 해리. 언젠가는 너도 나처럼 어디를 가든 유명세를 치를 때가 오겠지만, 하지만……" 그가 깔깔거리며 웃었다. "아직은 그런 때가 아닌 것 같구나."

해리는 록허트의 교실에 도착해서야 비로소 그의 손에서 놓여날 수 있었다. 해리는 망토를 홱 잡아당겨 똑바르게 하고 교실 맨 뒤에 있는 자리로 갔다. 그리고 록허트가 보이지 않도록 서둘러 책상 위에다 록허트의 책 일곱 권을 다 쌓아 놓았다.

나머지 아이들이 소란스럽게 들어오고 있었고, 론과 헤르미온느는 해리의 양쪽에 앉았다.

"네 얼굴에다 달걀 프라이 해 먹어도 되겠다." 론이 말했다. "콜린이 지니를 만나지 않길 바라는 게 좋을 거야. 그렇지 않으면 그 애들이 해리 포터 팬클럽을 만들 테니까."

"조용히 해." 해리가 날카롭게 말했다. 그는 록허트가 혹시 '해리 포터 팬클럽'이라는 소리를 들을까 봐 전전긍긍했다.

학생들이 다 자리에 앉았을 때, 록허트가 요란하게 목을 가다듬자 실내가 갑자기 조용해졌다. 그가 앞으로 손을 뻗어, 네빌 롱바텀의 《트롤과의 여행》 책을 집더니 그 책을 높이 들어 올려 앞표지에서 윙크를 하고 있는 자신의 사진을 보여 주었다.

"바로 납니다." 그가 사진을 손가락으로 가리키며 책에서와 똑같이 윙크를 해 보였다. "질데로이 록허트, 멀린 3등급 훈장, 어둠의 마법 방어 연맹 명예 회원, 그리고 《마녀주간지》의 가장 매력적인 미소상 다섯 차례 수상—하지만 이것에 관해서는 굳이 말하지 않겠어요. 내가 밴던 밴시(죽을 사람이 있음을 통곡으로 예고한다는 여자 요정—옮긴이)를 미소로 없앤 건 아니니까 말입니다!"

그는 학생들이 웃길 기다렸다. 그러나 소수의 몇 명만이 희미하게 미소 지었을 뿐이었다.

"여러분이 모두 내 책 한 질을 전부 샀다는 걸 알고 있습니다. 잘했어요. 오늘은 그저 짧은 퀴즈 문제로 시작할까 합니다. 걱정할 건 전혀 없어요. 그저 여러분이 산 책들을 얼마나 열심히 읽었나, 또 얼마나 많이 이해했나 알아보는 것뿐이니까……."

그가 시험 문제지를 다 나눠 준 뒤 다시 교탁 앞으로 돌아가 말했다.

"30분을 주겠습니다……. 자…… *시작!*"

해리는 시험 문제를 읽었다.

1. 질데로이 록허트가 가장 좋아하는 색깔은 무엇입니까?
2. 질데로이 록허트의 숨은 야망은 무엇입니까?
3. 지금까지 질데로이 록허트의 가장 큰 업적은 무엇이라고 생각합니까?

그런 문제가 시험지 석 장에 걸쳐 계속되다가, 맨 밑에 이런 문제가 있었다.

54. 질데로이 록허트의 생일은 언제입니까? 또 그의 이상적인 생일 선물은 무엇입니까?

30분 뒤, 록허트가 시험지를 걷더니 아이들 앞에서 하나하나 살펴보았다.

"이런, 이런……. 내가 가장 좋아하는 색깔이 라일락색이라는 걸 아무도 기억하지 못하는군. 내가 《설인과 보낸 1년》 책에서 분명히 그렇게 말했는데. 그리고 몇 명은 《늑대인간과 돌아다니기》책을 좀 더 주의 깊게 읽어야겠군……. 난 12장에서 내 이상적인 생일 선물이 마법사와 마법사가 아닌 사람들 간의 조화라고 명확히 말했는데……. 그렇다고 커다란 '오젠스 올드 파이어 위스키'를 사양하겠다는 건 아니지만 말이야!"

그가 학생들에게 또 한 번 장난기 있는 윙크를 했다. 론은 이제 어이없다는 표정으로 록허트를 바라보고 있었다. 앞에 앉아 있는 시무스 피니간과 딘 토마스는 소리를 죽이고 킬킬대고 있었다. 반면에 헤르미온느는 록허트의 말에 푹 빠져 있다가 록허트가 그녀의 이름을 언급하자 소스라치게 놀랐다.

"……하지만 헤르미온느 그레인저 양만은 내 숨은 야망이 악의 세계를 없애고 내 머리 손질 약을 상품화해서 시장에 내놓는 것이라는 사실을 알고 있군요……. 잘했어요!" 그는 그녀의 시험지를 홱 뒤집었다. "만점입니다! 헤르미온느 그레인저 양 어디 있죠?"

헤르미온느가 떨리는 손을 들었다.

"훌륭해요!" 록허트가 환하게 미소 지었다. "아주 훌륭해요! 그리핀도르에게 10점을 주겠어요! 그러면…… 자, 수업으로 돌아갑시다."

그가 교탁 뒤로 허리를 굽히더니 덮개를 씌운 커다란 우리 하나를 들어 올렸다.

"자…… 조심하세요! 내 임무는 지금까지 마법사에게 알려져 있는 가장 위험한 생물과도 맞설 수 있도록 여러분을 무장시키는 거예요! 여러분은 어쩌면 이 교실에서 최악의 공포와 마주하게 될지도 모릅니다. 하지만 내가 여기에 있는 한 여러분에게 어떠한 해도 일어나지 않는다는 것만 명심하세요. 단 한 가지 부탁하고 싶은 건 그저 침착하라는 것뿐입니다."

해리는 저도 모르게, 그 우리를 더 잘 보려고 책 더미 옆으로 몸을 기울였다. 록허트가 그 덮개 위에 손을 얹었다. 딘과 시무스는 이제 웃지 않았다. 네빌은 앞좌석에서 몸을 움츠리고 있었다.

"비명은 절대로 지르지 말길 바랍니다." 록허트가 낮은 목소리로 말했다. "이 생물들을 자극하게 될지도 모르니까요."

학급 전체가 숨을 죽였을 때, 록허트가 덮개를 홱 벗겼다.

"그렇지." 그가 극적으로 말했다. "*콘월(영국 남서부의 주—옮긴이)에서 금방 잡은 작은 요정들입니다!*"

시무스 피니간은 더 이상 웃음을 참을 수가 없었다. 그가 픽 하고 콧방귀 소리를 냈다. 그건 누가 들어도 절대로 공포의 비명은 아니었다.

"무슨 일이죠?" 록허트가 시무스에게 미소를 지었다.

"그것들은…… 그것들은 그렇게…… *위험하지* 않잖아요, 그렇지 않나요?" 시무스는 웃느라 말을 제대로 하지 못했다.

"너무 그렇게 자신만만해하지는 말아요!" 록허트가 화가 나서 시무스에게 손가락질을 하며 말했다. "이것들도 대단히 흉악한

악마가 될 수도 있으니까!"

그 작은 요정들은 밝고 차가운 느낌의 파란색으로, 얼굴은 뾰족했고 키는 대략 20센티미터 정도였는데, 목소리가 어찌나 날카로웠던지 마치 많은 잉꼬들이 떠들어 대는 소리 같았다. 덮개가 벗겨지는 순간, 요정들은 재잘거리며 이리저리 날아다니는가 하면, 창살을 잡고 흔들어 교탁 가까이 있는 사람들을 당황하게 만들었다.

"자, 그럼." 록허트가 큰 소리로 말했다. "이 녀석들이 무슨 짓을 하는지 한번 보죠!" 그러고는 우리 문을 열어 버렸다.

그러자 완전히 아수라장이 되었다. 작은 요정들은 로켓처럼 사방으로 튀어 올랐다. 요정 두 명은 네빌의 귀를 잡고 그를 공중으로 들어 올렸고, 몇 명은 곧장 창문으로 돌진해 나가는 바람에 창가에 있던 학생들이 깨진 유리 조각을 온통 뒤집어써야 했다. 나머지 요정은 미쳐 날뛰는 코뿔소처럼 돌아다니며 교실을 쑥밭으로 만들어 놓기 시작했다. 잉크병을 잡아 학생들에게 잉크를 뿌리고, 책과 종이를 갈기갈기 찢는가 하면, 벽에 붙은 사진들을 북북 떼어 내고, 쓰레기통을 뒤집어엎고, 가방과 책을 보이는 대로 들어 깨진 창문 밖으로 내던졌다. 순식간에 반 아이들 절반이 책상 밑으로 피해 있었고, 네빌은 천장에 있는 철제 샹들리에에 매달려 있었다.

"자, 이제…… 요정을 한곳으로 몰아가세요. 그저 작은 요정에 지나지 않습니다." 록허트가 큰 소리로 말했다.

그가 소매를 걷어올리더니 지팡이를 휘두르며 소리쳤다. "페 스키픽시 페스테르노미!"

그러나 그건 전혀 효과가 없었다. 더구나 요정 하나가 록허트 의 지팡이를 낚아채어 창밖으로 내던져 버렸다. 또 그때 록허트 는 샹들리에가 무너져 내리면서 떨어지는 네빌을 피하려고 허겁 지겁 교탁 밑으로 숨기에 바빴다.

종이 울리자 학생들은 허둥지둥 출구로 몰려갔다. 좀 잠잠해졌 을 때, 록허트는 교탁 밑에서 기어 나오다가 교실을 나가고 있는 해리와 론과 헤르미온느를 발견했다. "너희 셋이 나머지 요정들 을 잡아 우리 속에 좀 넣어 줘야겠다." 그러면서 록허트는 그들 옆으로 휙 지나가 밖으로 나간 뒤 얼른 문을 닫았다.

"저 사람 뭐 저래?" 남아 있는 요정들 중 하나가 귀를 꽉 물자 론이 큰 소리로 말했다.

"교수님은 그저 우리에게 약간의 실제 훈련을 시켜 주고 싶었 던 것뿐이야." 헤르미온느가 똑똑하게도 '냉동 마법'으로 금방 두 요정을 움직이지 못하게 해서 우리 속으로 밀어 넣으며 말했다.

"실제 훈련?" 혀를 쏙 내밀고 손이 닿지 않는 곳으로 춤추며 도망가는 요정 하나를 잡으려고 애쓰며 해리가 말했다. "헤르미 온느, 그 교수는 자신이 무슨 짓을 하고 있는지도 전혀 몰랐 어……."

"쓸데없는 소리." 헤르미온느가 말했다. "넌 교수님의 책을 읽지도 않았니? 그가 얼마나 놀라운 일들을 했는데……."

"말로는 누가 못 해?" 론이 투덜거렸다.

제 **7** 장

잡종과 속삭임

해리는 그다음 며칠을 복도에서 질데로이 록허트 교수와 부딪치지 않으려고 애쓰며 보냈다. 그러나 피하기가 더 어려운 사람은, 해리의 시간표를 줄줄이 꿴 듯한 콜린 크리비였다. 콜린에게는, 해리의 기분이야 어떻든, 하루에도 대여섯 번씩 "안녕, 해리?" 하고 인사하며, "안녕, 콜린"이라는 대답을 듣는 게 가장 큰 기쁨인 것 같았다.

헤드위그는 그 무서운 자동차 여행 때문에 해리에게 여전히 화가 나 있었고 론의 요술지팡이는 여전히 제구실을 하지 못하고 있었다. 금요일 아침 마법 수업 시간에는 지팡이가 론의 손에서 쏜살같이 튀어 나가 작은 노인인 플리트윅 교수의 미간을 정면으로 쳐서 그 부분에 욱신욱신 쑤시는 큼지막한 혹을 만들어 놓았다. 따라서 이런저런 이유 때문에 해리는 주말이 다가오는 게 무척이나 기뻤다. 그는 론과 헤르미온느와 함께 토요일 아침에 해그리드를 찾아갈 계획을 세웠다. 그러나 해리는 그리핀도르 퀴디치 팀의 주장인 올리버 우드가 흔들어 깨우는 바람에, 일어나려고 했던 시간보다 몇 시간이나 더 일찍 일어나야 했다.

"무슨 일이야?" 해리가 잠에 취해 말했다.

"퀴디치 연습이야!" 우드가 말했다. "어서!"

해리는 창문을 흘끗 보았다. 분홍빛과 황금빛이 도는 하늘에 엷은 안개가 끼어 있었다. 잠이 깨자, 그는 새들이 저렇게 시끄럽게 울어 대는데 어떻게 잠을 잘 수 있었는지 도무지 이해할 수가 없었다.

"올리버." 해리가 쉰 목소리로 말했다. "새벽이야."

"나도 알아." 우드가 말했다. 그는 키가 크고 몸이 억센 6학년생이었는데, 그의 눈은 그 순간 굉장한 열정으로 번득이고 있었다. "오늘부터는 새벽에 훈련하기로 했어. 어서, 빗자루를 갖고 나가자." 우드가 힘차게 말했다. "다른 팀은 아직 훈련을 시작하지 않았어. 올해에는 우리가 처음으로 스타트를 끊을 작정이야……."

해리는 하품을 하며 진저리를 치고는, 침대에서 기어 나와 퀴디치 망토를 찾았다.

"좋아." 우드가 말했다. "그럼 15분 후에 경기장에서 만나자."

자줏빛의 팀 망토를 찾아 입고 겉옷을 하나 더 입은 뒤, 해리는 론에게 어디로 가는지 메모를 써 놓고는 어깨에 님부스 2000을 메고 나선형 계단을 내려가 학생 휴게실로 갔다. 그런데 초상화 구멍에 막 도착했을 때 뒤에서 달가닥거리는 소리가 났다. 콜린 크리비가 목에 걸린 카메라를 미친 듯이 흔들며 손에 무언가를 쥐고 나선형 계단을 허둥지둥 내려오고 있었다.

"계단에서 누군가가 형 이름을 부르는 소리를 들었어! 이것 좀 봐! 사진 현상을 했는데, 형에게 보여 주고 싶었어."

해리는 콜린이 코앞에 내미는 흑백사진들을 어리벙벙하게 바라보았다.

움직이는 록허트가 해리의 것으로 보이는 팔을 힘껏 잡아당기고 있었다. 그는 사진에 찍힌 자신이 발버둥을 치며 몸을 빼내려고 안간힘을 쓰는 모습을 보자 왠지 기분이 좋았다. 해리가 계속 사진을 쳐다보자, 록허트가 더 이상 안 되겠는지 포기하고는 숨을 헐떡이며 사진의 흰 가장자리 부분으로 무너지듯이 털썩 주저앉았다.

"사인해 줄래?" 콜린이 간절히 부탁했다.

"싫어." 해리가 혹시 다른 사람이 있는지 보려고 주위를 흘끔 둘러보며 딱 잘라 말했다. "미안해, 콜린, 난 좀 바빠. 퀴디치 연습 때문에……."

그러고는 그는 초상화 구멍 속으로 기어 들어갔다.

"와, 정말! 기다려! 난 퀴디치 경기를 한번도 보지 못했어!"

콜린이 해리를 따라 구멍 속으로 기어 들어갔다.

"굉장히 지루할 거야." 해리가 얼른 말했지만, 콜린은 들은 척도 하지 않았다. 그의 얼굴은 흥분으로 빛나고 있었다.

"형이 기숙사에서는 100년 만에 최연소 선수라지, 안 그래?" 콜린이 총총걸음으로 옆으로 다가오며 말했다. "형은 틀림없이 아주 잘할 거야. 난 날아 본 적이 없어. 그런데 나는 건 안 힘들어? 그게 형 빗자루야? 최고의 빗자루라는?"

해리는 그를 어떻게 떼어 내야 할지 몰랐다. 그는 꼭 그림자처럼 따라다니며 재잘재잘 쉬지 않고 떠들어 댔다.

"난 사실 퀴디치를 잘 몰라." 콜린이 숨이 차서 헉헉거리며 말했다. "공이 네 개라는 게 사실이야? 그리고 그중 두 개는 이리저리 날아다니며 사람들을 빗자루에서 떨어뜨린다는 것도?"

"그래." 퀴디치의 복잡한 경기 규칙을 설명하지 않으려 했던 해리가 마지못해 말했다. "그것들은 블러저라고 해. 각 팀에 몰이꾼이 두 명 있는데, 그들은 클럽으로 블러저를 쳐서 자기편 선수를 보호하지. 프레드와 조지 위즐리 형제가 그리핀도르의 몰이꾼이야."

"그러면 다른 공들은 무엇 때문에 있는데?" 콜린이 멍하니 입을 벌리고 해리를 쳐다보느라 발을 헛디디며 물었다.

"어…… 퀘이플이 있는데 그건 가장 큰 공이고 빨간색이야. 득점을 올리는 공이지. 각 팀에 있는 세 명의 추격꾼이 퀘이플을 서로에게 던져서 경기장 끝에 있는 골대에 넣지. 링이 달린 높은 장대 세 개가 골대야."

"그러면 네 번째 공은……."

"골든 스니치야." 해리가 말했다. "그건 아주 작고 아주 빨라서 잡기가 힘들어. 하지만 수색꾼이 해야 할 일이 바로 그 공을 잡는 거야. 왜냐하면 퀴디치 경기는 스니치가 잡혀야만 끝나거든. 그리고 어느 팀이든 수색꾼이 스니치를 잡으면 150점을 얻게 돼."

"그리고 바로 형이 그리핀도르의 수색꾼이란 말이지, 그렇지?" 콜린이 놀라움이 가득한 목소리로 말했다.

"맞아." 성을 나와 이슬에 흠뻑 젖어 있는 잔디밭을 가로질러 가며 해리가 말했다. "그리고 파수꾼도 있어. 골대를 지키는 사람이지. 그게 다야."

하지만 콜린은 경사진 잔디밭을 내려가 퀴디치 경기장까지 가는 내내 해리에게 쉴새없이 물었고, 해리는 탈의실에 도착하자 이제는 더 이상 따라오면 안 된다는 뜻으로 그에게 고개를 저었다. 콜린은 높은 목소리로 "난 가서 좋은 자리나 잡아야겠어, 형!" 하고 소리치고는 급히 관중석으로 갔다.

그리핀도르 팀 선수들은 벌써 탈의실에 와 있었다. 완전히 잠이 깬 것처럼 보이는 사람은 우드 한 사람뿐이었다. 프레드와 조지 위즐리 형제는 부은 눈에 헝클어진 머리를 하고 앉아 있었고, 4학년인 앨리샤 스피넷은 그 옆에서 꾸벅꾸벅 졸고 있었다. 또 추격꾼들인 케이티 벨과 안젤리나 존슨은 그들 맞은편에 나란히 앉아 하품을 하고 있었다.

"왔구나, 해리, 왜 이렇게 늦었니?" 우드가 기분 좋게 물었다. "자, 경기장으로 나가기 전에 너희에게 잠깐 할 얘기가 있어. 내가 여름방학 내내 새로운 훈련 프로그램 하나를 고안했는데, 내 생각에는 굉장히 효과가 있을 것 같아……."

우드는 커다란 퀴디치 경기장 도표를 들어 올렸다. 도표에는 여러 색깔의 잉크로 많은 선과 화살표와 십자표들이 그려져 있었다. 그가 요술지팡이를 꺼내 도표를 탁 치자, 화살표들이 애벌레처럼 스멀스멀 움직이기 시작했다. 우드가 그 새로운 전술에 대한 설명을 시작하자마자, 프레드 위즐리가 머리를 앨리샤 스피넷의 어깨 위로 축 늘어뜨리더니 드르렁드르렁 코를 골기 시작했다.

첫 번째 도표를 설명하는 데만도 거의 20분이 걸렸는데, 그 밑으로 도표가 두 개나 더 있었다. 낮고 단조로운 어조로 말하는 우드의 설명을 듣고 있으니, 해리는 눈이 저절로 감겼다.

"그러니까……." 우드가 마침내 기나긴 설명 끝에, 성에 있었다면 바로 이 순간에 아침으로 무엇을 먹고 있을까 입맛을 다시며 공상에 잠겨 있는 해리를 갑자기 푹 찌르며 말했다. "명확한 설명이 됐니? 질문 있어?"

"응, 하나 있어, 올리버." 설명을 시작할 때부터 죽 깨어 있었던 조지가 말했다. "왜 어제 우리가 모두 정신이 말짱할 때는 이런 얘길 하지 않았던 거지?"

우드는 기분이 언짢았다.

"자, 너희들 들어 봐." 그가 모두에게 얼굴을 찡그리며 말했다. "우린 작년에 퀴디치 우승컵을 탔어야 했어. 우린 분명히 최고의 팀이야. 하지만 유감스럽게도…… 어쩔 수 없는 상황 때문에……."

해리는 가책을 느끼고 자세를 바꾸어 앉았다. 하필 작년 결승전 때 해리가 병동에서 의식을 잃은 채 누워 있는 바람에, 그리핀도르는 선수 한 명이 부족한 상태에서 경기에 임했고, 그 결과 300년 만에 처음으로 큰 점수 차로 패했었다.

우드가 냉정해지기까지는 좀 시간이 걸렸다. 지난번 패배가 그를 여전히 심란하게 하는 게 분명했다.

"그러니까 올해엔 그 어느 때보다 더 열심히 훈련해야 해. 좋아, 그럼 가서 우리의 새로운 전술을 실습해 보자!" 우드가 빗자루를 잡고 선두에 서서 탈의실 바깥으로 나가며 소리쳤다. 다리는 뻣뻣하고 여전히 하품이 나왔지만, 다른 아이들도 어쩔 수 없이 따라 나갔다.

탈의실에 어찌나 오래 있었던지, 경기장 잔디밭 부근에 아직 안개가 조금 끼어 있기는 했지만 해는 이제 완전히 중천에 떠 있었다. 경기장으로 걸어 나온 해리는 론과 헤르미온느가 관중석에 앉아 있는 걸 보았다.

"아직 안 끝났어?" 론이 믿을 수 없다는 듯 외쳤다.

"아직 시작도 안 했어." 해리가 론과 헤르미온느가 연회장에서 가져온 토스트와 마멀레이드를 부러운 눈으로 바라보며 말했다. "우드가 우리에게 새로운 전술을 설명하느라고 말이야."

해리는 빗자루에 올라타 발로 땅을 차고는 공중으로 높이 날아올랐다. 서늘한 아침 공기가 얼굴을 때리자, 우드의 일장 연설보다 훨씬 더 효과적으로 잠이 달아났다. 퀴디치 경기장에 다시 오니 기분이 정말 좋았다. 그는 프레드와 조지와 경주하며 전속력으로 경기장 위를 날아다녔다.

"찰각거리는 저 이상한 소리는 뭐지?" 모퉁이를 휙 돌아 나오며 프레드가 외쳤다.

해리가 관중석을 자세히 보았다. 콜린이 가장 높은 좌석에 앉아 카메라를 들어 올리고, 몇 장이고 끝없이 사진을 찍어 대고 있었는데, 관중석에 사람들이 없어서인지 그 소리가 굉장히 커다랗게 울렸다.

"이쪽을 봐, 해리! 이쪽!" 콜린이 큰 소리로 외쳤다.

"누구니?" 프레드가 물었다.

"몰라." 해리가 갑자기 속도를 내 콜린에게서 멀어지면서 거짓말을 했다.

"무슨 일이야?" 우드가 공중에서 그들 쪽으로 스치듯 날아오면서 눈살을 찌푸렸다. "저 1학년 애가 왜 사진을 찍는 거야? 신경 쓰여. 우리의 새로운 훈련 프로그램을 알아내려는 슬리데린의 스파이 아니야?"

"그 앤 그리핀도르야." 해리가 얼른 말했다.

"그리고 슬리데린 애들은 군이 스파이가 필요하지 않아, 올리버." 조지가 말했다.

"어째서?" 우드가 퉁명스럽게 말했다.

"왜냐하면 여기에 직접 와 있으니까." 조지가 손가락으로 가리키며 말했다.

초록색 망토를 입은 몇몇 사람들이 손에 빗자루를 들고 경기장으로 걸어오고 있었다.

"믿을 수 없어!" 우드가 불끈 화를 냈다. "내가 분명 먼저 예약했는데!"

우드는 쏜살같이 땅으로 내려갔는데, 화가 나서 생각보다 거칠게 내렸던지, 빗자루에서 내릴 때 몸이 약간 비틀거렸다. 해리와 프레드와 조지도 따라 내려갔다.

"플린트!" 우드가 슬리데린의 주장에게 소리를 질렀다. "지금은 우리 팀 연습 시간이야! 우리가 특별히 예약한 거라고! 그러니 너희는 좀 나가 줘!"

마커스 플린트는 몸집이 우드보다 훨씬 더 컸다. 그가 교활한 표정을 지으며 대답했다. "우리 모두가 다 같이 써도 공간은 충분해, 우드."

그리핀도르의 여자 선수들인 안젤리나와 앨리샤와 케이티도 내려왔다. 슬리데린 팀에는, 어깨를 맞대고 그리핀도르 애들에게 용감히 맞설 여자 선수가 하나도 없었다.

"하지만 내가 경기장을 먼저 예약했어!" 우드가 화가 나서 단호하게 말했다. "내가 예약했다고!"

"그래." 플린트가 말했다. "하지만 난 스네이프 교수가 특별히 사인한 편지를 갖고 있어. '나, S. 스네이프 교수는 슬리데린 팀에 새로 들어온 수색꾼을 훈련시킬 필요가 있으므로 오늘 퀴디치 경기장에서의 연습을 허가한다.'"

"수색꾼이 새로 들어왔다고?" 우드가 이해가 되지 않는 듯 물었다. "어디?"

그러자 앞에 선 여섯 명의 거구 뒤에서, 이들보다 몸집이 더 작은 일곱 번째 소년이 걸어 나왔다. 창백하고 뾰족한 얼굴 가득 능글맞은 웃음을 짓고 있는 그는 다름 아닌 드레이코 말포이였다.

"네 아버지가 혹시 루시우스 말포이 아니니?" 프레드가 말포이를 혐오스러운 표정으로 바라보며 물었다.

"네가 드레이코의 아버지 이름을 들먹이다니 우스운데." 플린트가 이렇게 말하자 슬리데린 팀이 훨씬 더 노골적으로 웃었다. "그분이 슬리데린 팀에게 주신 후한 선물을 보여 줘야겠군."

그들 일곱 명이 모두 각자 가지고 있던 빗자루를 내밀었다. 대단히 품위 있는 일곱 개의 새 손잡이와 멋지게 금색으로 쓰인 '님부스 2001'이라는 상표 일곱 개가 이른 아침의 햇살을 받아 그리핀도르 선수들의 코밑에서 반짝거렸다.

"아주 최신 모델이야. 지난달에 나왔어." 플린트가 자신의 빗자루 끝에서 먼지를 톡톡 털어 내며 말했다. "아마 옛날 모델인 2000시리즈보다 훨씬 더 좋을걸." 그가 클린스윕 5를 움켜쥐고 있는 프레드와 조지에게 심술궂은 미소를 지었다. "낡은 클린스윕으로는 책상이나 쓸어야지, 뭐."

그리핀도르 팀 모두 잠시 아무 말도 하지 못했다. 말포이가 그 차가운 눈이 찢어질 듯 야비하게 히죽대고 있었다.

"자, 봐." 플린트가 말했다. "경기장 침해야."

론과 헤르미온느가 무슨 일인지 보려고 잔디밭으로 걸어오고 있었다.

"무슨 일이니?" 론이 해리에게 물었다. "왜 연습하지 않는 거니? 그리고 저 애는 여기서 뭐 하는 거야?"

론은 슬리데린 퀴디치 망토를 입고 있는 말포이를 바라보고 있었다.

"난 슬리데린의 새로운 수색꾼이야, 위즐리." 말포이가 잘난 체하며 말했다. "우리 아버지께서 우리 팀 모두에게 사 주신 빗자루를 자랑하고 있던 참이었어."

론이 눈앞에 있는 최고급 빗자루 일곱 개를 입을 딱 벌리고 멍하니 바라보았다.

"좋지?" 말포이가 능글능글하게 말했다. "하지만 그리핀도르 팀도 금을 조금 모으면 새 빗자루를 살 수 있을 거야. 저 클린스 윕 5를 팔 수 있을지도 모르지. 만약 박물관에서 저 빗자루를 사려고 한다면 말이야."

슬리데린 팀이 껄껄대며 큰 소리로 웃었다.

"그리핀도르 팀에서는 적어도 돈을 *내고* 선수가 된 사람은 없어." 헤르미온느가 날카롭게 말했다. "우리 *팀*은 다 실력으로 들어왔으니까."

말포이의 얼굴에 새침한 표정이 휙 스쳤다.

"너한테 말하지 않았어, 이 더러운 잡종아." 그가 내뱉듯이 말했다.

말포이의 말이 끝나기가 무섭게 싸움이 벌어졌으므로, 해리는 말포이가 정말로 나쁜 말을 했다는 걸 단번에 알았다. 플린트는 프레드와 조지가 말포이에게 달려드는 걸 막기 위해 그의 앞으로 뛰어들어야 했고, 앨리샤는 날카로운 목소리로 "*어떻게 감히 그런 말을!*"이라고 말했다. 론은 망토 속에 손을 넣어 요술지팡이를 꺼내고는, "그렇게 말한 대가로 어디 혼 좀 나 봐라, 말포이!"라고 소리치면서 플린트의 팔 밑으로 보이는 말포이의 얼굴에 갖다 댔다.

탕 하며 커다란 소리가 경기장에 울려 퍼지더니 론의 요술지팡이 뒤쪽에서 초록색 불빛이 뿜어져 나와 론의 배를 쳤다. 그 바람에 론은 순식간에 잔디밭으로 나가떨어졌다.

"론! 론! 괜찮니?" 헤르미온느가 비명을 지르며 말했다.

론은 말을 하려고 입을 열었지만, 아무 말도 나오지 않았다. 대신 굉장한 트림 소리와 함께 입에서 민달팽이 몇 마리가 기어 나와 무릎 위로 똑똑 떨어졌다.

슬리데린 팀은 웃느라 제정신이 아니었다. 플린트는 새 빗자루에 기대어 배를 잡고 웃었고, 말포이는 엎드려서 주먹으로 땅을 치고 있었다. 계속해서 커다랗고 반짝이는 민달팽이들을 뱉어 내는 론 주위로 그리핀도르 아이들이 몰려들었다. 그러나 아무도 선뜻 그의 몸에 손을 대지 못했다.

"론을 해그리드의 집으로 데려가는 게 좋겠어, 여기서 제일 가까워." 해리가 헤르미온느에게 말하자, 그녀가 용감하게 고개를 끄덕였고, 그 둘은 론의 팔을 끌어올렸다.

"무슨 일이야, 해리? 무슨 일이야? 론이 아파? 하지만 형이 론을 치료할 순 없잖아, 안 그래?" 콜린이 관중석에서 달려 내려와 그들 옆을 왔다 갔다 했다. 그때 론이 그의 앞에다 민달팽이들을 한 더미 게워 냈다. "우욱!"

어리벙벙해진 콜린이 카메라를 들어 올렸다. "론 형을 좀 꼭 잡고 있어 줘!"

"저리 비켜, 콜린!" 해리가 화가 나서 말했다. 해리는 헤르미온느와 함께 론을 부축해 경기장 밖으로 나가 숲 언저리로 갔다.

"거의 다 왔어, 론." 사냥터지기 해그리드의 오두막이 눈에 들어오자 헤르미온느가 말했다. "조금만 있으면 괜찮아질 거야……. 거의 다 왔어……."

그들이 해그리드의 집에서 6미터 정도 떨어진 곳까지 왔을 때 현관문이 열렸지만, 거기서 나온 건 해그리드가 아니었다. 질데로이 록허트가 오늘은 연하디연한 자줏빛 망토를 입고, 성큼성큼 걸어 나왔다.

"빨리, 이 뒤로 와." 해리가 론을 근처에 있는 덤불 숲 뒤로 잡아끌며 말했다. 헤르미온느는 마지못해 따라갔다.

"무슨 일을 하고 있는지만 안다면 그건 간단한 문제죠!" 록허트가 해그리드에게 큰 소리로 말하고 있었다. "도움이 필요하면 언제라도 찾아오시오! 그리고 내 책을 한 권 주겠소. 아직 한 권도 갖고 있지 않다니 좀 뜻밖이라 말이오……. 내가 오늘 밤 사인을 해서 보내 주리다. 그럼 잘 있어요!" 그러곤 그는 성 쪽으로 성큼성큼 걸어갔다.

해리는 록허트가 보이지 않을 때까지 기다렸다가 론을 덤불 숲에서 끌어당겨 해그리드의 집 현관문으로 갔다. 그들은 다급히 노크를 했다.

노크하기가 무섭게 해그리드가 아주 심술 난 표정으로 나타났지만, 누구인지 알아보자 표정이 밝아졌다.

"너희가 언제 날 보러 올지 궁금해하고 있었어. 들어와 들어와…… 난 또 록허트 교수가 다시 왔는 줄 알았지 뭐야……."

해리와 헤르미온느가 론을 부축해서 문턱을 너머 오두막 안으로 들어갔다. 한쪽 구석에는 커다란 침대가 하나 놓여 있었고, 반대쪽에서는 난롯불이 딱딱 소리를 내며 활활 타고 있었다. 해리는 론을 의자에 앉히며 허둥지둥 설명했다. 해그리드는 론이 게워 내는 민달팽이를 보고도 전혀 당황해하는 것 같지 않았다.

"먹는 것보다야 뱉어 내는 게 낫지." 해그리드가 커다란 놋대야를 론 앞에 쿵 떨어뜨리며 말했다. "모두 뱉어 내, 론."

"제가 볼 땐 완전히 그칠 때까지 기다리는 수밖에 다른 방법이 없는 것 같아요." 헤르미온느가 론이 대야 앞으로 몸을 굽히는 걸 지켜보며 걱정스럽게 말했다. "그 마법은 아주 주의해서 해도 들을까 말까 하는 어려운 주문인데, 망가진 요술지팡이로 했으니……."

해그리드가 부산스럽게 그들에게 줄 차를 끓였다. 멧돼지 사냥용인 해그리드의 큰 개 팽이 해리에게 침을 질질 흘리고 있었다.

"그런데 록허트가 왜 들렀던 거죠, 해그리드?" 해리가 팽의 귀를 긁으며 물었다.

"우물에서 켈피(말 모습으로 나타나 사람을 유인하여 익사시키거나

익사를 예고한다는 물귀신—옮긴이)를 꺼내는 일로 내게 충고를 한
답시고 온 거지, 뭐." 해그리드가 이리저리 긁힌 자국이 있는 탁
자 위에 올라와 있는 수탉 한 마리를 치우고 찻주전자를 놓으며
투덜거렸다. "내가 그까짓 것도 모르는 줄 알고 말이야. 그리고
자기가 내쫓은 밴시에 대해 떠들어 대고 있었던 거야. 그 말이 단
한마디라도 사실이라면, 내 손에 장을 지지겠어."

해그리드가 호그와트의 선생을 나쁘게 말하는 건 전에 없던
일이었으므로 해리는 그를 놀란 표정으로 바라보았다. 그러자
헤르미온느가 평상시보다 다소 높은 목소리로 말했다. "제 생
각엔, 뭔가 잘못 생각하고 계신 것 같아요. 덤블도어 교수님은
분명히 그런 일에는 그분이 가장 적합한 분이라고 하셨어
요……."

"그 과목을 맡을 사람이 그 사람밖에 없었으니까 그렇지." 해
그리드가 그들에게 당밀 퍼지 접시를 내밀며 말했다. 그사이 론
이 대야에 대고 심하게 기침을 했다. "내 말은, 그 사람밖에 달리
사람이 없다는 뜻이야. 어둠의 마법 방어술 과목을 맡을 사람을
찾기가 하늘에 별 따기거든. 그런 일을 하는 사람이 없으니까 말
이야. 그런 일은 불운을 가져온다는 징크스가 있기 때문이지. 지
금까지는 아무도 오래가지 못했거든." 해그리드가 고개로 론을
가리키며 말했다. "그건 그렇고 저 애는 도대체 누굴 혼내 주려
다가 저렇게 된 거니?"

"말포이가 헤르미온느를 뭐라고 불렀어요……. 아주 나쁜 말이었던 게 틀림없어요. 왜냐하면 모두 아주 화가 나서 마구 싸웠거든요."

"*나쁜 말이었어요.*" 론이 창백하고 땀에 젖은 얼굴로 탁자 위로 올라오며 쉰 목소리로 말했다. "말포이가 헤르미온느를 '잡종'이라고 불렀어요, 해그리드."

민달팽이들이 다시 꿈틀거리며 나오자 론이 얼른 탁자 밑으로 내려갔다. 해그리드는 격분한 것 같았다.

"그럴 리가!"

"정말 그랬어요." 헤르미온느가 말했다. "하지만 저는 그게 무슨 뜻인지 몰라요. 물론 그게 정말로 무례한 말이라는 건 알 수 있었지만요……."

"그건 이 세상에서 가장 모욕적인 말이야." 론이 다시 올라오면서 헐떡거리며 말했다. "잡종이란 건 머글, 참 해리 너도 알지? 부모가 마법사가 아닌 사람을 머글이라고 하잖아. 그 태생의 사람을 부르는 아주 나쁜 말이야. 일부 마법사들은 순수 혈통이 다른 사람들보다 우월하다고 생각해, 말포이 가족처럼 말이야." 그가 트림을 한 번 하자, 민달팽이 한 마리가 쭉 편 그의 손바닥으로 톡 떨어졌다. 그는 그것을 대야 안으로 던지며 말을 계속했다. "내 말은, 그건 일부 사람들의 생각일 뿐, 우리 같은 사람들은 그게 전혀 중요하지 않다고 생각한다는 얘기야. 네빌 롱바텀

을 봐. 그 앤 순수 혈통이지만 냄비 하나도 제대로 관리하지 못하
잖아."

"그리고 그들은 우리 헤르미온느가 외울 수 없는 주문을 발명
하지도 못했고 말이야." 해그리드가 득의양양하게 말하자, 헤르
미온느가 얼굴을 붉혔다.

"누군가를……." 론이 떨리는 손으로 땀이 나는 이마를 훔치며
말했다. "더러운 혈통이라고 부르는 건 메스꺼운 짓이야. 야비한
혈통이나 하는 짓이야. 웃기는 얘기지. 대부분의 마법사들에겐
어쨌든 머글 피가 반반씩 섞였으니까 말이야. 만약 머글과 결혼
하지 않는다면 우리 마법사들은 차차 없어지고 말 거야."

그는 헛구역질을 하며 다시 밑으로 내려갔다.

"글쎄, 네가 그 녀석을 혼내 주려고 한 걸 탓하진 않아, 론." 해
그리드가 대야에 털썩털썩 떨어지고 있는 많은 민달팽이 소리보
다 큰 소리로 말했다. "하지만 네 요술지팡이가 거꾸로 발사된
것이 오히려 잘된 건지도 몰라. 네가 말포이를 혼내 주었다면 그
녀석의 아버지 루시우스 말포이가 가만있었겠어? 당장 학교로
달려와 널 어떻게 했을 거야. 적어도 네가 곤란에 빠지진 않게 되
었잖아."

해리는 입에서 민달팽이들이 쏟아져 나오는 것보다 더 심한 곤
란이 어디 있냐고 말하려고 했지만, 그럴 수가 없었다. 해그리드
가 준 당밀 퍼지가 입을 딱 붙여 버리게 했기 때문이다.

"그런데 해리." 해그리드가 갑자기 생각이 난 듯 불쑥 말했다. "네게 할 말이 있어. 네가 사인한 사진들을 나누어 주고 있다고 하던데, 어째서 난 한 장도 못 받은 거지?"

해리가 펄펄 뛰며 이를 부득부득 갈았다.

"저는 사인한 사진을 나눠 준 적 없어요." 그가 화가 나서 말했다. "만약 록허트가 아직도 그런 말을 퍼뜨리고 다닌다면……."

그러나 그때 그는 해그리드가 웃고 있다는 걸 알았다.

"농담 한번 해 본 거야." 그가 어찌나 세게 등을 쳤던지 해리는 하마터면 탁자에 코를 박을 뻔했다. "난 네가 그러지 않았다는 걸 알고 있어. 록허트에게도 네가 굳이 그럴 이유가 없다고 말했어. 그렇게 애쓰지 않아도 넌 그 사람보다 더 유명하잖아."

"그는 그 말을 별로 좋아하지 않았을 거예요." 해리가 일어서서 턱을 문지르며 말했다.

"썩 좋아한 것 같지는 않아." 해그리드가 눈을 반짝이며 말했다. "그다음에 내가 자기 책을 한번도 읽어 본 적이 없다고 하니까 가려고 일어선 거야. 당밀 퍼지 먹을래, 론?" 론이 다시 올라오자 그가 덧붙였다.

"아뇨." 론이 힘없이 말했다. "먹지 않는 게 좋을 거예요."

"내가 뭘 키웠는지 이리 와서 봐." 해리와 헤르미온느가 차를 다 마시자 해그리드가 말했다.

해그리드의 집 뒤에 있는 작은 채소밭에 해리가 지금까지 본 것 중에 가장 커다란 호박 수십 개가 있었다. 호박 한 개 크기가 커다란 옥석만 했다.

"잘 자라고 있는 것 같지 않니?" 해그리드가 유쾌히 말했다. "핼러윈 축제 때 쓸 거야……. 그때쯤 되면 많이 커질 거야."

"이 호박에 도대체 어떤 비료를 주신 거예요?" 해리가 물었다.

해그리드는 주위에 누가 없나 하고 어깨 너머로 슬쩍 살폈다.

"글쎄, 있잖아……. 약간의 도움……."

해리는 해그리드의 분홍빛 꽃무늬 우산이 오두막 뒷담에 세워져 있는 걸 알아챘다. 해리는 전에도 이 우산이 보통 우산이 아니라는 생각을 한 적이 있었다. 사실 그는 해그리드가 학교 다닐 때 쓰던 낡은 요술지팡이가 그 안에 감춰져 있을지도 모른다는 인상을 강하게 받았다. 해그리드는 마법을 부려서는 안 되도록 되어 있었다. 그는 3학년 때 호그와트에서 쫓겨났지만, 해리는 그 이유를 알아내지 못했다……. 그 얘기만 하면 해그리드가 큰 소리로 목을 가다듬는 시늉을 하며 화제가 바뀔 때까지 이상하게 아무 소리도 하지 않았기 때문이다.

"탐식 마법이죠, 아마?" 헤르미온느가 비난 반 재미 반으로 말했다. "어쨌든, 호박들에게는 좋은 일 하셨네요."

"네 여동생도 그렇게 말했어." 해그리드가 론에게 고개를 끄덕여 보이며 말했다. "그 아이는 어제 만났지."

곁눈질로 해리를 바라보는 해그리드의 수염이 씰룩거렸다.

"그 아이는 그저 정원을 둘러보고 있었다고 했지만, 우리 집에서 누군가와 마주치길 바라고 있었던 것 같아." 그가 해리에게 눈짓을 해 보였다. "내 생각엔, 그 앤 사인이 있는 사진을 마다하지 않을⋯⋯."

"그만 좀 해요." 해리가 말했다. 론이 코웃음을 치자 땅바닥으로 민달팽이들이 쏟아져 나왔다.

"조심해!" 해그리드가 그의 소중한 호박들에게서 론을 끌어당기며 소리쳤다.

점심시간이 다가왔다. 해리는 일어나서, 먹은 거라곤 당밀 퍼지 한 입밖에 없었으므로, 학교로 돌아가 점심을 먹고 싶었다. 그들은 해그리드에게 작별 인사를 하고 다시 성으로 향했다. 론은 가끔 딸꾹질을 했지만, 아주 작은 민달팽이 두 마리만 토했을 뿐이었다.

그들이 서늘한 현관 안의 홀에 들어서자마자 어떤 목소리가 들렸다. "여기 있구나. 해리, 위즐리." 맥고나걸 교수가 무서운 표정으로 그들에게 걸어오고 있었다. "너희는 오늘 저녁에 징계를 받기로 했단다."

"무슨 일을 하면 되죠, 선생님?" 론이 트림을 참으며 초조하게 물었다.

"넌 필치 씨와 함께 트로피 보관실에서 은제품들을 닦게 될 거야." 맥고나걸 교수가 말했다. "물론 마법은 쓰면 안 되고, 위즐리, 직접 손으로 닦아야 해."

론이 숨을 죽였다. 학교 관리인인 아구스 필치는 모든 학생이 싫어하는 사람이었다.

"그리고 너, 포터는 록허트 교수를 도와 그의 팬들이 보낸 우편물에 답장 쓰는 일을 하게 될 게다." 맥고나걸 교수가 말했다.

"이럴 수가⋯⋯. 교수님, 저도 트로피 보관실에 가면 안 될까요?" 해리가 절망적으로 말했다.

"물론 안 되지." 맥고나걸 교수가 눈썹을 추켜세우며 말했다. "록허트 교수께서 특별히 네가 하도록 해 달라고 부탁하셨단다. 너희 둘 다, 8시 정각부터 시작이다."

해리와 론은 아주 침울해져서 고개를 푹 숙이고 연회장으로 걸어갔다. 뒤에 있던 헤르미온느는 '학교 규칙을 어기더니 꼴 좋다' 하는 표정을 짓고 있었다. 해리는 고기 파이를 생각만큼 맛있게 먹지 못했다. 해리와 론 둘 다 아주 재수 없는 일을 하게 됐다고 생각하고 있었다.

"필치는 아마 날 밤새도록 붙잡아 둘 거야." 론이 맥없이 말했다. "마법을 쓰면 안 된다니! 그 방에는 트로피가 100개쯤은 될 거야. 난 머글 식의 청소는 서툴거든."

"네가 원한다면, 난 언제라도 바꿔 줄 수 있어." 해리가 건성으로 말했다. "난 더즐리 가족과 함께 사는 동안, 청소를 무지 많이 했거든. 록허트의 팬 우편물에 답장 쓰는 건⋯⋯ 생각만 해도 끔찍해……."

토요일 오후는 금방 지나가 버리고, 어느새 8시 5분 전이 되자 해리는 발을 질질 끌며 2층 복도를 따라 록허트의 사무실로 걸어 갔다. 그는 문 앞에서 이를 갈며 노크를 했다.

문이 금방 확 열렸다. 록허트가 해리에게 환하게 미소 지었다.

"아, 망나니 오셨군!" 그가 말했다. "들어와라, 해리, 들어 와……."

벽은 사진틀에 끼워진 록허트의 사진들로 도배가 되어 있었다. 수많은 사진이 역시 수많은 촛불을 받아 밝게 빛나고 있었고, 심지어 몇몇 사진에는 사인까지 있었다. 록허트의 책상에도 사진이 산더미같이 쌓여 있었다.

"넌 봉투에 주소를 쓰거라!" 록허트가 마치 대단한 선심이라도 쓰는 듯이 해리에게 말했다. "이건 글래디스 구전에게 보내는 거란다. 그녀에게 신의 가호가 있기를……. 나의 대단한 팬이지."

시간이 느릿느릿 갔다. 해리는 때때로 "음"과 "맞아요"와 "예"라는 말만 하며 록허트가 시키는 대로 고분고분하게 했다. 때로 해리는 "명성이란 변덕스러운 친구와 같단다, 해리"라거나 "유명인이 하는 일이 곧 명성이란다. 그걸 기억해라"와 같은 말도 들었다.

초들이 점점 더 낮게 타 들어가면서, 그를 지켜보는 록허트의 많은 움직이는 얼굴들 위로 불빛이 흔들렸다. 손이 저려 왔다.

해리는 1,000번째쯤 되는 봉투로 손을 뻗어 베로니카 스메슬리의 주소를 적었다. 이제 틀림없이 끝낼 시간이 됐을 거야. 해리는 지겨웠다……. 제발 빨리 끝나게 해 주세요…….

그때 어떤 소리가 들렸다……. 막 꺼지려는 초에서 나는 소리도 아니었고, 록허트가 자신의 팬들에 대해 떠들어 대는 말도 아니었다.

그건 어떤 목소리, 골수까지 오싹하게 하는 어떤 목소리, 얼음장같이 차가운 원한에 찬 어떤 목소리였다.

"*이리 와……. 내게로 와……. 가죽을 벗겨서…… 갈기갈기 찢어서…… 죽여 버릴 거야……*."

해리가 펄쩍 뛰자 베로니카 스메슬리의 주소 위에 라일락빛의 커다란 얼룩이 졌다.

"*뭐라고요?*" 그가 소리 지르다시피 했다.

"그렇다니까!" 록허트가 말했다. "6개월 동안 줄곧 베스트셀러 순위 상위권에 있었어! 기록을 깼지!"

"그거 말고요." 해리가 극도로 흥분해서 말했다. "저 목소리요!"

"뭐라고?" 록허트가 당황한 표정으로 말했다. "무슨 목소리?"

"저…… 좀 전의 저 목소리요……. 못 들으셨어요?"

록허트가 굉장히 놀란 표정으로 해리를 바라보았다.

"무슨 소리를 하는 거니, 해리? 졸고 있었던 거니? 이럴 수가…… 시간 좀 봐라! 거의 네 시간이 지났네! 도저히 믿을 수가 없구나. 시간이 훌쩍 지나가 버렸어, 그렇지 않니?"

해리는 대답하지 않았다. 그는 그 목소리를 들으려고 다시 귀를 기울였지만, 록허트가 징계를 받을 때마다 이런 후한 대접을 기대해서는 안 된다고 말하는 소리 말고는 이제 아무 소리도 들리지 않았다. 해리는 멍해진 기분으로 방을 나왔다.

어찌나 늦었던지 그리핀도르의 학생 휴게실이 거의 텅 비어 있었다.

해리는 기숙사 방으로 곧장 올라갔다. 론은 아직 돌아오지 않았다. 해리는 잠옷을 입고 침대 속으로 들어가 기다렸다. 30분쯤 뒤, 론이 강한 광택제 냄새를 심하게 풍기면서 오른팔을 주무르며 돌아왔다.

"온몸이 뻐근해." 그가 침대에 힘없이 쓰러지며 신음을 내뱉었다. "필치는 내게 저 퀴디치 우승컵을 열네 번이나 닦게 한 뒤에야 만족해했어. 그런데 글쎄 내가 '특별 공로상' 트로피에다 또 한 번 민달팽이를 토하고 만 거야. 그 점액을 다 없애느라 한참이 걸렸어…… 록허트하고는 어땠니?"

네빌과 딘과 시무스가 깨지 않도록 목소리를 작게 낮추면서, 해리는 론에게 자신이 들었던 소리에 대해 말했다.

"그런데 록허트는 그 소리를 못 들었다고 했단 말이야?" 론이 말했다. 그는 달빛 때문에 눈살을 찌푸렸다. "그가 거짓말을 하고 있다고 생각하는 거니? 하여간 이해가 가지 않아…… 형체는 보이지 않더라도 문은 열어 봤어야 하는 거 아니야?”

"내 말이 바로 그거야.” 해리가 침대에 다시 누워 천장을 빤히 바라보았다. "나도 그게 이해가 안 가.”

제 **8** 장

사망일 파티

10월이 되면서, 정원과 성에 습한 냉기가 돌았다. 간호사인 폼 프리 부인은 부쩍 늘어난 교직원들과 학생들의 감기로 계속 바쁘게 보냈다. 그녀가 조제한 후추가 잔뜩 뿌려진 마법의 약이 즉각 효력을 나타내긴 했지만, 그 약을 마신 후 몇 시간 동안 사람들의 귀에서는 연기가 피어올랐다. 얼굴이 창백해 보였던 지니 위즐리는 퍼시의 강요에 못 이겨 억지로 그 약을 조금 먹었는데, 지니의 눈부시도록 빨간 머리카락 밑에서 피어오르는 연기는 꼭 머리 전체가 타는 듯한 인상을 주었다.

며칠 동안 계속해서 총알만 한 빗방울이 성의 창문을 세게 때렸다. 호수의 물이 불어났고, 꽃밭은 흙탕물로 변했으며, 해그리드의 호박들은 정원의 창고만큼이나 크게 부풀어 올랐다.

그러나 팀 훈련은 무슨 일이 있어도 계속해야 한다는 올리버 우드의 열정만은 꺾이지 않았으므로, 해리는 핼러윈 며칠 전인 모진 비바람이 치는 어느 토요일 오후 늦게, 연습을 마치고 비에 흠뻑 젖고 흙탕물을 뒤집어쓴 채로 그리핀도르 탑으로 돌아와야 했다.

그러나 굳이 비바람이 아니더라도 그날 연습 시간은 내내 별로 즐겁지 않았다. 슬리데린 팀을 몰래 살펴 왔던 프레드와 조지가, 그들이 가진 새로운 님부스 2001의 성능을 눈으로 직접 확인했기 때문이다. 그들은 슬리데린 팀이 윙 하는 희미한 소리만 남긴 채 마치 미사일처럼 공중으로 튀어 나갔다고 보고했다.

사람이 아무도 없는 복도를 따라 철벅거리며 걷던 해리는 뜻밖에도 꼭 자신처럼 생각에 깊이 잠긴 것 같은 누군가를 보았다. 그리핀도르 탑의 유령인 목이 달랑달랑한 닉이 "……요구 조건을 충족시키지 못한다고……. 전혀, 만약 그게……"라고 중얼거리며, 시무룩한 표정으로 창밖을 멍하니 내다보고 있었다.

"안녕하세요, 닉."

해리가 말했다.

"안녕, 안녕."

목이 달랑달랑한 닉이 주위를 빙 둘러보며 말했다. 구불구불한 긴 머리를 늘어뜨린 그는 화려한 색의 불룩한 모자에, 목이 간신히 붙어 있다는 걸 감춰 주는 주름 깃이 달린 튜닉을 입고 있었다.

해리는 연기처럼 엷은 그를 통해 바깥의 어두운 하늘과 폭우를 볼 수 있었다.

"너 무슨 걱정이 있는 것 같구나, 포터." 닉이 투명한 편지를 접어 윗옷 속에 쑤셔 넣으며 말했다.

"닉도 그런 것 같은데요." 해리가 말했다.

"아, 뭐." 목이 달랑달랑한 닉이 우아하게 손을 흔들었다. "대단한 건 아니야…… 그저 그게 내가 정말로 하고 싶은 일은 아닌 것 같아서…… 지원할까 생각했었는데, '그 요구 조건을 충족시키지 못'하는 것 같아……."

쾌활한 말투였지만, 그의 얼굴엔 아주 씁쓸한 표정이 서려 있었다.

"그런데 넌……." 그가 불쑥 말했다. "무딘 도끼로 목이 마흔다섯 번이나 쳐진 게 '목이 없는 사냥꾼 협회'에 들어갈 자격이 안 된다고 생각하니?"

"아…… 물론 되죠." 해리는 꼭 동의해 주어야 할 것만 같아서 이렇게 말했다.

"내 말은, 내 목이 신속하고 깨끗하게 잘렸기를, 그래서 제대로 떨어졌기를 나만큼 바라는 사람은 없다는 뜻이야. 그랬다면 내가 이런 엄청난 고통과 놀림을 당하지 않았을 테니까 말이지. 하지만……." 목이 달랑달랑한 닉이 몹시 화가 나서 갖고 있는 편지를 흔들어 펼쳐 읽었다.

우린 목이 몸에서 완전히 떨어진 사냥꾼들만 받아들입니다. 그렇지 않으면 회원들이 '말을 타고 하는 머리 저글링'과 '머리 폴로'와 같은 사냥 활동에 참가할 수 없다는 것을 잘 알고 계실 줄 믿습니다. 그러므로 대단히 유감스럽게도 당신은 우리의 요구 조건을 충족시키지 못한다는 것을 알려 드립니다. 행복을 빌며.

패트릭 델라니 포드모어 경

목이 달랑달랑한 닉이 화를 내며 편지를 쑤셔 넣었다.

"내 목이 매달려 있는 근육은 1.5센티미터밖에 되지 않아, 해리! 대부분의 사람들은 목이 잘린 거나 마찬가지라고 생각하지만, 오, 맙소사, 목이 제대로 잘린 포드모어 경이 볼 때는 그게 충분하지가 않은 거야."

목이 달랑달랑한 닉이 심호흡을 몇 번 한 뒤 훨씬 더 가라앉은 어조로 말했다. "그런데…… 넌 무엇 때문에 기분이 안 좋은 거니? 내가 도와줄 수 있는 거라도 있니?"

"없어요." 해리가 말했다. "우리가 공짜로 님부스 2001을 얻을 수 있는 곳을 모르신다면 말예요. 슬리……."

해리의 말은 그의 발목 근처에서 나는 고음의 가냘픈 울음소리 때문에 더는 들리지 않았다. 아래를 내려다보자 등불같이 노란 한 쌍의 눈이 보였다.

그것은 학생들과의 끝없는 전쟁을 대신 맡은, 학교 관리인 아구스 필치의 비쩍 마른 회색 고양이 노리스 부인이었다.

"이쪽으로 나오는 게 좋겠다, 해리." 닉이 얼른 말했다. "필치는 오늘 기분이 별로 좋지 않거든……. 감기에 걸린 데다 3학년생 몇 명이 실수로 5번 지하 감옥 천장 여기저기에다 개구리 뇌를 잔뜩 발라 놓아서 말이야. 아침 내내 청소하느라 진땀을 뺐는데, 네가 여기에 흙탕물이라도 떨어뜨리는 걸 본다면……."

"맞아요." 해리는 노리스 부인의 책망하는 듯한 눈길을 피해 얼른 뒤로 물러났다.

그러나 이미 그 불쾌한 고양이와 연결된 어떤 알 수 없는 힘에 이끌리기라도 한 듯, 해리의 오른쪽에 있는 벽걸이 융단에서 갑자기 험악한 표정을 한 아구스 필치가 씩씩대며 나타났다. 머리에는 두꺼운 격자무늬 목도리를 친친 동여맸고, 코는 유난히 새빨갰다.

"흙탕물이다!" 그가 턱뼈를 부들부들 떨며, 금방이라도 튀어나올 것 같은 심상치 않은 눈으로 해리의 퀴디치 망토에서 떨어진 진흙을 가리키며 소리쳤다. "여기저기가 다 흙 천지야! 이젠 더는 못 참겠다! 따라와 포터!"

해리는 목이 달랑달랑한 닉에게 손을 흔들어 침울하게 작별 인사를 하고, 필치를 따라 마룻바닥에 계속 진흙 발자국을 남기며 다시 아래층으로 내려갔다.

해리가 필치의 사무실에 들어가 본 건 처음이었다. 그곳은 대부분의 학생이 가장 들어가기 싫어하는 곳이었다. 창문이 하나도 없을 뿐만 아니라, 낮은 천장에 기름 등불 하나만이 대롱대롱 매달려 있어서인지 실내가 어두컴컴했다.

그곳에는 희미한 생선 튀김 냄새가 남아 있었다. 벽에는 나무 서랍장들이 있었는데, 붙어 있는 이름표로 보아, 그 안에 필치가 지금까지 벌을 주었던 모든 학생의 상세한 기록이 들어 있는 것 같았다. 서랍마다 프레드와 조지의 이름이 붙어 있었다.

필치의 책상 뒤에 있는 벽면에는 반짝반짝 윤이 나는 사슬과 수갑들이 걸려 있었다. 그가 언제나 덤블도어 교수에게 벌로 학생들의 발목을 천장에 매달게 해 달라고 간청하고 있다는 건 누구나 아는 사실이었다.

필치가 책상에 있는 컵에서 깃펜 하나를 꺼내고는 이리저리 양피지를 찾기 시작했다.

"똥." 그가 화가 나서 투덜거렸다. "뜨끈뜨끈한 용의 코딱지…… 개구리 뇌…… 쥐 창자…… 정말 신물이 나……. 본때를 보여 줘야 해. 그 문서가 어디에 있더라…… 그렇지."

그는 책상 서랍에서 커다란 양피지 두루마리를 꺼내 앞에다 쭉 펴고, 기다란 까만 깃펜을 잉크병에 푹 담갔다.

"이름…… 해리 포터. 죄목……."

"그저 진흙을 조금 흘린 것뿐인데요!" 해리가 말했다.

"네게는 진흙 조금이겠지만, 이 녀석아, 내게는 한 시간을 또 청소해야 하는 일이야!" 필치가 소리쳤다. 더럽게도 그의 주먹 코끝에는 콧물 한 방울이 대롱대롱 매달려 가늘게 떨리고 있었다. "죄목…… 성을 더럽혔음. 징계 사항은……."

필치가 줄줄 흘러내리는 콧물을 훔치며, 숨을 죽이고 징계가 내려지길 기다리는 해리를 불쾌하게 흘끗 바라보았다.

그러나 필치가 글을 쓰려는 순간, 사무실 천장에서 퍽 하는 둔탁한 소리가 나더니, 기름 등불이 흔들렸다.

"피브스!" 필치가 화가 나서 깃펜을 세차게 내던지며 고함을 쳤다. "이번엔 가만 안 두겠어, 가만 안 두겠다고!"

그러곤 해리를 쳐다보지도 않고, 사무실에서 달려 나갔다. 노리스 부인도 쪼르르 따라갔다.

피브스는 소리의 요정(집 안에 원인 불명의 소리나 사건을 일으키는 것으로 알려짐―옮긴이)으로, 공중에 둥둥 떠다니며 파괴와 재난을 일으키는 골칫거리였다.

해리는 피브스를 별로 좋아하지 않았지만, 필치가 징계를 내리려는 찰나, 소리를 내 준 그를 고맙게 여기지 않을 수 없었다. 피브스가 무슨 짓을 했는지는 몰라도(이번에는 무언가 아주 무거운 것을 넘어뜨린 것처럼 들렸지만), 잘만 하면, 필치의 정신을 딴 데로 돌릴 수 있을 것이다.

해리는 필치가 돌아올 때까지 기다려야 할 거라고 생각하면서, 책상 옆에 있는 낡은 의자에 푹 주저앉았다. 책상 위에는 반쯤 완

성된 문서 이외에도, 앞면에 은빛 문자가 쓰인 커다랗고 번질번
질한 자줏빛 봉투가 하나 있었다. 해리는 필치가 돌아오고 있지
나 않은지 확인하기 위해 문 쪽을 흘끗 본 뒤, 그 봉투를 얼른 집
어 들었다.

☆☆☆ 속성 마법 과정 ☆☆☆
초보자들의 통신 마법 교육 과정

호기심이 생긴 해리는 그 봉투를 흔들어 안에서 양피지 뭉치를
꺼냈다. 앞 페이지에는 더 멋스러운 은빛 글씨가 쓰여 있었다.

현대 마법 세계에 발맞추지 못하고 있다고 느끼십니까?
간단한 주문도 외우지 못하는 신세를 면하고 싶으십니까?
요술지팡이도 잘 못 휘두른다고 놀림받은 적이 있습니까?
여기 그 해답이 있습니다!

새로운 학습 방법, 확실하고 빠른 효과
누구나 쉽게 배울 수 있는 속성 마법 과정!
수백 명의 마법사가 속성 마법 과정의 도움을 받았습니다!

탑샴의 Z. 네틀리스 여사는 이렇게 쓰고 있습니다.

"난 주문을 전혀 기억하지 못했으며 내 마법의 약은 가족의 웃음거리였습니다. 그러나 속성 마법 과정을 마친 이후, 난 파티를 할 때마다 모든 사람의 관심을 한몸에 받게 되었습니다. 친구들은 내가 만든 기막힌 용액의 조제법을 가르쳐 달라고 야단입니다!"

디드스베리의 워록 D.J. 프로드는 이렇게 말합니다.

"아내는 내 주문이 약하다고 코웃음 치곤 했지만, 이 멋진 속성 마법 과정에 들어간 지 한 달 만에 난 아내를 들소로 만들어 버리는 데 성공했습니다! 감사합니다, 속성 마법 과정!"

해리는 넋을 빼앗긴 채, 이 광고문을 급히 훑어보았다. 도대체 필치가 왜 속성 마법 과정을 들으려는 걸까? 이건 그가 진짜 마법사가 아니라는 뜻일까? 해리가 막 '제1과: 요술지팡이 잡기—몇 가지 유용한 조언'을 읽고 있을 때, 발을 질질 끌며 걸어오는 필치의 발소리가 들렸다. 해리가 그 양피지를 부리나케 봉투 속에 넣고, 책상 위로 다시 던지자마자 문이 열렸다.

필치는 의기양양한 표정을 짓고 있었다.

"저 사라지는 벽장은 굉장히 귀중한 거야!" 그가 노리스 부인에게 아주 기분 좋게 말하고 있었다. "이번에야말로 피브스를 혼내 줘야지, 요 귀여운……."

그의 눈이 해리와 마주친 뒤 휙 속성 마법 과정 봉투로 쏠렸다.

너무 늦게 깨달은 사실이지만, 그것은 원래 있던 자리에서 60센티미터나 떨어진 곳에 놓여 있었다.

필치의 허연 얼굴이 순식간에 새빨갛게 변했다. 해리는 마음을 다져 먹었다. 필치가 절름거리며 책상 앞으로 걸어가더니, 그 봉투를 얼른 집어 서랍 속으로 던졌다.

"너…… 너 읽었니?" 그가 흥분해서 침을 튀기며 말했다.

"아뇨." 해리가 얼른 거짓말을 했다.

손가락 마디가 굵은 필치의 손이 비틀렸다.

"네가 내 사적인 편지를 읽었다면…… 내 편지가 아니라…… 내 친구 거긴 하지만…… 어쨌든……."

해리가 겁먹은 얼굴로 그를 빤히 바라보았다. 필치의 그런 성난 모습은 한번도 본 적이 없었다. 눈알은 튀어나올 것 같았고, 축 늘어진 볼은 파르르 떨리고 있었다.

"좋았어……. 가 봐. 그리고 한마디도 입 밖에 내지 마……. 저것에 대해선 한마디도. 하지만 만약 읽지 않았으면…… 이제 가 봐. 난 피브스에 대한 보고서를 작성해야 하니까…… 가……."

뜻하지 않은 행운에 놀란 해리는 사무실에서 급히 나와 다시 2층으로 올라갔다. 필치의 사무실에서 벌도 받지 않고 나온 것은 아마 학교 역사상 처음 있는 일일 것이다.

"해리! 해리! 그게 효력이 있었니?"

목이 달랑달랑한 닉이 어떤 교실에서 미끄러지듯 나왔다. 닉의 뒤에는, 꽹장히 높은 곳에서 떨어졌는지 완전히 박살이 난 검은 색과 황금색의 커다란 벽장이 있었다.

"내가 피브스에게 이걸 필치의 사무실 위에서 산산조각으로 부수라고 시켰어." 닉이 신이 나서 말했다. "그렇게 하면 그의 주의를 딴 데로 돌릴 수 있을지도 모른다고 생각했거든……."

"그게 당신이었어요?" 해리가 너무나 고맙다는 듯 말했다. "그래요, 대단한 효과가 있었어요. 심지어 징계도 받지 않았어 요. 고마워요, 닉!"

그들은 함께 복도를 걸어갔다. 해리는 목이 달랑달랑한 닉이 여전히 패트릭 경의 편지를 들고 있다는 걸 알아챘다.

"그 목이 없는 사냥꾼 협회에 대해 제가 뭐 도울 수 있는 일이 있다면 말해 보세요." 해리가 말했다.

목이 달랑달랑한 닉이 갑자기 멈추는 바람에 해리는 그의 몸을 통과해 걸어갔다. 하지만 괜히 그랬다 싶었다. 마치 싸늘하게 내 리는 소나기를 뚫고 지나가는 것 같은 기분이 들었던 것이다.

"네가 해 줄 수 있는 일이 있긴 한데." 닉이 흥분해서 말했다. "해리…… 너무 지나친 부탁을 하는 건지 모르지만…… 하지만 넌, 별로 하고 싶지 않을 거야."

"뭔데요?" 해리가 말했다.

"응, 이번 핼러윈은 내가 죽은 지 500년 되는 사망일이야." 목 이 달랑달랑한 닉이 꼿꼿이 서서 위엄 있는 표정을 지었다.

"아." 해리는 안된 표정을 지어야 할지 기쁜 표정을 지어야 할지 분간할 수가 없었다. "그렇군요."

"난 저 아래에 있는 넓은 지하 감옥에서 파티를 열 계획이야. 전국에서 친구들이 올 거야. 네가 참석해 준다면 정말 영광일 거야. 위즐리 군과 그레인저 양도 물론 환영이야……. 하지만 넌 학교에서 베푸는 연회에 가겠지?" 그가 조바심 내며 해리를 지켜보았다.

"아니에요." 해리가 얼른 말했다. "갈게요……."

"아니! 해리 포터가, 내 사망일 파티에! 그러면 말이야." 그가 흥분된 표정으로 망설였다. "날 보았을 때 얼마나 놀랐으며 얼마나 인상적이었는지 패트릭 경에게 말해 줄 수 있겠니?"

"무…… 물론이죠." 해리가 말했다.

목이 달랑달랑한 닉이 그에게 밝게 웃어 보였다.

"사망일 파티?" 해리가 사망일 파티에 가기로 마음먹고 학생 휴게실로 갔을 때 헤르미온느가 너무나 가 보고 싶다는 듯 말했다. "살아 있는 사람 중에 그런 파티에 가 본 사람은 분명히 많지 않을걸……. 아주 재미있을 거야!"

"사람들은 왜 죽은 날을 축하하고 싶은 거지?" 론이 마법의 약 숙제를 하다가 심술이 나서 말했다. "아주 침울할 것 같은데 말이야……."

비는 계속 내려서 이제는 어두워져 새까매진 창문을 때리고 있었지만, 안에 있는 모든 것은 밝고 명랑해 보였다. 사람들은 난롯불이 따뜻하게 비추는 푹 꺼진 안락의자에 앉아 책을 읽거나 이야기를 나누거나 숙제를 했으며 프레드와 조지 위즐리 형제는 필리버스터 불꽃을 불도마뱀에게 먹이며 장난을 치고 있었다.

불 속에 산다는 밝은 오렌지빛의 이 도마뱀은 프레드가 '신비한 동물 돌보기' 수업에서 몰래 가지고 나온 것이었는데, 호기심에 찬 사람들에게 에워싸여 탁자 위에서 연기를 모락모락 피우며 조금씩 타고 있었다.

그런데 해리가 론과 헤르미온느에게 필치와 속성 마법 과정에 대해 말하려는 순간, 그 불도마뱀이 갑자기 공중으로 핑 하고 날아가더니, 커다란 불꽃을 튀기며 방 주위를 미친 듯이 빙글빙글 돌았다.

퍼시가 프레드와 조지에게 쉰 목소리로 고래고래 소리를 질러댔고, 불도마뱀은 입에서 오렌지색 별들을 눈부시게 쏟아 내며 폭음과 함께 불 속으로 달아나 버렸다. 그 바람에 해리는 필치와 속성 마법 과정 봉투에 대한 생각을 싹 잊어버렸다.

핼러윈이 되자, 해리는 사망일 파티에 가겠다고 성급하게 약속한 것을 후회했다. 다른 아이들은 모두 신 나는 핼러윈 연회에 참석할 것이기 때문이었다.

연회장은 예전처럼 살아 있는 박쥐들로 장식되었고, 해그리드의 거대한 호박으로는 세 사람이 들어가 앉을 수 있을 만큼 큰 초롱이 만들어졌으며, 소문에는 덤블도어 교수가 핼러윈 연회를 위해 춤추는 해골 흥행단을 예약해 두었다는 얘기까지 있었다.

"약속은 약속이야." 헤르미온느가 거만하게 해리에게 상기시켰다. "네가 사망일 파티에 가겠다고 *했잖아*."

그래서 7시에, 해리와 론과 헤르미온느는, 유혹이라도 하듯이 황금 접시와 촛불들로 번쩍이고 사람들로 꽉 찬 연회장을 지나, 지하 감옥 쪽으로 발길을 돌렸다.

목이 달랑달랑한 닉의 파티장으로 가는 통로에도 역시 촛불이 주르르 늘어서 있었지만, 그 느낌은 전혀 유쾌하지 않았다. 여기에 있는 초는 길고 가느다랗고 새까맸는데, 하나같이 푸르스름한 빛으로 타고 있어서, 생기 있는 그들의 얼굴조차 희미하고 유령 같은 으스스한 빛을 띠게 했다. 또 한 발짝씩 내디딜 때마다 기온이 급격히 떨어졌다.

부들부들 떨며 망토를 몸 쪽으로 바짝 끌어당기던 해리는, 수천 개의 손톱이 거대한 칠판을 긁어 대는 것 같은 소름 끼치는 소리를 들었다.

"저게 음악*이니?*" 론이 속삭였다. 모퉁이를 돌자 까만 벨벳 천이 매달려 있는 입구에 목이 달랑달랑한 닉이 서 있는 게 보였다.

"나의 소중한 친구들." 그가 음침한 목소리로 말했다. "어서

와요, 어서 와. 와 줘서 정말 기뻐요⋯⋯."

그가 불룩한 모자를 벗고 인사하며 그들을 안으로 들여보냈다.

안에선 정말로 놀라운 광경이 벌어지고 있었다. 그 지하 감옥은 하얗고 투명한 수백 명의 유령들로 가득 차 있었고, 까만 천이 깔린 한 층 높은 연단 위에서는 오케스트라가 서른 개의 서양식 톱으로 무시무시한 음악을 연주하고 있었다. 유령들은 혼잡한 댄스 플로어 주위를 둥둥 떠다니며 음악에 맞춰 왈츠를 추고 있었다.

머리 위에 있는 샹들리에에서 타는 수천 개의 새까만 촛불은 한밤중의 우울한 분위기를 유감없이 살려 주고 있었다. 하얗게 입김이 보였다. 마치 냉동실 속으로 들어가는 것 같았다.

"좀 둘러볼까?" 해리가 시린 발을 동동 구르며 넌지시 말했다.

"유령들 몸속으로 지나가지 않도록 조심해." 론이 걱정스럽게 말하며 댄스 플로어 쪽으로 나아갔다. 그들은 음울한 수녀들과 사슬에 묶인 초췌한 남자와 이마에 화살이 꽂힌 어떤 기사 유령에게 말을 거는 후플푸프의 쾌활한 유령인 뚱뚱보 프라이어를 지나갔다.

그런데 은빛 핏자국으로 뒤덮인 유난히 눈에 띄는 유령이 하나 있었다. 그는 바로 슬리데린의 말라 빠진 유령인 피투성이 바론이었는데, 그의 모습이 어찌나 무시무시했던지 다른 유령들마저 슬금슬금 피하고 있었다.

"어떡하면 좋아." 헤르미온느가 갑자기 걸음을 멈추며 말했다.
"우리 돌아가자, 빨리, 저기 모우닝 머틀이 있어."

"누구?" 해리가 오던 길로 되돌아가며 말했다.

"그 아이는 1층 여자 화장실에 자주 나타나." 헤르미온느가 말
했다.

"그 애가 *화장실에* 나타난다고?"

"그래. 그 애가 계속해서 짜증을 내며 물이 넘치게 하기 때문
에 그곳은 1년 내내 고장 나 있어. 난 피할 수만 있다면 어떻게
해서든지 그 화장실에 들어가지 않았어. 그 애가 울부짖는 화장
실에 앉아 오줌을 누는 건 정말로 소름 끼치는 일이거든……."

"저것 봐, 음식이야!" 론이 말했다.

지하 감옥의 맞은편에는 역시 까만 벨벳으로 덮인 긴 테이블이
하나 있었다. 그러나 열심히 다가가던 그들은 그만 도중에 멈춰
서고 말았다. 냄새가 너무 역겨웠기 때문이다.

멋진 은 접시에는 커다란 썩은 고깃덩어리가 놓여 있었고, 쟁
반에는 숯처럼 새까맣게 탄 케이크가 쌓여 있었으며, 구더기가
득실득실한 커다란 해기스(양 등의 내장을 다져 오트밀, 양념 등과 함
께 그 위장에 넣어 삶은 요리—옮긴이)와 푸른곰팡이로 뒤덮인 끈적
끈적한 치즈가 있었다. 그리고 타르처럼 검은 아이싱으로 다음
과 같이 써 놓은, 묘비 모양의 거대한 회색빛 케이크도 있었다.

니콜라스 드 밈시-포흐핑턴 경
1492년 10월 31일에 사망하다

해리가 놀라서 지켜보고 있는데, 뚱뚱한 유령 하나가 테이블로 다가가더니, 몸을 웅크리고 입을 크게 벌린 채, 악취가 풍기는 연어 요리를 통과해 스르르 빠져나갔다.

"그렇게 빠져나가면 냄새를 맡을 수 있나요?" 해리가 그에게 물었다.

"거의." 그 유령이 슬프게 말하고는 둥둥 떠갔다.

"아마 더 강한 냄새가 나게 하려고 썩힌 걸 거야." 헤르미온느가 코를 잡고 상체를 더 가까이 숙여 악취가 나는 해기스를 보며, 총명하게 말했다.

"다른 데로 가자. 토할 것 같아." 론이 말했다.

그러나 돌아서자마자, 느닷없이 테이블 밑에서 어떤 자그마한 남자가 달려 나와 그들 앞에 딱 멈췄다.

"안녕, 피브스." 해리가 조심스럽게 말했다.

그들 주위에 있는 유령들과는 달리, 소리의 요정 피브스는 빛깔이 옅지도 투명하지도 않았다. 밝은 오렌지 빛깔의 파티 모자에, 나비넥타이를 맨 그는 이빨을 다 드러내고 심술궂게 히죽 웃고 있었다.

"조금 먹어 볼래?" 그가 그들에게 곰팡이로 뒤덮인 땅콩 그릇을 내밀며 상냥하게 말했다.

"고맙지만, 괜찮아." 헤르미온느가 말했다.

"너희가 가엾은 머틀에 대해 말하는 걸 들었어." 피브스가 눈동자를 굴리며 말했다. "가엾은 머틀에 대해 그런 식으로 말하는 건 무례한 짓이야." 그가 심호흡을 한번 하더니 큰 소리로 외쳤다. **"오! 머틀!"**

"안 돼, 피브스. 그 애에게 내가 한 말을 하지 마, 들으면 기분 나빠할 거야." 헤르미온느가 기겁하며 소리를 죽여 말했다. "진심으로 말했던 건 아니야, 난 그 애를 싫어하지 않아……. 어, 안녕, 머틀."

땅딸막한 여자아이의 유령이 미끄러지듯 다가왔다. 그녀의 얼굴은 길고 부드러운 머리카락과 진줏빛 나는 두꺼운 안경에 반쯤 가려져 있는데, 굉장히 시무룩한 표정을 짓고 있었다.

"뭐라고?" 그 애가 부루퉁하게 말했다.

"잘 지냈니, 머틀?" 헤르미온느가 거짓으로 꾸민 밝은 목소리로 말했다. "화장실 밖에서 널 만나서 반가워."

머틀이 콧방귀를 뀌었다.

"그레인저 양이 막 너에 대해 말하고 있었어……." 피브스가 머틀의 귀에 대고 장난스럽게 말했다.

"그저…… 그저…… 너 오늘 참 멋지다고." 헤르미온느가 피브스를 노려보며 말했다.

머틀이 헤르미온느를 의심스러운 눈으로 바라보았다.

"날 놀리고 있었지?" 그 애의 투명한 작은 눈에 금방 은빛 눈물이 고였다.

"아니야……. 정말이야……. 내가 머틀이 정말로 멋지게 보인다고 말하지 않았니?" 헤르미온느가 해리와 론의 옆구리를 쿡쿡 찌르며 말했다.

"아, 그래……."

"정말로 그랬어……."

"거짓말 마." 머틀의 얼굴은 이제 눈물로 뒤범벅되었지만, 피브스는 그녀의 어깨 너머에서 유쾌하게 킥킥댔다. "사람들이 내 등 뒤에서 날 뭐라고 부르는지 모르는 줄 알아? 뚱보 머틀! 못생긴 머틀! 불쌍하게, 울부짖으며, 돌아다니는 머틀!"

"너 여드름투성이라는 말은 왜 안 하니?" 피브스가 그녀의 귀에 대고 놀리듯 말했다.

모우닝 머틀이 몹시 괴로워하며 흐느껴 울기 시작하더니 갑자기 지하 감옥에서 뛰쳐나갔다. 피브스가 부리나케 뒤를 쫓아가면서, 그녀에게 곰팡이가 핀 땅콩들을 던지며, "여드름투성이! 여드름투성이!"라고 소리쳤다.

"원, 저런!" 헤르미온느가 딱하다는 듯이 말했다.

목이 달랑달랑한 닉이 사람들을 뚫고 그들 쪽으로 둥둥 떠왔다.

"재미있게들 보내고 있니?"

"아, 네." 그들은 거짓말을 했다.

"정말 많이들 왔어." 목이 달랑달랑한 닉이 흡족해하며 말했다. "글쎄, 비탄에 젖어 있는 과부가 켄트 지방에서 여기까지 왔지 뭐야…… 연설할 시간이 다 됐군. 가서 오케스트라에게 알려주는 게 좋겠어……"

그러나 바로 그 순간에 오케스트라가 연주를 멈췄다. 그리고 어디선가 아주 인상적인 나팔 소리가 들리자, 지하 감옥에 있는 모든 유령이 갑자기 쥐 죽은 듯 조용해져서는 호기심에 차서 주위를 둘러보았다.

"또 시작이군." 목이 달랑달랑한 닉이 씁쓸하게 말했다.

지하 감옥 벽에서 갑자기 목이 없는 기수를 태운 10여 마리의 유령 말들이 뛰어나왔다. 모여 있던 사람들이 무턱대고 손뼉을 쳤다. 해리도 손뼉을 치기 시작했지만, 닉과 눈이 마주치자 얼른 멈췄다.

말들이 댄스 플로어 한가운데를 향해 전속력으로 달려가 뒷다리를 들고 뛰어올랐다. 수염이 난 머리통을 겨드랑이에 낀 몸집이 큰 유령 하나가 그 무리 앞에 서서 나팔을 불고 있었다. 그 유령은 사람들을 잘 볼 수 있도록 자신의 머리통을 공중으로 높이 치켜들고 말에서 뛰어내리더니(모두가 웃었다), 머리를 목 뒤로 마구 짓누르고 있는 목이 달랑달랑한 닉에게로 성큼성큼 걸어갔다.

"닉!" 그가 큰 소리로 말했다. "잘 있었나? 머리는 여전히 매달려 있나?"

그가 실없이 크게 웃으며 목이 달랑달랑한 닉의 어깨를 탁 쳤다.

"어서 오시오, 패트릭." 닉이 딱딱하게 말했다.

"살아 있는 녀석들도 있군!" 패트릭 경이 해리와 론과 헤르미온느를 발견하고 놀라는 척하며 펄쩍 뛰자, 그의 머리통이 다시 툭 떨어졌다(유령들이 껄껄 웃어 댔다).

"정말 재미있군요." 목이 달랑달랑한 닉이 심사가 뒤틀린다는 듯이 말했다.

"닉은 신경 쓰지 마!" 마룻바닥에 있는 패트릭 경의 머리통이 소리쳤다. "우리가 사냥꾼 협회에 넣어 주지 않아서 여전히 화가 나 있는 모양이군! 하지만 더 정확하게 말하면……."

"제 생각에……." 해리가 닉의 얼굴에서 의미심장한 표정을 보고 허둥지둥 말했다. "닉은 아주…… 무섭고…… 어……."

"하!" 패트릭 경의 머리통이 소리쳤다. "닉이 그렇게 말하라고 시켰지!"

"잠깐 실례하지만, 제가 연설할 시간이 된 것 같군요!" 목이 달랑달랑한 닉이 오케스트라의 지휘대 쪽으로 걸어가 얼음 같은 푸른 스포트라이트를 받으며 큰 소리로 말했다.

"고인이 되어 애석해 마지않는 신사 숙녀 여러분, 대단히 슬픕니다……."

그러나 아무도 그에게 귀를 기울이지 않았다. 사람들은 하나같이 머리통 하키 게임을 시작한 패트릭 경과 목이 없는 사냥꾼 협회 사람들 쪽으로 시선을 돌리고 있었다. 목이 달랑달랑한 닉이 청중의 주의를 다시 끌어 보려고 애썼지만, 공중으로 날아가는 패트릭 경의 머리통에 사람들이 큰 소리로 환호하자 포기해 버리고 말았다.

해리는 이제 배고픈 것은 말할 것도 없고, 으슬으슬 춥기까지 했다.

"이젠 더 이상 견딜 수 없어." 오케스트라의 연주가 시작되면서 유령들이 다시 댄스 플로어로 올라가자, 론이 덜덜 떨며 투덜거렸다.

"가자." 해리가 동의했다.

그들은 눈이 마주치는 사람들에게 고개를 끄덕이거나 밝게 웃어 보이며 뒷걸음질로 문밖으로 나갔고, 잠시 뒤엔 다시 까만 초들로 밝혀진 복도를 지나고 있었다.

"어쩌면 푸딩이 아직 조금 남아 있을지도 몰라." 론이 현관 안의 넓은 홀로 가는 계단 쪽으로 앞장서서 걸어가며 희망을 가지고 말했다.

그때 해리의 귀에 다시 그 소리가 들렸다.

"…… 가죽을 …… 갈기갈기 …… 죽일……."

그것은 록허트의 사무실에서 들었던 바로 그 목소리, 차갑고 소름 끼치는 바로 그 목소리였다.

해리는 너무 놀라서 발부리가 걸려 넘어졌다. 그는 돌벽을 꽉 잡고, 귀에 온 신경을 집중하고, 희미하게 불 밝혀진 복도 이쪽 저쪽을 두리번두리번 살폈다.

"해리, 너 뭐……?"

"저 목소리가 다시…… 잠시만 조용히 해 봐."

"…… *너무 배고파……. 그렇게 오랫동안…….*"

"들어 봐!" 해리가 다급하게 말하자, 론과 헤르미온느가 그를 지켜보며 꼼짝 않고 서 있었다.

"*…… 죽일 거야……. 죽일 때가 됐어…….*"

그 목소리는 점점 더 희미해지고 있었다. 멀어지고 있는 게 틀림없었다. 목소리는 위쪽으로 움직이고 있었다. 그는 공포와 흥분에 사로잡혀 어두운 천장을 빤히 바라보았다. 그게 어떻게 위로 움직일 수 있지? 허깨비였나?

"이쪽이야." 그는 이렇게 소리치고는 계단을 달려 올라갔다. 현관 안의 홀에서는 연회장에서 흘러나온 왁자지껄한 핼러윈 축제 소리가 울려 퍼지고 있었으므로, 다른 소리는 거의 들을 수가 없었다. 해리가 1층으로 가는 대리석 계단 위로 전속력으로 달려가자, 론과 헤르미온느도 그를 뒤따라갔다.

"해리, 뭐기에……."

"쉿!"

해리는 귀를 기울였다. 여전히 점점 더 작아지고는 있었지만 멀리, 위층에서 그 목소리가 들렸다. "…… 피 냄새가 나……. *피 냄새가 나!*"

그는 가슴이 철렁 내려앉았다.

"누군가가 죽을 거야!" 해리가 이렇게 소리치고는, 론과 헤르미온느의 당황한 얼굴을 무시한 채, 계단을 한 번에 세 칸씩 뛰어 올라갔다.

론과 헤르미온느는 헐떡거리며 해리 뒤를 쫓아갔다. 그들은 모퉁이를 돌아 사람이 아무도 없는 복도로 들어섰다.

"해리, 무슨 일이야?" 론이 얼굴에서 땀을 닦으며 말했다. "난 아무 소리도 듣지 못했는데……."

하지만 헤르미온느가 갑자기 소스라치게 놀라며 복도 끝을 가리켰다.

"*저것 좀 봐!*"

벽 앞쪽에서 뭔가가 반짝이고 있었다. 그들은 두리번거리며 어둠 속을 천천히 나아갔다. 두 창문 사이에 있는 벽면에 서투르게 쓰인 커다란 글자들이, 타고 있는 횃불의 불빛을 받아 희미하게 반짝이고 있었다.

비밀의 방이 열렸다.
후계자의 적들이여, 조심하라.

"저게 뭐지…… 저 밑에 매달려 있는 거?" 론이 약간 떨리는 목소리로 말했다. 서서히 다가가던 해리가 미끄러질 뻔했지만— 마룻바닥에 물이 흥건히 고여 있었다— 론과 헤르미온느가 붙잡아 주었다. 그 글씨 쪽으로 조금씩 다가가던 그들의 눈이 그 밑에 있는 검은 물체로 쏠렸다. 그들 셋은 그것이 무엇인지 단번에 알아채고, 놀라서 흠칫했다.

학교 관리인의 고양이 '노리스 부인'이 횃불 받침대에 거꾸로 매달려 있었다. 그 고양이는 마치 노려보듯이 눈을 크게 뜨고서, 나무판자처럼 뻣뻣하게 굳어 있었다.

그들은 잠시 꼼짝도 하지 않았다. 잠시 후 론이 말했다. "여기서 빨리 나가자."

"도와줘야 하지 않을까……." 해리가 어설프게 말을 꺼냈다.

"내 말대로 해." 론이 말했다. "여기서 들켰다간 큰일 나."

그러나 이미 너무 늦고 말았다. 멀리서 와글거리는 소리가 들려오는 것으로 보아 연회가 막 끝난 것 같았다. 그들이 서 있는 복도 양끝에서 계단을 밟고 올라오는 수백 명의 발소리와 배불리 먹은 사람들의 크고 유쾌한 말소리가 들리는가 싶더니, 어느새 학생들이 요란하게 복도로 밀려 들어오고 있었다.

학생들의 부산스러운 움직임과 떠들썩한 소음은 그들이 돌처럼 굳어진 고양이를 본 순간 갑자기 멈추고, 고요한 정적만이 복도를 가득 메웠다. 해리와 론과 헤르미온느는 그 가운데에서 어쩔 줄을 모르고 서 있었다.

그때 누군가가 정적을 깨고 소리쳤다.

"후계자의 적들이여, 조심하라! 흥, 다음은 어떤 잡종이 당할 차례일까?"

그건 드레이코 말포이였다. 그는 차가운 눈을 반짝이며 늘 창백하던 얼굴마저 잔뜩 상기된 채 사람들을 헤치고 앞으로 걸어 나오더니, 죽은 듯이 매달려 있는 고양이를 보고 심술궂게 씩 웃었다.

제 9 장

벽면에 쓰인 경고

"이게 도대체 무슨 일이니? 무슨 일이야?"

말포이의 외침 소리에, 아구스 필치가 사람들을 어깨로 밀어 제치고 앞으로 걸어 나왔다가 '노리스 부인'을 보자 주춤하며 얼굴을 감쌌다.

"내 고양이! 내 고양이! 노리스 부인에게 무슨 일이 일어난 거지?" 그가 날카로운 목소리로 말했다.

그리고 그가 해리에게로 고개를 홱 돌려 잡아먹을 듯이 노려보았다.

"*너!*" 그가 날카롭게 외쳤다. "너! 네가 내 고양이를 죽였지! 네가 내 고양이를 죽였지! 널 죽이고 말겠어! 내가……."

"*아구스!*"

덤블도어 교수가 다른 교수님들과 함께 왔다. 잠시 후, 그는 해리와 론과 헤르미온느 옆을 지나가 횃불 선반에서 노리스 부인을 떼어 냈다.

"나와 같이 가세, 아구스." 그가 필치에게 말했다. "포터 군, 위즐리 군, 그레인저 양, 자네들도."

록허트가 몹시 궁금한 듯 앞으로 걸어 나왔다.

"제 사무실이 가장 가까운데요, 교장 선생님. 바로 위층이에요…… 편하게 사용하세요……."

"고맙네, 질데로이." 덤블도어 교수가 말했다.

사람들은 그들이 지나갈 수 있도록 말없이 길을 내주었다. 잔뜩 흥분한 록허트가 으스대며 허둥지둥 덤블도어 교수를 따라갔다. 맥고나걸 교수와 스네이프 교수도 뒤를 따랐다.

그들이 록허트의 어두운 사무실 안으로 들어가자 사방의 벽에서 한바탕 동요가 일었다. 해리는 머리에 롤러를 말던 사진 속의 록허트들이 어디론가 살짝 피하는 걸 보았다. 진짜 록허트가 책상 위에 있는 촛불들에 불을 붙이고 뒤로 물러섰다. 덤블도어가 반들반들한 책상 위에 노리스 부인을 내려놓고 이리저리 살피기 시작했다. 해리와 론과 헤르미온느는 촛불 빛이 잘 비치지 않는 의자에 앉아 긴장한 얼굴로 덤블도어 교수의 행동을 지켜보았다.

덤블도어 교수는 긴 매부리코 끝이 노리스 부인의 털끝에 닿을 정도로 허리를 굽히고, 고양이를 긴 손가락으로 지그시 눌렀다.

맥고나걸 교수도 눈을 가늘게 뜨고 상체를 굽혀 노리스 부인을 살폈다. 그들 뒤에 서 있는 스네이프 교수는 어둠에 반쯤 가려져 있어서 흐릿하게 보였지만, 웃지 않으려고 무진 애를 쓰는 듯, 아주 기묘한 표정을 짓고 있었다. 또 록허트는 그들 주위를 왔다 갔다 하며 이런저런 제안을 하고 있었다.

"그 고양이를 죽인 건 저주가 확실해요⋯⋯. 아마 '트랜스모 그리피안 고문'일 겁니다⋯⋯. 저는 그 저주가 내려지는 걸 여러 번 본 적이 있어요. 제가 그곳에 있었더라면 좋았을 것을, 그랬다면 고양이를 구했을 텐데 말입니다. 제가 그 저주를 푸는 반대 주문을 알고 있거든요⋯⋯."

록허트의 설명은 흑흑 흐느끼는 필치의 울음소리 때문에 중단되었다. 그는 노리스 부인을 차마 볼 수가 없어 두 손으로 얼굴을 감싸고, 책상 옆 의자에 맥없이 앉아 있었다. 해리는 필치를 싫어하긴 했어도, 조금은 가여운 생각이 들지 않은 건 아니었지만, 자신의 신세가 훨씬 더 가엾게 여겨졌다. 만일 덤블도어 교수가 필치의 말을 그대로 믿는다면, 해리는 쫓겨날 게 분명했던 것이다.

덤블도어 교수는 이제 알아들을 수 없는 이상한 말을 중얼거리며 요술지팡이로 노리스 부인을 가볍게 쳤지만 아무 일도 일어나지 않았다. 그 고양이는 그저 박제된 것 같은 모습 그대로였다.

"와가두구에서도 아주 유사한 일이 일어났던 기억이 나는군요." 록허트가 말했다. "습격이 잇따라 일어났는데, 그 자세한

이야기는 제 자서전에 있긴 합니다만, 제가 그곳 사람들에게 여러 가지 부적을 나눠 주자, 그 사건이 글쎄 단번에 해결되었지 뭡니까……."

벽에 걸린 록허트의 사진들이 그가 말하는 것에 동의라도 하는 듯 모두 고개를 끄덕이고 있었다. 사진 하나는 깜박 잊었는지 여전히 헤어네트를 쓰고 있었다.

마침내 덤블도어 교수가 일어섰다.

"죽은 건 아닐세, 아구스." 그가 부드럽게 말했다.

록허트는 자신이 얼마나 많은 살인을 미리 막아 냈는지 세고 있다가 갑자기 멈췄다.

"죽지 않았다고요?" 필치가 손가락 사이로 노리스 부인을 바라보며 목이 메어서 말했다. "그런데 고양이가 왜 저렇게…… 저렇게 뻣뻣하고 꼼짝도 하지 않는 거죠?"

"이 고양이는 그저 돌처럼 굳어진 걸세." 덤블도어 교수가 말했다("아하! 저도 그렇게 생각했어요!" 록허트가 말했다). "하지만 어떻게 해서 이렇게 되었는지는 나도 모르겠네……."

"저 아이에게 물어보세요!" 필치가 눈물로 얼룩진 얼굴을 해리에게로 돌리며 말했다.

"2학년짜리 학생은 절대 이런 일을 할 수가 없다네." 덤블도어 교수가 단호하게 말했다. "이런 짓을 할 수 있는 건 어둠의 마법 중에서도 가장 어려운 고등 마법뿐이라네……."

"저 아이가 그랬어요, 저 아이가 그랬다고요!" 필치가 큰 소리로 말했다. 볼이 주머니처럼 축 늘어진 그의 얼굴이 새빨갛게 달아올랐다. "저 애가 벽에다 뭐라고 썼는지 보셨잖아요! 저 애가 봤어요. 제 사무실에서…… 저 애가 봤어요……. 제가…… 제가……." 필치의 얼굴이 무섭게 일그러졌다. "저 아이는 제가 스큅이라는 걸 알고 있었어요!" 그가 말을 마쳤다.

"저는 노리스 부인의 몸에 손가락 하나 대지 않았어요!" 해리가 벽에 붙어 있는 사진 속의 록허트들을 포함해 모든 사람이 자신을 비난하고 있다는 두려움 속에 큰 소리로 말했다. "그리고 저는 스큅이 뭔지도 몰라요."

"엉터리 같은 소리 하지 마!" 필치가 무서운 어조로 말했다. "저 앤 속성 마법 과정에 관한 제 편지를 봤어요!"

"제 의견을 말씀드린다면, 교장 선생님." 어둠 속에서 스네이프 교수가 말하자, 해리의 두려움은 더욱 커졌다. 스네이프 교수는 결코 그에게 유리한 말을 하지 않을 것이라는 생각이 들었기 때문이다.

"포터와 그의 친구들이 그곳에 간 게 우연이었는지는 모르지만……." 그는 마치 그것을 의심하기라도 하는 듯이 냉소로 입이 비틀렸다. "몇 가지 석연치 않은 점이 있습니다. 해리가 도대체 왜 위층 복도에 갔던 걸까요? 해리는 왜 핼러윈 연회에 참석하지 않았던 걸까요?"

해리와 론과 헤르미온느가 일제히 그 사망일 파티에 대해 말했다. "유령들이 수백 명이나 있었어요. 저희가 거기에 있었다는 걸 그들이 말해 줄 거예요……."

"그런데 왜 나중에라도 연회에 참석하지 않았지?" 스네이프 교수의 까만 눈이 촛불을 받아 무섭게 번득였다. "그 복도로 왜 올라갔지?"

론과 헤르미온느가 해리를 바라보았다.

"왜냐하면…… 왜냐하면……." 해리는 가슴이 두방망이질 치는 걸 느꼈다. 왠지 자신밖에 들을 수 없는 어떤 형체 없는 목소리에 이끌려 그곳에 갔다고 말한다면 미친 사람 취급을 받을 것 같은 생각이 들었다. "왜냐하면 너무 피곤해서 그냥 자러 가려고 했기 때문이에요." 그가 말했다.

"저녁도 먹지 않고 말이니?" 스네이프 교수가 가늘고 긴 얼굴에 의기양양한 미소를 지으며 말했다. "내 생각에 유령들의 파티엔 산 사람들이 먹을 만한 음식이 있었을 것 같지 않은데."

"저희는 배가 고프지 않았어요." 배에서는 꼬르륵거리는 소리가 났지만 론이 큰 소리로 말했다.

스네이프 교수가 한층 더 심술궂은 미소를 지었다.

"교장 선생님, 포터는 뭔가 숨기는 게 분명합니다." 그가 말했다. "따라서 저 애가 모든 걸 말할 준비가 될 때까지 저 애가 가진 특권을 박탈하는 게 좋을 것 같습니다. 저 개인적인 생각으로는,

저 애를 그리핀도르의 퀴디치 팀에서 빼는 게 좋을 것 같은데요.”

“세베루스.” 맥고나걸 교수가 날카롭게 말했다. “제가 볼 땐 해리에게 퀴디치를 못하게 할 어떤 이유도 없어요. 이 고양이는 빗자루로 머리를 얻어맞은 게 아니잖아요. 포터가 어떤 잘못을 했다는 증거도 전혀 없고요.”

덤블도어 교수가 해리를 날카로운 눈초리로 쳐다보고 있었다. 그가 반짝이는 하늘빛 눈으로 뚫어지게 바라보자, 해리는 꼭 엑스레이 검사를 받고 있는 것 같은 기분이 들었다.

“죄가 입증될 때까지는 무죄예요, 세베루스.” 덤블도어가 확고하게 말했다.

스네이프 교수는 매우 화가 난 것처럼 보였다. 필치도 그랬다.

“제 고양이가 돌처럼 변해 버렸어요!” 필치가 금방이라도 튀어나올 것 같은 눈을 하고 격앙된 목소리로 말했다. “그런데 벌받는 사람이 아무도 없다는 건 말도 안 돼요! 전 누군가가 *벌 받*는 걸 꼭 봐야겠어요!”

“이 고양이는 고칠 수 있을 거요, 아구스.” 덤블도어 교수가 참을성 있게 말했다. “스프라우트 교수가 최근에 맨드레이크를 조금 구했어요. 그것들이 완전히 자라게 되면, 노리스 부인을 다시 살릴 마법의 약을 만들게 하리다.”

“제가 만들겠어요.” 록허트가 끼어들었다. “저는 그걸 수백 번도 더 만들어 보았거든요. 맨드레이크 의식 회복약쯤은 눈감고도 만들 수 있을 겁니다……."

스네이프 교수가 냉기가 도는 목소리로 말했다. "미안하지만……. 이 학교에서 마법의 약 선생은 바로 저인 것 같은데요."

잠시 매우 어색한 순간이 흘렀다.

"너희는 가도 좋다." 덤블도어 교수가 해리와 론과 헤르미온느에게 말했다.

그들은 뛰지는 않았지만 될 수 있는 대로 걸음을 빨리했다. 록허트의 사무실 바로 위층에 도달하자, 그들은 빈 교실로 들어가 문을 조용히 닫았다. 해리는 친구들의 어두운 얼굴을 흘끗 보았다.

"너희는 내가 저 무시무시한 목소리를 들었다고 교수님께 말해야 한다고 생각하니?"

"아니." 론이 주저하지 않고 말했다. "아무도 들을 수 없는 목소리를 들은 건, 마법사 세계에서조차도 좋은 징조가 아니야."

론의 목소리에서 무언가 심상치 않음을 느꼈는지, 해리가 물었다. "날 믿지?"

"물론이야." 론이 얼른 말했다. "하지만…… 너도 그게 이상하다는 건 인정해야 해……."

"나도 그게 이상하다는 건 알아." 해리가 말했다. "그것뿐이 아니야. 모든 게 이상해. 벽에 쓰인 글은 무슨 말일까? '비밀의 방이 열렸다'니……. 그게 도대체 무슨 뜻이지?"

"일종의 경종을 울린 거야." 론이 천천히 말했다. "누군가가 언젠가 호그와트에 있는 비밀의 방에 대해 얘기해 준 적이 있었 던 것 같아. 아마 빌 형이었을 거야⋯⋯."

"그런데 스큅이란 건 또 뭐니?" 해리가 물었다.

놀랍게도, 론이 숨넘어갈 듯 낄낄거렸다.

"필치가 스큅이라니, 생각할수록 정말 웃겨." 그가 말했다. "스 큅은 마법사 혈통이지만 마법의 힘을 전혀 갖고 있지 않은 사람 을 말해. 말하자면 머글 태생의 마법사와 반대라고나 할까. 하지 만 스큅은 아주 드물어. 필치가 만약 속성 마법 과정에서 마법을 배우려고 했다면, 그는 스큅인 게 분명해. 그러고 보니 그의 행동 이 다 이해가 가. 그가 학생들을 그렇게 미워한 것도 어쩌면 다 그 때문일 거야." 론이 만족스러운 미소를 지었다. "씁쓸하겠지."

어딘가에서 시계 종이 울렸다.

"자정이야." 해리가 말했다. "스네이프 교수가 와서 또 다른 구 실로 우리를 모함하기 전에 빨리 기숙사로 올라가는 게 좋겠어."

며칠 동안, 학생들은 모두 '노리스 부인'이 습격받은 얘기만 했 다. 필치는 그 습격자가 다시 올 거라고 생각하기라도 하는지, 고 양이가 습격받은 장소를 어슬렁어슬렁 걸어 다니면서, 사람들을 계속 긴장시켰다. 해리는 필치가 스코워 부인의 '다목적 마법 세 정제'로 벽에 쓰인 글씨를 박박 문질러 닦는 걸 몇 번 보았지만, 아무 효과가 없었다. 그 글씨는 오히려 어느 때보다도 밝게 번득일 뿐이었다. 필치는 그 범죄 현장을 지키고 있지 않을 때는, 시 뻘겋게 충혈된 눈으로 복도를 살금살금 걸어 다니면서, 아무 학생이나 발로 툭툭 건드리며 '시끄럽게 숨 쉬었다'거나 '행복해 보인다' 같은 말도 되지 않는 죄목을 붙여 벌을 주려고 했다.

지니 위즐리는 노리스 부인이 그렇게 된 걸 보고 매우 불안해하는 것 같았다. 론은 동생이 고양이를 굉장히 좋아하기 때문이라고 말했다.

"하지만 넌 노리스 부인을 잘 알지도 못하잖아." 론이 동생의 기분을 돋우어 주려고 말했다. "솔직히, 그 고양이가 없으니까 정말 살 것 같아." 지니의 입술이 파르르 떨렸다. "호그와트에서 이런 일이 자주 일어나는 건 아니야." 론이 동생을 안심시켰다. "그런 짓을 한 미치광이는 곧 잡혀서 쫓겨날 거야. 하지만 난 그 미치광이가 필치를 돌로 만들어 버린 다음에나 쫓겨났으면 좋겠어." 지니의 얼굴이 창백해지자 론이 부랴부랴 덧붙였다. "아니야, 아니야, 그저 농담한 거야……."

그 사건은 헤르미온느에게도 영향을 주었다. 헤르미온느가 많은 시간을 책을 읽으며 보내는 건 아주 예사로운 일이긴 했지만, 그녀는 이제 줄곧 책하고만 씨름했다. 해리와 론이 무엇을 하느냐고 물어도 그녀는 아무 대답도 하지 않았다. 그러나 그들은 그 다음 주 수요일이 되어서야 그 이유를 알았다.

해리는 마법의 약 수업이 끝난 뒤 스네이프 교수에게 붙잡혀 책상을 닦아야 했다. 허겁지겁 점심을 먹고, 도서관에 있는 론을 만나려고 2층으로 가는데, 후플푸프의 저스틴 핀치 플레츨리가 약초학 수업을 마치고 걸어오는 게 보였다. 그런데 해리가 인사를 하려고 입을 여는 순간, 저스틴이 그와 눈이 마주치자 무뚝뚝하게 돌아서더니 반대 방향으로 급히 달아났다.

해리는 론이 도서관 안쪽에서 마법의 역사 숙제의 길이를 재고 있는 걸 발견했다. 빈스 교수가 '중세 유럽 마법사들'이라는 주제로 1미터짜리 긴 작문을 숙제로 내주었던 것이다.

"이럴 수가, 아직도 20센티미터밖에 안 돼……." 론이 화가 나서 내팽개치자 양피지 두루마리가 다시 또르르 말렸다. "헤르미온느는 *깨알 같은 글씨인데도* 1미터 40센티미터나 했다는데 말이야."

"헤르미온느는 어디에 있니?" 해리가 줄자를 잡고 자신의 숙제를 펼치며 물었다.

"저기 어딘가에 있을 거야." 론이 서고를 가리키며 말했다. "또 다른 책을 찾고 있어. 저 아이는 크리스마스 전에 도서관에 있는 책을 몽땅 읽을 작정인가 봐."

해리가 론에게 자신을 보고 달아난 저스틴 핀치 플레츨리에 대해 말했다.

"그런 걸 뭐 하러 신경 쓰니. 그 아이는 원래 좀 멍청하잖아." 론이 될 수 있는 대로 큰 글씨로 마구 갈겨쓰며 말했다. "록허트에 대한 저 엉터리 같은 말들하며……."

헤르미온느가 책꽂이 사이에서 나타났다. 그녀의 얼굴이 꽤 상기되어 있는 것으로 보아 마침내 그들에게 무언가 말하려는 것 같았다.

"《호그와트의 역사》를 사람들이 모두 빌려 가 버렸어."그녀가 해리와 론 옆에 앉으며 말했다. "두 주는 기다려야 해. 그 책을 집에다 두고 오는 게 *아니었는데 말이야.* 하지만 록허트의 책들을 다 넣고 나니까 다른 책을 넣을 공간이 있어야지."

"그 책을 왜 찾는데?"해리가 말했다.

"다른 애들이 그 책을 찾는 것과 똑같은 이유지, 뭐."헤르미온느가 말했다. "비밀의 방의 전설을 읽어 보려고."

"그게 뭔데?"해리가 얼른 물었다.

"바로 그 점이야. 나도 바로 그게 기억이 나지 않거든." 헤르미온느가 입술을 깨물며 말했다. "그리고 아무리 뒤져 봐도 다른 책에서는 그 전설을 찾을 수가 없어……."

"헤르미온느, 네 작문 좀 읽어 보자."론이 시계를 들여다보며 절망적으로 말했다.

"안 돼, 그럴 수 없어."헤르미온느가 갑자기 매정하게 말했다. "숙제할 시간이 열흘이나 있었는데 여태 뭐 하다 이제 와서 보여 달라는 거니?"

"이제 5센티미터 정도만 더 쓰면 돼. 어서……."

종이 울렸다. 론과 헤르미온느는 서로 옥신각신하며 앞장서서 '마법의 역사' 수업을 받으러 갔다.

마법의 역사는 가장 재미없는 과목이었다. 그 과목은 유일하게 유령 교수인 빈스가 가르쳤는데, 그가 칠판을 통해 교실로 들어온다는 사실이 그나마 가장 흥미로운 일이었다. 나이가 많아 얼굴이 쭈글쭈글하긴 했지만, 많은 사람은 그가 죽었다는 걸 전혀 눈치채지 못했다고 말했다. 그는 그저 어느 날 교무실 난로 앞에서 안락의자에 앉은 채로 죽음을 맞았는데, 그다음 날 아침에 시신은 그대로 남겨 둔 채 수업하러 올라갔었다고 했다. 그리고 빈스 교수의 일과는 그 이후 조금도 변하지 않았다.

오늘 수업은 한층 더 지루했다. 빈스 교수가 노트를 펼치고 낡은 청소기가 웅웅거리는 것 같은 낮고 단조로운 목소리로 읽기 시작했을 때, 교실에 있는 아이들은 거의 모두 깊은 혼수상태에 빠져 버렸고, 가끔 이름이나 날짜를 받아 적어야 할 때만 잠깐잠깐 깨어났다가 다시 잠들어 버리곤 했다. 그런데 수업한 지 30분쯤 지났을 때 전에 없던 일이 일어났다. 누군가가 질문을 한 것이다. 바로 헤르미온느였다.

1289년의 국제 와록 협정에 대해 말하던 빈스 교수가 놀란 표정으로 흘끗 쳐다보았다.

"어…… 그레……."

"그레인저입니다, 교수님. 혹시 비밀의 방에 대해 뭐든 말씀해

주실 수 있는지 궁금한데요." 헤르미온느가 똑 부러지는 목소리
로 말했다.

딘 토마스는 입을 헤벌리고 멍하니 창밖을 내다보고 있다가 깜
짝 놀라서 갑자기 혼수상태에서 깨어났고, 거의 엎드려 있다시피
하던 라벤더 브라운은 고개를 번쩍 들었으며, 한쪽 팔로 턱을 괴
고 있던 네빌 롱바텀은 놀라는 바람에 책상에 코를 박고 말았다.

빈스 교수가 눈을 깜박거렸다.

"내가 가르치는 건 마법의 역사입니다." 그가 냉담한 목소리로
말했다. "난 신화나 전설이 아니라 *사실*을 다룹니다, 그레인저
양." 분필을 똑 부러뜨리는 것 같은 작은 소리가 들리더니 그가
목을 가다듬고 말을 계속했다. "그해 9월에, 사르디니아의 마법
사분과위원회는……."

그가 말을 더듬거리며 멈췄다. 헤르미온느가 손을 다시 높이
들어 올리고 있었다.

"그렌트 양?"

"선생님, 전설이란 항상 사실에 기초를 두는 게 아닌가요?"

빈스 교수는 살아생전에든 죽은 후든 이제껏 강의 도중에 질문
하는 학생이 한 명도 없었던지, 그녀를 아주 놀란 표정으로 바라
보고 있었다.

"글쎄요." 빈스 교수가 천천히 말했다. "그래요, 그렇게 주장
할 수도 있을 것 같군요." 그는 학생을 제대로 본 적이 한번도 없

었던 것처럼 헤르미온느를 빤히 바라보았다. "그러나 학생이 말하는 전설은 대단히 물의를 일으킨, 심지어 *어이없기까지 한* 이야기여서……."

그러나 학급 학생 전체는 이제 빈스 교수의 말 한마디 한마디에 온 신경을 곤두세우고 있었다. 빈스 교수는 하나같이 얼굴을 들어 자기를 바라보는 학생들을 흐릿한 눈으로 쳐다보았다. 그는 보기 드물게 자신을 향해 눈을 말똥말똥 뜨고 있는 아이들을 보자 몹시 어리둥절해진 것 같았다.

"아, 좋아요." 빈스 교수가 천천히 말했다. "가만있자…… 비밀의 방……. 물론 여러분 모두 알고 있겠지만, 호그와트는 천년 전에―그 정확한 날짜는 확실히 모르겠지만―당대의 위대한 마법사 네 명에 의해 창립되었어요. 학교 기숙사 네 곳의 이름은 고드릭 그리핀도르, 헬가 후플푸프, 로웨나 래번클로, 그리고 살라자르 슬리데린이라는 그들의 이름을 따서 지어진 것입니다. 그들은 머글의 눈을 피해 함께 이 성을 지었어요. 그 시대에는 일반 사람들이 마법을 두려워해서, 마법사들이 많은 박해를 받았기 때문이죠."

그는 잠시 말을 멈추고, 흐릿한 눈으로 교실을 응시한 뒤, 계속했다.

"몇 년 동안, 창립자들은 함께 조화를 이루어 일하며, 마법에 재능이 있어 보이는 젊은이들을 성으로 데려와 교육했죠. 하지만 그 뒤 그들 사이에 의견 차이가 생겼어요. 슬리데린과 다른 사람들 사이에 틈이 벌어지기 시작했죠. 슬리데린은 호그와트로 데려올 학생들을 더 엄격히 가려서 뽑아야 한다고 주장했어요. 대대로 마법사 가문에서 자란 사람들에게만 마법을 가르쳐야 한다고 믿었던 거죠. 그는 머글 부모를 가진 학생들은 믿지 못하겠다며 받아들이길 꺼렸어요. 한참 뒤, 그 문제를 놓고 슬리데린과 그리핀도르 사이에 심각한 논쟁이 벌어졌고, 결국 슬리데린이 학교를 떠났어요."

빈스 교수가 다시 잠깐 말을 멈추고 입술을 오므리자, 꼭 쭈글 쭈글한 늙은 거북이처럼 보였다.

"믿을 만한 역사적 문헌에는 다 이렇게 쓰여 있어요." 그가 말했다. "그러나 전혀 거짓이 없는 이들 사실은 비밀의 방이라는 기상천외한 전설 때문에 모호해졌어요. 그 전설에 따르면 슬리데린이 성안에 비밀의 방을 하나 만들었는데, 다른 창립자들은 그것에 대해 전혀 몰랐다는 겁니다. 그리고 슬리데린이 자신의 후계자가 학교에 입학할 때까지 아무도 열지 못하도록 그 비밀의 방을 봉쇄해 두었다는 겁니다. 그 후계자만이 비밀의 방을 열고, 그 안에 있는 끔찍한 것을 풀어, 마법을 공부할 가치가 없는 모든 학생을 제거하도록 말이죠."

그가 이야기를 마치자 기나긴 침묵이 흘렀다. 하지만 그건 빈스 교수의 수업 시간에 늘 있었던 활기 없는 침묵이 아니었다. 모두가 더 듣고 싶은 듯 그를 뚫어지게 쳐다보고 있었으므로 분위기가 좀 거북했다. 빈스 교수는 약간 화난 것처럼 보였다.

"그 모든 이야기는 물론 터무니없는 엉터리입니다." 그가 말했다. "학교 당국은 물론 가장 학식이 높은 마법사들이 그런 방을 찾기 위해 수없이 노력해 왔습니다. 하지만 그런 건 존재하지 않았어요. 그건 그저 속임수에 잘 넘어가는 사람들을 놀라게 하기 위해 꾸며 낸 이야기에 불과합니다."

헤르미온느가 손을 다시 번쩍 들었다.

"선생님, '그 안에 있는 끔찍한 것'이라는 건 정확히 무얼 말하는 건가요?"

"슬리데린의 후계자만이 통제할 수 있는 괴물이라는 소문이 있어요." 빈스 교수가 냉담한 목소리로 말했다.

학급 학생들이 겁먹은 표정으로 서로 바라보았다.

"잘 들어요, 그런 괴물은 존재하지 않아요." 빈스 교수가 노트를 이리저리 넘기며 말했다. "그런 방도 없고, 그런 괴물도 없어요."

"하지만 선생님." 시무스 피니간이 말했다. "만일 그 방이 오직 슬리데린의 진정한 후계자에 의해서만 열린다면, 그 사람을 제외한 다른 누구도 그 방을 찾아낼 수 없다는 말이 아닐까요?"

"그건 말도 안 돼요." 빈스 교수가 화난 어조로 말했다. "그 오랜 세월 동안 호그와트의 역대 교장 선생님들이 전혀 찾아내지 못했는데……."

"하지만, 교수님." 패르바티 패틸이 찢어질 듯한 목소리로 말했다. "그 방을 열기 위해서는 어둠의 마법을 사용해야만 할지도 모르잖아요……."

"마법사가 어둠의 마법을 사용하지 않는 건 모르기 때문이 아닙니다, 패틸 양." 빈스 교수가 날카롭게 말했다. "되풀이하지만, 덤블도어 교수와 같은 사람들은……."

"그렇지만 어쩌면 슬리데린과 관련이 있는 사람만이 할 수 있는 건지도 모르잖아요. 그러니까 덤블도어 교수님도 못하는 게 아닌……."

빈스 교수는 더는 참을 수가 없었다.

"이제 그만합시다." 그가 날카롭게 말했다. "그건 전설이에요! 그런 건 존재하지 않습니다! 슬리데린이 비밀 빗자루 벽장 같은 걸 지었다는 아무 증거가 없어요! 여러분들에게 이렇게 하찮은 이야기를 들려준 게 후회스럽군요! 이제 역사 이야기로 돌아갑시다. 근거 있고 믿을 만하고 입증할 수 있는 *사실* 이야기로 말입니다!"

그리고 5분도 되지 않아, 교실은 다시 깊은 휴면 상태로 빠져들었다.

"살라자르 슬리데린이 괴팍한 늙은이라는 건 전부터 알고 있었어." 수업이 끝나자 아이들이 우글우글한 복도를 지나, 저녁 식사 전에 가방을 기숙사 방에 갖다 두러 올라가며 론이 해리와 헤르미온느에게 말했다. "하지만 이 모든 순수 혈통 운운하는 짓거리가 슬리데린에게서 시작됐을 줄은 꿈에도 몰랐어. 난 돈을 아무리 많이 준다고 해도 그 기숙사에는 절대로 들어가지 않을 거야. 솔직히, 만약 그 마법의 모자가 날 슬리데린에 넣으려고 했다면, 난 곧장 집으로 돌아가는 기차를 탔을 거야……."

헤르미온느도 그렇다는 듯 고개를 세게 끄덕였지만, 해리는 아무 말도 하지 않았다. 그저 가슴이 불쾌하게 두근거릴 뿐이었다.

해리는 마법의 모자가 *자기*를 슬리데린에 넣을 것을 심각하게 고려했었다는 말을 론과 헤르미온느에게조차 한 적이 없었다. 그는 1년 전 그 모자를 썼을 때, 작은 목소리가 그의 귀에 대고 말했던 걸 마치 어제 일처럼 생생히 기억할 수 있었다.

"*넌 위대해질 수 있어. 여기 네 머릿속에 다 있다고. 슬리데린은 네가 위대해지는 데 도움이 될 거야. 그건 의심의 여지가 없어……*"

하지만 해리는 슬리데린 기숙사가 어둠의 마법사를 배출하는 곳으로 유명하다는 걸 익히 들어 잘 알고 있었으므로, '슬리데린은 안 돼!' 하고 필사적으로 속으로 외쳤고, 그 모자는 "*그럼, 네가 확신한다면…… 그리핀도르가 나을 거야……*"라고 했었다.

그들이 떼 지어 이동하는 사람들을 피해 한쪽 옆으로 비켜섰을 때, 콜린 크리비가 지나갔다.

"해리, 해리!"

"안녕, 콜린." 해리가 아무 생각 없이 기계적으로 말했다.

"해리, 해리, 우리 반에 있는 어떤 아이가 그러는데 형이……."

하지만 몸집이 작았던 콜린은 자신의 의지와는 상관없이, 쏟아져 나오는 사람들 속에 파묻혀 연회장 쪽으로 밀려갔다. 그는 밀려가면서 간신히 "나중에 봐, 해리!"라고 외쳤다.

"콜린의 반에 있는 아이가 너에 대해 무슨 말을 했다는 거니?" 헤르미온느가 이상하게 여겼다.

"내가 슬리데린의 후계자라는 말이겠지." 해리는 문득 아까 점심시간에 저스틴 핀치 플레츨리가 자기를 보고 달아났던 일을 떠올리고 가슴이 또 한 번 철렁 내려앉는 걸 느꼈다.

"여기에 있는 사람들은 어떤 말이라도 믿을 거야." 론이 넌더리가 난다는 듯 말했다.

사람들이 점점 더 줄어들자 그들은 어려움 없이 다음 계단으로 올라갈 수 있었다.

"비밀의 방이 정말로 있을까?" 론이 헤르미온느에게 물었다.

"몰라." 그녀가 눈살을 찌푸리며 말했다. "덤블도어 교수는 노리스 부인을 고치지 못했잖아. 그걸 보면 그 고양이를 습격한 게 무엇인지는 몰라도 어쩌면…… 뭐랄까……. 인간은 아닐 거라는 생각이 들어."

그녀가 말하면서 모퉁이를 돌자, 바로 그 습격 사건이 일어났던 복도 끝이 보였다.

그들은 발을 멈추고 바라보았다. 그 현장은 횃불 선반에 매달린 뻣뻣한 고양이가 없다는 것과 "비밀의 방이 열렸다"라는 글씨가 적힌 벽에 빈 의자 하나가 놓여 있다는 것을 제외하고는, 그날 밤과 똑같았다.

"필치가 망보고 있다는 곳이 바로 저긴가 봐." 론이 중얼거렸다.

그들은 서로 바라보았다. 복도에는 아무도 없었다.

"좀 살펴본다고 큰일 나지는 않겠지." 해리가 가방을 내려놓더니 뭔가 단서라도 찾으려는 듯 손과 무릎을 대고 바닥에 엎드렸다.

"그을음 자국이야!" 그가 말했다. "여기…… 그리고 여기에도……."

"와서 이것 좀 봐!" 헤르미온느가 말했다. "이상해……."

해리가 일어서서 벽에 쓰인 글귀 옆에 있는 창문 쪽으로 갔다. 헤르미온느는 가장 높은 창유리를 가리키고 있었는데, 그 주위에선 20여 마리의 거미가 갈라진 작은 틈새로 앞다투어 달아나고 있었다. 그리고 거미들이 올라가는 데 사용한 것 같은, 은빛 거미줄 하나가 밧줄처럼 매달려 있었다.

"거미들이 저렇게 행동하는 걸 본 적 있니?" 헤르미온느가 이상하다는 듯이 말했다.

"아니." 해리가 말했다. "넌, 론? 론?"

해리가 어깨 너머로 보자, 론이 꼭 달아나고 싶은 걸 억지로 참고 있기라도 한 듯 저만치 물러서 있었다.

"왜 그래?" 해리가 물었다.

"난…… 거미를…… 좋아하지…… 않아." 론이 긴장해서 말했다.

"그건 전혀 몰랐네." 헤르미온느가 놀란 눈으로 론을 바라보며 말했다. "마법의 약 시간에는 아무렇지 않게 만졌잖아……."

"죽은 건 괜찮아." 론이 창문만 빼고 다른 곳들을 주의 깊게 살피며 말했다. "난 그저 거미가 움직이는 모양이 마음에 들지 않는 것뿐이야……."

헤르미온느가 낄낄거렸다.

"웃을 일이 아니야." 론이 화가 나서 말했다. "세 살이었을 때, 프레드 형은 내가 자기 장난감 빗자루를 부러뜨렸다고 내…… 내 곰 인형을 엄청나게 큰 무서운 거미로 변신시켜 버렸어. 곰 인형을 들고 있는데 그게 갑자기 다리가 많은 거미로 변했다고 생각해 봐. 너희도 아마 기겁을 했을 거야……."

그는 잠시 말을 멈추고 진저리를 쳤다. 헤르미온느는 그런데도 여전히 웃지 않으려고 애쓰고 있었다. 해리는 얼른 화제를 돌리는 게 좋겠다고 생각했다. "너희 마룻바닥에 물이 고여 있었던 거 기억하니? 그 물이 어디서 나온 걸까? 누군가가 닦아 냈어."

"여기쯤이었어." 론이 다시 정신을 차리고 필치의 의자를 지나 몇 발짝 걸어가며 손가락으로 가리켰다. "바로 이 문이 있는 곳이었어."

그가 문손잡이로 손을 뻗다가 마치 데기라도 한 듯 화들짝 놀라며 얼른 손을 떼었다.

"왜 그래?" 해리가 말했다.

"들어갈 수 없어." 론이 퉁명스럽게 말했다. "여자 화장실이야."

"하지만, 론, 저 안엔 아무도 없을 거야." 헤르미온느가 똑바로 걸어오며 말했다. "여기가 바로 모우닝 머틀이 사는 곳이야. 자, 한번 들어가 보자."

그녀가 커다란 '고장' 표지판을 무시한 채 문을 열고 안으로 들어갔다.

해리는 그렇게 어둠침침하고 침울한 화장실은 처음이었다. 금이 가고 얼룩진 커다란 거울 밑에, 깨진 세면대들이 죽 한 줄로 늘어서 있었다. 물이 흥건한 바닥에 받침까지 타 들어간 몇 개의 동강 난 초들이 희미한 불빛을 비추고 있었다. 화장실의 나무문들은 칠이 다 벗겨지고 무언가로 북북 긁혀 있었으며, 그중 하나는 경첩이 떨어져 달랑달랑 매달려 있었다.

헤르미온느는 손을 입술에 대고 맨 끝 화장실 쪽으로 걸어갔다. "안녕, 머틀, 잘 있었니?"

해리와 론도 따라갔다. 모우닝 머틀이 변기 물통 위에 둥둥 떠서 턱 끝에 있는 여드름을 짜고 있었다.

"여긴 *여자* 화장실이야." 그녀가 론과 해리를 수상쩍은 눈초리로 바라보며 말했다. "*저 애들은 여자가 아니잖아.*"

"그래, 아니야." 헤르미온느가 동의했다. "난 그저 저 애들에
게…… 어…… 이곳이 얼마나 좋은지 보여 주고 싶었을 뿐이야."

헤르미온느가 더러운 거울과 축축한 바닥 아무 데나 가리키며
말했다.

"머틀에게 혹시 뭐라도 보았는지 물어봐." 해리가 소리 내지
않고 헤르미온느에게 속삭였다.

"너 뭐라고 속닥거리는 거니?" 머틀이 해리를 빤히 쳐다보며
말했다.

"아무것도 아니야." 해리가 얼른 말했다. "우린 그저 물어보고
싶은 게……."

"난 사람들이 내 등 뒤에서 말하는 건 질색이야!" 머틀이 울음
이 북받치는 목소리로 말했다. "내게도 감정은 있어, 죽었다고
해도 말이야……."

"머틀, 네 기분을 상하게 하려고 그런 게 아니야." 헤르미온느
가 말했다. "해리는 그저……."

"내 기분을 상하게 하려고 그런 게 아니라고! 말은 그럴듯하
지!" 머틀이 악을 쓰며 말했다. "호그와트에서의 내 인생은 고통
뿐이었어. 그런데 죽어서까지도 사람들은 날 가만 내버려 두지
않아!"

"우린 네가 혹시 최근에 뭐 이상한 것을 보지 못했는가 해서
온 것뿐이야." 헤르미온느가 얼른 말했다. "왜냐하면 핼러윈 때

고양이 한 마리가 네 화장실 바로 밖에서 습격을 받았거든."

"그날 밤에 이 근처에서 누구 못 봤니?" 해리가 물었다.

"별로 신경 쓰지 않아서 잘 몰라." 머틀이 마치 연극을 하는 것
처럼 말했다. "피브스가 날 어찌나 화나게 했던지 난 이 안에 들
어와서 죽으려고 했었어. 그러곤 물론, 난 기억했지. 내가……
내가……."

"이미 죽었다는 걸 말이지." 론이 머틀의 말을 대신 해 주었다.

머틀이 애처롭게 흐느끼더니, 공중으로 올라가 머리를 아래로
향하고 변기 속으로 풍덩 들어가며 그들에게 물을 온통 튀기고
는 사라져 버렸다. 하지만 흐느낌 소리의 방향으로 보아, 그녀는
변기 밑의 수도관 어딘가에 있는 게 분명했다.

해리와 론은 기가 막혀서 입을 헤벌린 채 서 있었다. 하지만 헤
르미온느는 그런 일을 많이 당해 보았는지 어깨를 으쓱해 보였
다. "솔직히, 이 정도는 약과야……. 자, 가자."

해리가 머틀의 흐느낌 소리를 들으며 문을 닫았다. 그런데 바로
그 순간 커다란 목소리가 들리자 그들 셋은 소스라치게 놀랐다.

"론!"

퍼시 위즐리가 반장 배지를 반짝거리며, 굉장히 충격받은 표정
으로 계단참에 서 있었다.

"거긴 *여자* 화장실이야!" 그가 헐떡거리며 말했다. "*너희 뭐
하고……*."

"그저 좀 살펴보고 있었던 것뿐이야." 론이 어깨를 으쓱했다. "단서, 뭐 그런 거 있잖아……."

퍼시가 해리에게 꼭 위즐리 부인을 생각나게 하는 표정으로 소리를 높였다.

"거기서…… 당장…… 나와……." 퍼시가 그들 쪽으로 성큼성큼 걸어오더니 그들을 재촉하며, 손바닥으로 론의 팔을 찰싹 때렸다. "도대체 이게 무슨 짓이야? 다들 저녁 먹고 있는데 여기 다시 오다니……."

"우리가 여기에 오면 왜 안 돼?" 론이 꼼짝 않고 퍼시를 노려보며 흥분해서 말했다. "잘 들어, 형. 우린 그 고양이에게 손가락 하나 까딱하지 않았어!"

"나도 지니에게 바로 그렇게 말했어." 퍼시가 사납게 말했다. "하지만 지니는 여전히 네가 쫓겨날 거라고 생각하고 있어. 난 지니가 눈이 퉁퉁 붓도록 울고, 그렇게 불안해하는 건 처음 봤어. 지니의 입장도 생각해야지. 모든 1학년생들이 이 일로 극도로 불안해하고 있단 말이야……."

"괜히 지니 핑계 대지 마." 론이 귀가 새빨개져서 말했다. "형은 그저 나 때문에 학생회장 자리를 놓칠까 봐 안달하고 있는 것뿐이야……."

"그리핀도르에서 5점 감점할 줄 알아!" 퍼시가 자신의 반장 배지를 손가락으로 가리키며 짧고 힘차게 말했다. "그만하면 말

귀를 알아들었을 거라고 믿어! *더 이상 탐정 짓은 하지 마.* 그렇지 않으면 당장 엄마에게 편지를 쓸 테니까!"

그리고 그는 목덜미가 론의 귀만큼이나 새빨개진 채로, 성큼성큼 걸어갔다.

해리와 론과 헤르미온느는 그날 밤 될 수 있는 대로 퍼시에게서 멀리 떨어져 있었다. 여전히 기분이 좋지 않았던 론은 하기 싫은 숙제를 끼적거리고 있었는데, 무심코 요술지팡이를 집어 들다가 그만 노트에 불이 붙고 말았다. 그 바람에 더욱더 화가 난 론은 보고 있던 《표준 마법서(2학년)》를 탁 덮어 버렸다. 그러자 놀랍게도 헤르미온느도 보던 책을 덮어 버렸다.

"그런데 도대체 누구 짓일까?" 마치 그들이 막 나누고 있었던 어떤 대화를 계속하기라도 하는 듯이 그녀가 조용한 목소리로 말했다. "스큅과 머글 태생을 모두 위협해서 호그와트에서 쫓아내고 싶은 게 누굴까?"

"생각해 봐." 론이 어려운 수수께끼라도 푸는 것 같은 표정을 지으며 말했다. "우리가 아는 사람 중에 머글 태생들을 인간쓰레기라고 생각하는 게 누구지?"

그가 헤르미온느를 바라보자, 헤르미온느는 잘 이해되지 않는다는 표정으로 고개를 갸우뚱했다.

"혹시 말포이가……."

"물론이야!" 론이 말했다. "너도 그 애가 하는 말 들었지? '흥, 다음은 어떤 잡종이 당할 차례일까?'라고 하던 말 말이야. 그 쥐 새끼 같은 녀석의 불쾌한 얼굴을 생각해 봐. 그 녀석 짓이 분명 해……."

"말포이, 슬리데린의 후계자?" 헤르미온느가 약간 의심쩍은 표정으로 말했다.

"그 녀석의 가족을 봐." 해리도 역시 책을 덮으며 말했다. "그들은 모두 슬리데린 기숙사 출신이야. 그 녀석은 항상 그것을 자랑하고 다녔잖아. 그들은 슬리데린의 후손일 가능성이 많아. 그 녀석의 아버지도 아주 못됐잖아."

"그들은 수 세기 동안 비밀의 방 열쇠를 갖고 있었을 거야!" 론이 말했다. "아버지에게서 아들로 물려주면서 말이야……."

"글쎄." 헤르미온느가 조심스럽게 말했다. "그럴 수도 있지."

"하지만 그걸 어떻게 입증하지?" 해리가 은밀히 말했다.

"아마 방법이 있을 거야." 헤르미온느가 방 저쪽에 있는 퍼시를 흘끗 쳐다보며 훨씬 더 작은 목소리로 천천히 말했다. "물론, 어려울 거야. 그리고 대단히 위험하기도 하고 말이야. 우린 아마 학교의 규칙을 50개쯤 어겨야 할 거야……."

"만약 한 달쯤 뒤에라도 확실하게 해 보고 싶다는 생각이 들면, 우리에게 알려 주지 않을래?" 론이 안달이 나서 말했다.

"좋아." 헤르미온느가 차갑게 말했다. "우린 그저 정체를 숨기고 슬리데린의 학생 휴게실로 들어가 말포이에게 몇 가지 물어 보기만 하면 돼."

"하지만 그건 불가능해." 론이 웃자 해리가 말했다.

"아니야, 그렇지 않아." 헤르미온느가 말했다. "그저 폴리주스 마법의 약만 조금 있으면 돼."

"그게 뭔데?" 론과 해리가 동시에 물었다.

"몇 주 전 수업 시간에 스네이프 교수가 말했잖아……."

"넌 우리가 수업 시간에 스네이프 교수의 입만 바라보는 줄 아니?" 론이 투덜거렸다.

"그걸 먹으면 다른 사람으로 변해. 한번 생각해 봐! 우린 세 명의 슬리데린 학생으로 변신할 수 있는 거야. 아무도 그게 우리라는 걸 알지 못해. 말포이는 아마 우리에게 무슨 말이든 할 거야. 그 앤 지금도, 우리가 듣지 못해서 그렇지, 어쩌면 슬리데린의 학생 휴게실에서 자기가 슬리데린의 후계자라는 걸 마구 자랑하고 있을지도 몰라."

"하지만 내가 볼 때 폴리주슨지 뭔지 하는 건 좀 위험하게 들려." 론이 눈살을 찌푸리며 말했다. "그랬다가 만약 영원히 슬리데린의 모습으로 남아 있게 되면 어떡하니?"

"시간이 얼마간 지나면 약 기운이 없어져." 헤르미온느가 손을 내저으며 말했다. "하지만 그 조제법을 손에 넣기가 아주 어려울 거야. 스네이프 교수는 그게 《모스테 포텐트 마법의 약》이라는 책에 있다고 했는데 그건 도서관의 제한구역에 있거든."

제한구역에서 책을 가지고 나오는 방법은 딱 한 가지, 선생님의 사인이 있는 편지뿐이었다.

"그런데 뭐라고 핑계를 대지?" 론이 말했다. "우리가 그 마법의 약을 만들려고 하는 거라고 생각하지 않을까?"

"내 생각엔……." 헤르미온느가 말했다. "그냥 그 이론에 관심이 있는 척만 해도 충분히 가능할지 몰라."

"야, 어떤 선생님이 그런 속임수에 넘어가겠니?" 론이 말했다. "아주 바보 멍청이가 아닌 다음에야……."

제 **10** 장

악당 블러저

피해가 막심했던 작은 요정 사건 이후, 록허트 교수는 수업 시간에 다시는 살아 있는 생물을 가져오지 않았다. 대신에, 그는 자신의 책에 나온 구절들을 읽어 주거나, 때로 더 극적인 사건들을 재현해 보이기도 했는데, 꼭 해리를 지목해 이러한 재현을 돕도록 했다. 지금까지 해리는 록허트가 '수다떨기 저주'를 치료해 주었던 트랜실바니아의 어떤 마을 사람 역과 코감기에 걸린 설인 역과 록허트가 처리한 이후 양상추만 먹게 된 흡혈귀 역을 해야 했다.

해리는 바로 다음 어둠의 마법 방어술 수업 시간에도 어김없이 교단 앞으로 끌려 나갔고, 이번에는 늑대인간 역을 해야 했다. 만약 록허트의 기분을 계속 좋게 해야 할 필요가 없었다면, 그는 정말 못 하겠다고 단호히 거절했을 것이다.

"큰 소리로 멋지게 늑대 울음소리를 내는 거야. 그래, 해리. 바로 그거야……. 바로 그때, 내가 와락 덤벼들어서…… 이렇게 그를 마룻바닥으로 내동댕이쳤어요……. 이렇게…… 한 손으로는, 그를 계속 누르고…… 다른 한 손으로는, 요술지팡이를 그의 목에 대고…… 혼신의 힘을 다해 굉장히 복잡한 '호모포스 주문'을 외웠죠……. 그러자 그가 애처로운 신음을 내뱉으면서…… 계속해, 해리. 더 높은 소리로…… 좋았어. 털이 싹 없어지고…… 송곳니가 작아지더니…… 그가 다시 사람으로 변했어요. 간단하지만, 효과적이었죠……. 그렇게 해서 날 영웅으로 추앙하는 또 하나의 마을이 생긴 겁니다. 매달 늑대인간의 습격에 시달려야 했던 마을을 구해 준 수호자로서 말이지요."

종이 울리자 록허트가 일어섰다.

"숙제…… 내가 와가와가의 늑대인간을 쳐부순 것을 주제로 시를 한 편씩 써 올 것! 가장 잘 쓴 사람에게는 상품으로 내 자서전 《신비한 나》에 사인을 해서 주겠어요!"

학급 학생들이 자리를 뜨기 시작했다. 해리는 론과 헤르미온느가 기다리는 교실 뒷자리로 돌아왔다.

"준비됐니?" 해리가 비밀스레 말했다.

"모두 다 나갈 때까지 기다려." 헤르미온느가 초조하게 말했다. "좋아……."

그녀가 손에 종이쪽지를 꽉 움켜쥐고 록허트의 책상 앞으로 다가갔다. 해리와 론은 그녀 뒤에 바짝 붙어 있었다.

"저…… 록허트 교수님?" 헤르미온느가 더듬거리며 말했다. "저기…… 이 책을 도서관에서 갖고 나오고 싶은데요. 그저 참고로 좀 읽으려고요." 그녀가 약간 떨리는 손으로 종이쪽지를 내밀었다. "그런데 중요한 건, 그게 도서관 제한구역에 있어서, 선생님의 사인이 필요하다는 거예요……. 그걸 읽으면 확실히 선생님이 《굴 귀신과 돌아다니기》 책에서 말씀하셨던, 효과가 천천히 나타나는 독약을 이해하는 데 도움이 될 것 같거든요……."

"아아, 《굴 귀신과 돌아다니기》!" 록허트가 쪽지를 받아 들면서 헤르미온느에게 환하게 미소 지었다. "내가 가장 좋아하는 책이지. 그 책 재밌었니?"

"그럼요." 헤르미온느가 정말 그렇다는 듯 말했다. "정말로 기막힌 아이디어였어요. 선생님이 그 마지막 녀석을 차 거르는 조리로 잡으신 것 말예요……."

"글쎄, 내가 학년 최고의 학생에게 약간의 도움을 주었다고 누가 뭐라고 하지는 않겠지." 록허트가 흥분해서 커다란 공작 깃펜을 꺼냈다. "그렇지, 멋지지 않니?" 그가 비위가 상한 듯한 론의 표정을 잘못 이해했는지 이렇게 말했다. "난 책에 사인할 때는 보통 이걸 쓰지."

그가 쪽지에 엄청 꼬불꼬불한 사인을 휘갈겨 쓰고는 헤르미온느에게 다시 건네주었다.

"그런데 해리." 헤르미온느가 쪽지를 어설프게 만지작거리며 꼬깃꼬깃 접어 가방 속으로 밀어 넣는 동안, 록허트가 말했다. "내일이 아마 시즌 첫 퀴디치 시합이지? 그리핀도르하고 슬리데린의 시합이던가? 네가 쓸 만한 선수라는 소리를 들었단다. 실은 나도 수색꾼이었지. 내셔널 스쿼드 팀에서 뛰어 보라는 권유도 있었지만, 난 어둠의 마법 교육에 평생을 바치고 싶었어. 그렇지만, 혹시라도 약간의 개인 레슨이 필요하다고 생각되면, 주저하지 말고 물어보거라. 나의 전문적 기술을 조금 못하는 선수들에게 알려 주는 일은 기꺼이 할 수 있으니까……."

해리는 들릴 듯 말 듯한 소리로 그러겠다고 마지못해 대답하고는 서둘러 론과 헤르미온느 뒤를 따라 나왔다.

"도저히 믿을 수가 없어." 해리가 쪽지에 있는 사인을 살피는 그들에게 말했다. "록허트는 우리가 어떤 책을 보고 싶어 하는지도 *들여다보지* 않았어."

"그게 바로 그가 머리가 굉장히 나쁜 멍텅구리라는 증거야." 론이 말했다. "하지만 아무려면 어때, 우린 필요한 걸 얻었는데."

"그는 멍텅구리가 *아니야.*" 도서관 쪽으로 반쯤 달려갔을 때 헤르미온느가 날카로운 목소리로 말했다.

"너더러 학년 최고의 학생이라고 말했다고 해서?"

조용한 도서관으로 들어가자 그들은 목소리를 낮췄다. 사서인

핀스 부인은 영양실조에 걸린 대머리수리처럼 비쩍 마르고, 화를 잘 내는 여자였다.

"《모스테 포텐트 마법의 약》이라고?" 그녀가 수상쩍다는 듯 되풀이해 말하며 그 쪽지를 가져가려고 했지만, 헤르미온느는 놓으려고 하지 않았다.

"이건 제가 그냥 갖고 있으면 안 될까요?" 헤르미온느가 눈치를 보며 말했다.

"아, 왜 그래." 론이 그것을 헤르미온느의 손아귀에서 잡아 빼서 핀스 부인에게 내밀며 말했다. "사인은 또 받게 해 줄게. 록허트는 사인하길 좋아하잖아."

핀스 부인은 혹시 위조된 사인인지 알아보려고 쪽지를 불빛 쪽으로 갖다 댔지만, 그 테스트는 무사히 통과되었다. 그녀는 높다란 책꽂이 사이로 으스대며 걸어갔다가, 몇 분 뒤 케케묵은 것처럼 보이는 커다란 책 한 권을 들고 돌아왔다. 헤르미온느가 그것을 조심스럽게 가방에 넣자, 그들은 너무 서두르거나 죄진 듯한 표정을 짓지 않으려고 애쓰면서 걸어 나왔다.

5분쯤 뒤, 그들은 모우닝 머틀의 고장 난 화장실에 또다시 갔다. 론은 그곳에 다시는 가지 않겠다고 고집을 부렸지만, 헤르미온느는 제정신으로 거기 갈 사람은 아무도 없으므로, 거기서는 어느 정도 마음 놓고 작업을 할 수 있을 것이라고 주장하며 론의 고집을 꺾었다. 모우닝 머틀은 그들이 화장실 안으로 들어가는

데도 아랑곳하지 않고 시끄럽게 울부짖었고, 그들도 머틀을 본 체만체했다.

헤르미온느는 《모스테 포텐트 마법의 약》을 조심스럽게 펼쳤다. 그 책은 페이지마다 축축한 얼룩이 배어 있었고, 한번 흘끗 보기만 해도 이 책이 왜 제한구역에 들어가 있는지 금방 알 수 있었다. 그중 어떤 마법의 약들은 생각만 해도 섬뜩해졌으며, 속이 뒤집힌 것처럼 보이는 남자와 머리에 몇 쌍의 여분의 팔이 자라나 있는 마녀 같은 아주 불쾌한 그림들이 있었다.

"여기 있다." 헤르미온느가 '폴리주스 마법의 약'이라는 제목이 붙은 쪽을 찾자 흥분해서 말했다. 그 조제법 옆에는 다른 사람으로 반쯤 변한 사람들의 삽화가 그려져 있었다. 해리는 그 사람들의 얼굴에 나타난 굉장히 고통스러운 표정을 보면서 그게 그저 화가의 상상이길 진정으로 바랐다.

"정말 굉장히 복잡하군." 조제법을 훑어보던 헤르미온느가 말했다. "풀잠자리, 거머리, 보름초, 마디풀……." 그녀가 재료 목록을 손가락으로 대충 짚어 보며 중얼거렸다. "하지만 이것들은 쉽게 구할 수 있는 것들이야. 학생 비품 벽장 속에 있거든. 우리 마음대로 가져올 수 있을 거야. 어, 봐, 바이콘의 뿔 가루야. 이건 어디서 구할 수 있을지 모르겠는데……. 잘게 썬 오소리 가죽……. 이것도 역시 좀 까다롭고……. 그리고 물론, 무엇이든지 우리가 변하고 싶어 하는 사람의 몸 일부가 조금 필요해."

"뭐라고?" 론이 날카롭게 말했다. "그게 무슨 뜻이니, 우리가 변하고 싶은 사람의 몸의 일부라니? 난 크레이브의 발톱이 들어간 건 절대로 먹지 않을 거야……."

헤르미온느는 그의 말은 들은 척도 하지 않고 계속 말했다.

"하지만 아직 그건 걱정할 필요가 없어. 왜냐하면 그런 것들은 맨 마지막에 넣을……."

론이 어처구니가 없어서 해리에게로 고개를 돌리자, 해리는 또 다른 걱정을 했다.

"우리가 얼마만큼 훔쳐야 하는지는 아니, 헤르미온느? 잘게 썬 오소리 가죽, 그건 분명히 학생 벽장엔 없어. 그럼 어떻게 해야 하지? 스네이프 교수의 개인 창고에 몰래 들어가? 이건 그다지 좋은 방법 같지가 않아……."

헤르미온느가 책을 탁 덮었다.

"그래, 만약 너희 둘이 손을 떼겠다면, 좋아." 그녀가 상기된 얼굴로 눈을 반짝이며 말했다. "뭔가 착각한 것 같은데, 규칙을 어기고 싶지 않은 건 바로 나야. 난 그저 머글 태생들을 위협하는 게 어려운 마법의 약을 만드는 것보다 훨씬 더 나쁜 일이라고 생각했을 뿐이야. 하지만 너희가 만약 말포이가 정말로 그런 짓을 했는지 어쨌는지 굳이 알아내고 싶지 않다면, 난 당장이라도 가서 이 책을 핀스 부인에게 반납하겠어……."

"난 네가 규칙을 어기자고 할 날이 오리라고는 꿈에도 생각지 못했어." 론이 말했다. "좋아, 하는 거야. 하지만 발톱은 안 돼, 알았지?"

"그런데 약을 만드는 데 얼마나 걸릴까?" 헤르미온느가 한층 흡족한 표정으로 책을 다시 펼치는 걸 보며 해리가 물었다.

"글쎄, 보름초는 보름달이 떴을 때 따야 하고 풀잠자리는 21일 동안 약한 불에서 끓여야 하니까…… 한 달쯤이면 충분할 거야. 재료만 다 구할 수 있다면 말이야."

"한 달?" 론이 말했다. "그때쯤이면 말포이가 학교에 있는 머글 태생을 반쯤은 습격했을 거야!" 그러나 헤르미온느가 다시 눈을 치켜뜨자 론은 부리나케 덧붙였다. "하지만 그 방법밖에 없으니까 최선을 다하자는 말이야."

화장실을 떠나려고 헤르미온느가 주변 정리를 하고 있을 때, 론이 해리에게 중얼거렸다. "네가 내일 시합에서 말포이를 빗자루에서 떨어뜨릴 수만 있다면 일이 훨씬 더 수월해질 거야."

해리는 토요일 아침 일찍 눈을 떴지만, 한참 누워 다가올 퀴디치 시합을 생각하고 있었다. 그는 최고급 경주용 빗자루에 올라탄 팀과 경기를 해야 한다는 게 무엇보다도 부담스러웠다. 만약 그리핀도르가 진다면 우드가 뭐라고 말할까. 해리는 초조한 마음으로 30분쯤 누워 있다가 일어나 주섬주섬 옷을 걸치고, 일찌감치 아침을 먹으러 내려갔다. 그런데 그리핀도르의 긴 테이블에는 벌써 나머지 선수들이 모두 불안한 표정으로 말없이 앉아 있었다.

11시가 다가오자, 전교 학생이 퀴디치 경기장으로 향하기 시작했다. 그날은 천둥이 가끔 치는 후텁지근한 날이었다. 론과 헤르미온느가 허둥지둥 와서 탈의실로 들어가는 해리에게 행운을 빌어 주었다. 선수들은 자줏빛 그리핀도르 망토를 입고, 우드의 격려사를 들었다.

"슬리데린은 우리보다 더 좋은 빗자루를 갖고 있어." 그가 시작했다. "그걸 부인하지는 않아. 하지만 우리 선수들이 실력은 더 좋아. 훈련도 훨씬 더 맹렬히 했고, 악천후 속에서도 잘 해냈어……." ("여부가 있나." 조지 위즐리가 투덜거렸다. "8월 이후 난 몸이 내 몸 같았던 적이 한번도 없었어.") "그 애들은 말포이 같은 인간쓰레기를 팀으로 끌어들인 걸 반드시 후회하게 될 거야."

감정이 북받쳐서 가슴을 들썩거리며, 우드가 해리에게 고개를 돌렸다.

"수색꾼에겐 부자 아버지 이상의 것이 있어야 한다는 걸 그들에게 보여 줘야 해, 해리. 말포이보다 먼저 스니치를 잡든지 그렇지 않으면 죽을 각오를 해, 해리. 오늘은 반드시 이겨야 해, 반드시."

"너무 부담 갖지 마, 해리." 프레드가 해리에게 윙크를 하며 말했다.

그들이 경기장으로 걸어 나가자, 우레와 같은 함성이 터져 나왔다. 래번클로와 후플푸프까지도 합세해 그들을 응원하고 있었지만, 슬리데린들이 우우거리는 야유 소리도 간간이 들렸다. 퀴디치 심판인 후치 부인의 요청에 따라 악수를 나누게 된 플린트와 우드는, 서로에게 위협적인 눈길을 던지며 손을 필요 이상으로 세게 잡았다.

"호루라기를 불면 바로 시작하세요." 후치 부인이 말했다. "셋…… 둘…… 하나……."

군중의 함성과 함께 열네 명의 선수들이 어둡게 내려앉은 하늘로 쏜살같이 올라갔다. 해리는 높이 날며, 스니치를 찾아 주위를 흘끗흘끗 살폈다.

"야, 번개 흉터!" 말포이가 마치 자신의 빗자루 속도를 자랑이라도 하려는 듯 해리의 밑으로 날아오며 소리쳤다.

해리는 그러나 대답할 시간이 없었다. 바로 그 순간에, 육중한 까만 블러저가 해리를 향해 세차게 날아오고 있었던 것이다. 블러저는 해리의 머리카락을 헝클어뜨리며 옆으로 살짝 스쳐 지나갔다.

"아슬아슬했어, 해리!" 조지가 그 블러저를 슬리데린 쪽으로 쳐 낼 준비를 하고 클럽을 들고 날아오며 말했다. 그러나 조지가 에이드리언 푸시 쪽으로 세게 쳐 내자마자 그 블러저가 공중에서 다시 방향을 바꿔 해리 쪽으로 세차게 날아왔다.

해리가 몸을 홱 숙여 간신히 피하자, 조지가 얼른 말포이 쪽으로 쳐 냈다. 그런데 부메랑처럼 그 블러저가 또다시 해리의 머리로 날아왔다.

해리가 경기장 맞은편으로 전속력으로 날아가자 블러저가 핑하며 뒤따라 날아오는 소리가 들렸다. 어떻게 된 거지? 블러저들은 절대로 한 선수만 공격하는 일이 없었다. 될 수 있는 대로 많은 사람을 빗자루에서 떨어뜨리는 게 블러저의 임무였기 때문이다…….

프레드 위즐리는 맞은편에서 블러저를 기다리고 있었다. 그리고 해리가 머리를 숙이는 순간 온 힘을 다해 쳐 냈다. 블러저가 방향을 바꿔 날아갔다.

"해냈다!" 프레드가 기뻐서 소리쳤다. 하지만 그건 잘못된 생각이었다. 그 블러저는 꼭 자석에 끌리고 있기라도 한 듯 또다시 해리에게로 세차게 날아왔으므로 해리는 빗자루를 전속력으로 몰았다.

비가 내리고 있었다. 커다란 빗방울들이 얼굴로 떨어져 안경으로 튀었다. 해리는 리 조던이 경기 해설 중에 "슬리데린이 60 대 0으로 리드하고 있습니다"라고 하는 말을 듣고서야 비로소 경기 상황이 어떻게 돌아가는 건지 알았다.

더 고급인 슬리데린의 빗자루가 그 값을 톡톡히 하는 사이, 저 미친 블러저는 해리를 치려고 안간힘을 쓰고 있었다. 이제는 프레드와 조지가 양쪽에서 바짝 붙어 날고 있어서 그들이 휘둘러 대는 팔 말고는 아무것도 보이지 않았으므로, 해리는 도저히 스니치를 찾을 수가 없었다.

"누군가가…… 이 블러저에…… 손을…… 댄 게 분명해……." 블러저가 해리를 또다시 공격하기 시작하자 프레드가 전력을 다해 클럽을 휘두르며 툴툴거렸다.

"타임아웃이 필요해." 조지가 우드에게 신호를 보내고 블러저를 쳐 내며 말했다.

우드가 그 메시지를 받았는지, 잠시 뒤 후치 부인의 호루라기가 울렸다. 해리와 프레드와 조지가 그 미친 블러저를 피해 지상으로 급강하했다.

군중 속에서 슬리데린들이 야유하는 소리가 들렸다.

"어떻게 된 거니?" 그리핀도르 팀이 다 모이자 우드가 물었다. "왜들 다 김이 빠진 거야? 프레드, 조지, 너희는 블러저가 안젤리나의 득점을 방해하는 동안 도대체 어디에 있었던 거니?"

"우린 조금 더 위에서, 해리를 죽이려고 하는 다른 블러저를 막고 있었어, 올리버." 조지가 화가 나서 말했다. "누군가가 그 공에 조작을 해 두었어. 그게 해리를 계속 쫓아다니며 공격했단 말이야. 슬리데린 애들이 그 공에 무슨 짓을 한 게 틀림없어."

"하지만 블러저는 우리가 지난번 연습한 이후 죽 후치 부인의 사무실에 있었어. 그리고 그땐 전혀 이상 없었잖아……." 우드가 걱정스럽게 말했다.

후치 부인이 저쪽에서 걸어오고 있었다. 그녀의 어깨 너머로, 슬리데린 팀이 해리가 있는 쪽을 가리키며 비웃는 게 보였다.

"잘 들어." 후치 부인이 점점 더 가까이 오자 해리가 말했다. "형들이 내 주위에서 계속 날아다닌다면 내가 스니치를 잡을 수 있는 길은 거의 없다고 봐야 해. 그러니까 그 악당은 내게 맡기고 다른 선수들이 있는 곳으로 돌아가."

"바보처럼 굴지 마." 프레드가 말했다. "그랬다간 네 머리가 날아가 버릴 거야."

우드가 해리와 위즐리 형제를 번갈아 보고 있었다.

"올리버, 이건 미친 짓이야." 앨리샤 스피넷이 성난 목소리로 말했다. "해리가 혼자서 처리하도록 놔둬선 안 돼. 조사를 요청해 보자……."

"만약 여기서 그만두면, 우린 시합을 할 권리를 잃게 돼!" 해리가 말했다. "그리고 저 미친 블러저 때문에 슬리데린에게 질 수는 없어! 어서, 주장, 형들에게 날 내버려 두라고 해!"

"다 너 때문이야." 조지가 우드에게 화를 내며 말했다. "'스니치를 잡든지 그렇지 않으면 죽을 각오를 하라'니. 해리에게 어떻게 그런 심한 말을 할 수 있어?"

후치 부인이 그들에게로 왔다.

"경기를 다시 시작할 준비가 됐니?" 그녀가 우드에게 물었다.

우드는 해리의 얼굴에 나타난 결연한 표정을 보았다.

"좋아." 그가 말했다. "프레드, 조지, 너희는 해리가 말한 대로 해……. 해리가 혼자서 블러저를 처리하도록 내버려 두라는 소리야."

빗줄기는 이제 더 굵어지고 있었다. 후치 부인의 호루라기 소리가 울리기 무섭게, 해리는 공중으로 세게 박차고 날아갔다. 날아오르자마자, 예상했던 대로 바로 뒤에서 휙 하며 블러저가 날아오는 소리가 들렸다. 해리는 점점 더 높이 올라갔다. 그는 공중제비를 하다가 급속히 내려오기도 하고, 나선형을 그리며 돌기도 하고, 지그재그 모양으로 날기도 하고, 데굴데굴 구르기도 했다. 현기증이 났지만, 해리는 계속해서 눈을 부릅뜨고 스니치를 찾았다. 빗물이 안경을 타고 흘러내렸다. 또 한 번은, 맹렬히 질주해 오는 블러저를 피해 거꾸로 매달리자 빗물이 콧구멍 속으로 흘러 들어갔다. 군중 속에서 터져 나오는 웃음소리가 들렸다. 그의 모습이 얼마나 멍청해 보였을까. 하지만 해리는 악당 블러저는 무거워서 해리만큼 빨리 방향을 바꿀 수 없다는 걸 알았다. 그는 스타디움 언저리에서 곡예를 부리며, 주룩주룩 내리는 은빛 빗줄기 사이로 그리핀도르의 골대를 흘끗 보았다. 에이드리언 푸시가 우드를 지나가려고 애쓰고 있었다…….

블러저가 휙 하며 다시 한 번 해리를 스치고 지나갔다. 해리는 곧바로 몸을 돌려 반대 방향으로 질주했다.

"너 발레 연습하니, 포터?" 해리가 블러저를 피하기 위해 몸을 휙 비틀어 돌리자 말포이가 우습다는 듯 이렇게 소리쳤다. 하지만 바로 뒤에서 블러저가 추격해 오는 걸 보자, 말포이는 얼른 달아났다. 바로 그때, 말포이를 노려보던 해리의 눈에 무언가가 보였다······. 황금빛 스니치였다. 그것은 말포이의 왼쪽 귀 바로 위에서 맴돌고 있었다······. 하지만 말포이는 해리를 비웃는 데 정신이 팔려 전혀 모르고 있었다.

해리는 말포이가 고개를 들어 스니치를 볼 경우를 생각해 그쪽으로 감히 속도를 내지 못하고, 잠시 공중에 떠 있었다.

쾅!

해리가 가만히 멈춰 있은 지 채 1초도 되지 않았을 때 블러저가 마침내 그의 팔꿈치를 세게 치고 지나갔다. 해리는 팔이 부러지는 걸 느꼈다. 심한 통증 때문에 정신이 몽롱해지면서, 몸이 빗물에 흠뻑 젖은 빗자루 옆으로 스르르 미끄러졌다. 한쪽 무릎은 여전히 빗자루에 걸쳐 있었고, 오른팔은 옆으로 축 늘어져 있었다······. 블러저가 이번에는 그의 얼굴을 겨냥하며 두 번째 공격을 시도했다······. 그런데 간신히 벗어났을 때, 문득 좋은 생각이 떠올랐다. *말포이를 잡자.*

쏟아지는 빗줄기와 통증으로 앞도 잘 보이지 않는 상황에서, 그는 바로 밑에서 희미하게 흔들리는 비웃는 얼굴을 향해 돌진했다. 해리가 자신을 공격하는 것이라고 생각했는지 말포이의 눈이 공포로 점점 더 커졌다.

"저게 뭐 하는 거야……." 그가 해리를 피해 얼른 몸을 숙였다.

해리는 다치지 않은 한 손을 빗자루에서 떼고 스니치 쪽으로 쭉 뻗었다. 손가락들이 차가운 스니치에 닿는 게 느껴졌다. 하지만 이제 빗자루를 잡는 건 양다리뿐이었다. 해리가 의식을 잃지 않으려고 애쓰면서, 그 상태로 지상으로 곧장 향하자 아래 군중 속에서 고함이 터져 나왔다.

마침내 해리는 철벅 하며 흙탕물을 치고 빗자루에서 굴러 떨어졌다. 팔이 매우 이상한 각도로 매달려 있었다. 통증 때문인지, 휘파람 소리와 우레 같은 환호 소리가 아득하게만 들렸다. 그는 손에 쥐어져 있는 스니치를 보았다.

"아하." 해리는 의식이 가물가물한 상태에서 중얼거렸다. "이 겼다."

그러고는 기절해 버렸다.

다시 정신을 차렸을 때, 그는 여전히 경기장에서 비를 맞고 누워 있었다. 누군가가 그에게로 허리를 굽혔다. 그는 번득이는 이빨을 보았다.

"아, 안 돼요." 해리가 신음하며 말했다.

"아직 제정신이 아니군." 걱정스러운 표정으로 주위로 몰려드는 그리핀도르 학생들에게 록허트가 큰 소리로 말했다. "걱정 마라, 해리. 네 팔을 막 고쳐 주려던 참이란다."

"안 돼요!" 해리가 말했다. "감사하지만 전 그냥 이대로 있겠어요⋯⋯."

해리는 일어서 앉으려고 했지만, 통증이 너무 심했다. 근처에서 어디선가 많이 들어 본 찰칵거리는 소리가 났다.

"난 이런 사진은 찍고 싶지 않아, 콜린." 그가 큰 소리로 말했다.

"등을 대고 누워라, 해리." 록허트가 달래며 말했다. "이건 내가 수없이 해 봤던 간단한 주문이야⋯⋯."

"그냥 병동으로 가면 안 될까요?" 해리가 악다문 이 사이로 말했다.

"그러는 게 좋겠는데요, 교수님." 진흙투성이가 된 우드가 자기 팀의 수색꾼이 부상을 당했는데도 싱글거리는 걸 참지 못하고 말했다. "멋지게 잡았어, 해리. 정말로 굉장했어, 최고였다고⋯⋯."

주위에 뒤엉켜 있는 다리들 사이에서, 악당 블러저를 상자 안으로 힘겹게 밀어 넣고 있는 프레드와 조지 위즐리 형제가 보였다. 그것은 여전히 드세게 날뛰고 있었다.

"뒤로 물러서라." 록허트가 옥빛 초록색 소매를 둘둘 말아 올리며 말했다.

"아니⋯⋯ 하지 마세⋯⋯." 해리가 가냘프게 말했지만, 록허트는 어느새 요술지팡이를 빙빙 돌리다가 해리의 팔에다 갖다 댔다.

이상하게 불쾌한 느낌이 어깨에서부터 손끝까지 쫙 퍼졌다. 마치 팔이 오그라드는 것 같았다. 그는 차마 바라볼 수가 없어 눈을 감고 팔에서 얼굴을 돌렸다. 하지만 사람들의 긴박한 숨소리와 콜린 크리비가 미친 듯이 눌러 대는 카메라 셔터 소리를 듣자 더 할 수 없이 두려운 생각이 들었다.

팔은 더 이상 아프지 않았다……. 아니 전혀 팔처럼 느껴지지 않았다.

"아." 록허트가 말했다. "그래, 뭐랄까, 때로 이런 일이 일어날 수도 있지. 하지만 요점은 더 이상 뼈가 부러지는 일이 없을 거라는 거야. 바로 그걸 명심해야 해. 자, 해리, 이제 일어서서 병동으로 가거라……. 아, 위즐리 군, 그레인저 양, 해리와 동행해 주겠니? 폼프리 부인이…… 어…… 약간…… 어…… 치료를 마무리해 주실 거야."

일어섰을 때, 해리는 몸이 이상하게 한쪽으로 기울어지는 걸 느꼈다. 심호흡을 한번 한 뒤 그는 오른쪽 옆구리를 내려다보았다. 그는 하마터면 다시 기절할 뻔했다.

살 색깔의 두꺼운 고무장갑 같은 게 망토 자락 밖으로 삐죽이 나와 있었다. 그는 손가락을 움직여 보려고 했다. 하지만 허사였다.

록허트는 부러진 해리의 팔뼈를 붙였던 게 아니었다. 그는 뼈를 없애 버렸던 것이다.

폼프리 부인은 전혀 반가워하지 않았다.

"나한테 바로 왔었어야지!" 30분쯤 전만 해도 잘 움직이던 팔이 비참하게 축 처진 꼴을 보자, 그녀가 마구 야단을 쳤다. "부러진 뼈를 고치는 거라면 순식간에 해결되지만…… 뼈를 다시 자라게 하는 건……."

"할 수 있으시겠죠, 그렇죠?" 해리가 절망적으로 물었다.

"할 수는 있지, 물론. 하지만 좀 아플 게다." 폼프리 부인이 해리에게 잠옷을 던지며 으스스하게 말했다. "오늘 밤에는 병동에 있어야겠구나……."

헤르미온느는 론이 해리를 도와 잠옷을 입히는 동안, 침대에 드리워진 커튼 밖에서 기다렸다. 고무 같은, 뼈가 없는 팔을 소매 속으로 쑤셔 넣는 건 쉬운 일이 아니었다.

"넌 어떻게 된 애가 이런 상황에서도 록허트를 두둔할 수 있니, 헤르미온느, 어?" 론이 해리의 흐물흐물한 손가락들을 소매 끝동으로 빼내며 커튼을 통해 소리쳤다. "그는 적어도 해리가 뼈를 붙이고 싶어 하는지 뼈를 발라내고 싶어 하는지 정도는 물어봤어야 하는 거 아니니?"

"실수는 누구나 할 수 있어." 헤르미온느가 말했다. "그리고 이제는 아프지도 않잖아. 그렇지, 해리?"

"응." 해리가 침대 속으로 들어가며 말했다. "하지만 아프지만 않은 게 아니라 아무 느낌도 없어."

그가 침대 위에서 몸을 돌리자, 팔이 제멋대로 흐느적거렸다.

헤르미온느와 폼프리 부인이 다시 커튼 안으로 들어왔다. 폼프리 부인은 '스켈레-그로'라는 꼬리표가 붙은 커다란 병을 들고 있었다.

"오늘 밤에 병동에 있어야 하는 건 혹시 밤사이 통증이 심해질까 봐 그런 거란다." 그녀가 비커 같은 컵에 김이 모락모락 나는 약을 따라 주며 말했다. "뼈를 다시 자라나게 하는 건 굉장히 아프거든."

스켈레-그로를 마시자 입과 목이 얼얼했으므로 해리는 계속해서 기침하며 푸푸거렸다. 폼프리 부인이 위험한 스포츠와 선생들의 터무니없는 행동에 대해 불평불만을 늘어놓으면서 나가자, 론과 헤르미온느가 해리에게 마실 물을 조금 주었다.

"하지만 우리가 이겼어." 론이 입이 찢어져라 웃으며 말했다. "정말 굉장히 멋지게 잡았어. 말포이의 얼굴 못 봤지? 녀석은 완전히 사색이 됐어……."

"그런데 말포이는 블러저를 어떻게 조작한 걸까?" 헤르미온느가 어두운 표정으로 말했다.

"폴리주스를 만들게 되면 녀석에게 물어볼 게 또 하나 생긴 거지 뭐." 해리가 다시 베개를 베고 누우며 말했다. "맛이나 좀 좋았으면 좋겠는데……."

"약 속에 슬리데린 녀석들의 몸의 일부가 들어갈 텐데, 맛이 좋을 리가 있겠어?" 론이 말했다.

바로 그 순간 병동의 문이 갑자기 확 열렸다. 그리핀도르 팀의 선수들이 온몸이 푹 젖은 채로 해리를 보러 몰려온 것이었다.

"정말 굉장했어, 해리." 조지가 말했다. "마커스 플린트가 말포이에게 소리소리 질러 대며 호통친 거 아니? 머리 바로 위에 스니치가 있었는데도 전혀 눈치채지 못했다고 말이야. 말포이가 죽상을 하고 있더군."

그들은 케이크와 과자와 호박 주스를 가져왔는데, 해리의 침대에 모여들어 멋진 파티를 시작하려는 순간, 폼프리 부인이 달려와서는 고래고래 소리를 질렀다.

"이 아이는 휴식이 필요해. 다시 자라야 할 뼈가 서른세 개나 된단 말이야! 당장 나가! **어서!**"

그래서 해리는 혼자 남게 되었다. 흐물흐물한 팔이 참을 수 없게 콕콕 쑤셔 왔다.

몇 시간 뒤, 해리는 칠흑 같은 어둠 속에서 갑자기 비명을 지르며 잠에서 깨어났다. 너무 아팠다. 팔 속에 조그만 조각들이 가득 찬 느낌이 들었다. 그는 통증 때문에 깬 것이라고 생각했다. 하지만 그게 아니었다. 온몸에 소름이 쫙 끼쳤다. 어둠 속에서 누군가가 스펀지로 그의 이마를 닦아 주고 있었다.

"저리 *가!*" 해리가 큰 소리로 말했다. "*도비!*"

테니스공만 한 그 꼬마요정의 눈이 어둠 속에서 해리를 빤히 바라보고 있었다. 눈물 한 방울이 요정의 길고 뾰족한 코로 또르르 흘러내렸다.

"해리 포터는 학교로 돌아왔어요." 그가 불쌍하게 속삭였다. "도비가 해리 포터에게 경고하고 또 경고했는데. 아, 왜 도비의 말을 듣지 않았죠? 왜 기차를 놓쳤을 때 집으로 돌아가지 않았죠?"

해리는 베개 위로 몸을 일으켜 세우며 도비의 스펀지를 밀어냈다.

"도대체 여기서 뭐 하고 있는 거야?" 그가 말했다. "그리고 내가 기차를 놓친 건 어떻게 알아?"

도비의 입술이 떨리는 걸 보자 해리는 갑자기 수상쩍은 생각이 들었다.

"바로 너였구나!" 그가 천천히 말했다. "우리가 개찰구를 지나가지 못하게 한 게 바로 너였어!"

"그래요." 도비가 고개를 세게 끄덕이자, 귀가 펄럭였다. "도비가 숨어서 해리 포터를 지켜보다가 출구를 막았어요. 하지만 도비는 그 일로 나중에 손을 다림질해야 했어요." 그가 해리에게 반창고를 붙인 열 개의 긴 손가락을 보여 주었다. "하지만 도비는 상관하지 않았어요. 왜냐하면 이제는 해리 포터가 안전하다고 생각했기 때문이에요. 그런데 도비는 해리 포터가 다른 방법으로 학교에 갈 줄은 꿈에도 생각하지 못했어요!"

그는 못생긴 머리를 가로저으며 몸을 흔들었다.

"도비는 해리 포터가 호그와트로 돌아갔다는 소리를 듣고 어찌나 충격받았던지, 그만 주인의 저녁 식사를 새카맣게 태우고 말았어요! 도비는 매를 얼마나 많이 맞았는지 몰라요……."

해리는 다시 베개 위로 무너지듯이 누웠다.

"너 때문에 론과 난 하마터면 학교에서 쫓겨날 뻔했어." 그가 사납게 말했다. "내 뼈가 다시 자라기 전에 냉큼 꺼져 버리는 게 좋을 거야, 도비. 그렇지 않았다간 너의 목을 비틀어 버릴지도 몰라."

도비가 힘없이 미소를 지었다.

"도비는 죽어 버리겠다는 위협은 하나도 무섭지 않아요. 그런 위협은 집에서도 하루에 대여섯 번씩 당하니까요."

그가 입은 더러운 베갯잇 한쪽 귀퉁이에다 코를 팽 푸는 모습이 어찌나 애처롭던지 해리는 저도 모르게 화가 풀리는 걸 느꼈다.

"그런데 왜 그런 걸 입은 거니, 도비?" 그가 궁금해서 물었다.

"이거요?" 도비가 베갯잇을 잡아당기며 말했다. "이건 집 요정이 노예 상태라는 표시예요. 도비는 주인에게 옷을 선물로 받을 때에만 비로소 자유로워질 수 있어요. 하지만 제 주인은 도비에게 양말 한 짝도 주지 않아요. 도비가 영원히 자유로운 몸이 되어 그들의 집을 떠날까 봐 말예요."

그런데 도비가 툭 불거진 눈을 훔치며 불쑥 이렇게 말했다. "해리 포터는 집으로 가야만 해요! 도비는 도비의 악당 블러저라면 될 거라고 생각했어요…….”

“*네* 블러저라고?” 해리가 한 번 더 화가 치밀어 올라서 말했다. “무슨 말이야, *네* 블러저라니? 그럼 블러저가 날 죽이도록 한 게 바로 *너였단* 말이야?”

“죽이려는 건 아니었어요, 절대로 해리를 죽이려고 하지는 않았어요!” 도비가 충격을 받고 말했다. “도비는 해리 포터의 생명을 구하고 싶어요! 여기에 남아 있는 것보다는, 심한 부상을 입더라도 차라리 집으로 돌아가는 게 나아요! 도비는 그저 해리 포터가 집으로 돌아갈 정도로만 다치길 바랐을 뿐이에요!”

“그게 다야?” 해리가 화가 나서 말했다. “도대체 *왜* 날 산산조각내어 집으로 돌려보내려고 한 거지?”

“아아, 해리 포터는 왜 모르는 걸까요!” 도비가 누더기 같은 베갯잇 위로 더 많은 눈물을 뚝뚝 흘리며 신음했다. “우리에게, 천하디천한 우리 노예들에게, 마법의 세계에서 쓰레기 같은 존재인 우리들에게 해리 포터라는 존재가 어떤 의미인지를 말예요! 도비는 이름을 말해서는 안 되는 그자의 힘이 온 세상을 짓누르고 있을 때를 생생히 기억해요! 우리 같은 꼬마 집요정들은 기생충처럼 취급당했어요! 물론, 도비는 아직도 그렇게 취급받고 있지만요.” 그가 베갯잇에 얼굴을 닦았다. “하지만 당신이 이름을 말해서는 안 되는 그자를 물리친 이후 우리들의 삶이 얼마나 나아졌는지 몰라요. 해리 포터는 살아남았고, 어둠의 마왕의 힘은 파괴되었고, 새로운 새벽이 밝아 왔어요. 어둠의 시절이 결코 끝나지 않을 거라고 생각했던 우리들에게 해리 포터는 희망의 등대처럼 빛났어요……. 그런데 지금, 호그와트에서는 끔찍한 일이 일어나려고 해요, 어쩌면 이미 일어나고 있는지도 몰라요. 그래서 도비는 해리 포터가 이곳에 머물도록 내버려 둘 수 없는 거예요. 과거와 같은 일이 또 일어나려고 하고 있단 말이에요. 비밀의 방이 한 번 더 열린 이상……."

공포에 질려서 꼼짝 않고 서 있던 도비가 느닷없이 해리의 머리 맡 탁자에서 물주전자를 잡고 자신의 머리를 쾅쾅 치더니 비틀거리며 쓰러져 버렸다. 잠시 뒤, 그는 모들뜨기 눈을 하고 다시 침대 위로 기어 올라와 투덜거렸다. "나쁜 도비, 아주 나쁜 도비……."

"그러니까 비밀의 방이 *있긴* 있다는 거지?" 해리가 속삭였다. "그리고…… 그게 *전에도* 열렸었다는 말이지? 말해 봐, 도비!"

도비의 손이 또다시 물주전자 쪽으로 조금씩 움직이려 하자, 해리가 얼른 꼬마 집요정의 앙상한 손목을 잡았다. "하지만 난 머글 태생도 아니야……. 난 비밀의 방이 열렸다고 해서 위험에 처할 아무런 이유가 없잖아?"

"아아, 더 이상은 묻지 마세요. 불쌍한 도비에게 더 이상은 묻지 마세요." 꼬마 집요정이 어둠 속에서 눈을 동그랗게 뜨며 말을 더듬었다. "이곳에서 일어날 일들은 진작부터 다 계획되어 있었어요. 해리 포터는 그런 일이 일어날 때 이곳에 있어선 안 돼요…… 집으로 가세요, 해리 포터. 집으로 가요. 해리 포터는 이 일에 관여하면 안 돼요, 그건 너무 위험해요……."

"그게 누구지, 도비?" 해리는 도비가 물주전자로 다시 자학 행위를 하지 않도록 그의 손목을 꼭 잡고 있었다. "누가 그걸 열었지? 지난번에 그걸 연 게 누구냐고?"

"도비는 말할 수 없어요, 도비는 말할 수 없어요, 도비는 말해선 안 돼요!" 그 작은 요정이 우는 소리로 말했다. "집으로 가요, 해리 포터. 집으로 가요!"

"난 어디에도 가지 않을 거야!" 해리가 단호하게 말했다. "내 가장 친한 친구 중 하나가 머글 태생이야. 만약 그 방이 정말로 열렸다면 그 애가 첫 번째 희생자가 될 거야……."

"해리 포터가 친구들을 위해 자신의 생명을 기꺼이 내던지려 하다니!" 도비가 몹시 감동받은 나머지 무아경에 빠져 신음하듯 말했다. "너무 고결해요! 너무 훌륭해요! 하지만 그는 자신을 구해야만 해요. 그래야 해요. 해리 포터는……."

도비가 갑자기 박쥐 같은 귀를 떨며 얼어붙은 듯 꼼짝하지 않았다. 해리는 어떤 소리를 들었다. 바깥 복도에서 급히 움직이는 발소리가 났다.

"도비는 가야 해요!" 그 작은 요정이 겁에 질린 듯 속삭이며 말했다. 그리고 지끈 하며 커다란 소리가 나더니 도비가 어느새 사라지고 없었다.

발소리가 점점 더 가까이 다가오자, 해리는 어두운 병동 입구를 바라보며 다시 침대에 누웠다.

잠시 뒤, 덤블도어 교수가 잠옷 위에 긴 양모 가운을 입은 모습으로 뒷걸음질하며 병동 안으로 들어왔다. 그는 조각상처럼 보이는 뻣뻣한 물체의 한쪽 끝을 잡고 있었고, 조금 뒤 그 발 부분을 잡은 맥고나걸 교수의 모습이 나타났다. 그들은 그것을 침대 위로 들어 올렸다.

"폼프리 부인에게 연락해요." 덤블도어 교수가 속삭이자, 맥고나걸 교수가 허둥지둥 해리의 침대를 지나 사라졌다. 해리는 잠든 척하며 조용히 누워 있었다. 다급한 목소리가 들리더니, 맥고나걸 교수와 잠옷 위에 스웨터를 걸친 폼프리 부인이 함께 나타났다.

"무슨 일이에요?" 폼프리 부인이 침대 위에 있는 그 조각상에 허리를 굽히는 덤블도어 교수에게 작은 소리로 물었다.

"습격이 또 있었소." 덤블도어 교수가 말했다. "맥고나걸 교수가 계단에서 발견했어요."

"이 아이 옆에는 포도 한 송이가 있었어요." 맥고나걸 교수가 말했다. "이 아이는 포터를 찾아오려고 이곳으로 몰래 숨어들려고 했던 것 같아요."

해리는 가슴이 철렁 내려앉았다. 그는 침대에 있는 조각상 같은 것을 보려고 천천히 그리고 조심스럽게 몸을 일으켰다. 그것의 멍한 얼굴에 달빛이 어렸다.

그건 콜린 크리비였다. 그의 눈은 크게 뜨여 있었고, 앞으로 쑥 내민 손엔 카메라가 들려 있었다.

"돌처럼 굳어졌나요?" 폼프리 부인이 속삭였다.

"그래요." 맥고나걸 교수가 말했다. "생각만 해도 소름 끼쳐요······. 만일 알버스가 코코아를 마시러 아래층으로 가던 길이 아니었다면······ 어떤 일이 일어났는지 누가 알겠어요······."

그들 셋이 콜린을 내려다보았다. 그 뒤 덤블도어 교수가 허리를 굽혀 콜린의 뻣뻣한 손에서 카메라를 비틀어 뺐다.

"이 애가 습격자의 사진을 찍지 않았을까요?" 맥고나걸 교수가 희망을 가지고 말했다.

덤블도어 교수는 아무 말도 하지 않고 카메라의 뒷부분을 열었다.

"어머나!" 폼프리 부인이 말했다.

카메라에서 쉬쉬 하며 연기가 새어 나왔다. 사이에 침대를 세 개나 두고 있는데도 해리는 플라스틱이 탄 특유의 냄새를 맡을 수 있었다.

"녹아 버렸어요." 폼프리 부인이 이상한 듯이 말했다. "완전히 녹았어요······."

"이게 무슨 의미일까요, 알버스?" 맥고나걸 교수가 다급하게 물었다.

"그건……." 덤블도어 교수가 말했다. "비밀의 방이 정말로 다시 열렸다는 뜻이에요."

폼프리 부인이 손을 입에다 갖다 댔다. 맥고나걸 교수는 덤블도어 교수를 빤히 바라보았다.

"하지만, 알버스…… 그게…… *누구죠?*"

"문제는 누구냐가 아니에요." 덤블도어 교수가 콜린을 바라보며 말했다. "문제는 *어떻게*……."

그러나 맥고나걸 교수의 공허한 얼굴로 판단하건대, 그녀도 해리가 아는 정도밖에 이해하지 못하는 것 같았다.

제 **11** 장

결투 클럽

해리는 일요일 아침에야 잠에서 깨어났다. 병동 안으로 겨울
햇볕이 따뜻하게 들어오고 있었다. 팔에 뼈대가 다시 생기기는
했지만 굉장히 뻑뻑했다.

그는 얼른 일어나 앉아 콜린이 누워 있던 침대 쪽을 슬쩍 보았
지만 전날 오후에 커튼을 새로 달아 놓았는지 보이지 않았다. 그
가 깬 것을 보자, 폼프리 부인이 부산스럽게 아침 식사 쟁반을 들
고 와서는 팔과 손가락들을 구부려 보기도 하고 쭉쭉 잡아당겨
보기도 했다.

"뼈들이 모두 제자리로 들어갔군." 해리가 왼손으로 서툴게 포
리지를 먹고 있을 때 그녀가 말했다. "다 먹으면 여기서 나가도
된다."

해리는 론과 헤르미온느에게 콜린과 도비에 대해 조금이라도 빨리 말해 주고 싶은 마음에 옷을 주섬주섬 챙겨 입고 허둥지둥 그리핀도르 탑으로 달려갔다. 하지만 그들은 그곳에 없었다. 그들의 무관심이 서운하긴 했지만 해리는 그들을 찾아 나서기로 했다.

도서관 옆을 지나려는데, 퍼시 위즐리가 지난번보다 훨씬 더 활기찬 표정으로 걸어왔다.

"오, 안녕, 해리." 그가 말했다. "어제는 정말 멋졌어. 정말로 훌륭했어. 그리핀도르 기숙사가 선두로 나섰어―네가 50점을 얻었거든!"

"론과 헤르미온느 못 봤어요?" 해리가 물었다.

"아니, 못 봤는데." 퍼시가 미소를 거두며 말했다. "론이 또 여자 화장실에 가지나 않았으면 좋겠는데 말이야……."

해리는 억지로 웃어 보이고는, 퍼시가 저만치 걸어갈 때까지 지켜본 뒤, 곧장 모우닝 머틀의 화장실로 향했다. 퍼시의 말대로 그곳에 있을 것 같았기 때문이다. 그러나 만일 그렇다 해도 론과 헤르미온느가 왜 그곳에 다시 간 건지 알 수가 없었다. 해리는 주위에 혹시 필치나 반장들이 없는지 잘 확인한 뒤, 문을 열고 화장실 안으로 들어갔다. 어느 칸에선가 론과 헤르미온느의 목소리가 흘러나왔다.

"나야." 해리가 문을 닫으며 말했다. 화장실 안에서 놀라는 소리와 함께 쾅, 철벅철벅 하는 소리가 나더니 헤르미온느가 열쇠

구멍으로 내다보았다.

"*해리!* 난 또 누구라고, 깜짝 놀랐잖아……. 들어와. 팔은 어때?"

"괜찮아." 해리가 화장실 안으로 비집고 들어가며 말했다. 변기 위에는 낡은 냄비 하나가 놓여 있었는데, 밑에서 딱딱거리는 소리가 나는 것으로 보아 변기 안에 불을 피워 둔 것 같았다. 헤르미온느는 언제 어디서나 불을 잘 피웠다.

"널 만나러 가지 못해서 미안해. 하지만 폴리주스 약을 만드는 게 더 시급하다는 생각이 들었어." 해리가 어렵게 화장실 문을 다시 잠그자 론이 설명했다. "그리고 작업을 하기엔 이곳이 가장 안전할 것 같아."

해리가 콜린에 대해 말하려는데, 헤르미온느가 끼어들었다.

"우린 이미 알고 있어……. 맥고나걸 교수가 오늘 아침에 플리트윅 교수에게 하는 말을 들었거든. 약을 빨리 만드는 게 좋겠다고 결정한 건 바로 그것 때문이었어……."

"하루라도 빨리 변신해서 말포이의 고백을 받아 내는 게 좋잖아." 론이 자신만만하게 말했다. "내 생각엔 말이야, 그 녀석이 퀴디치 시합에서 지니까 화풀이를 콜린에게 한 것 같아."

"말할 게 또 있어." 헤르미온느가 마디풀 다발을 뜯어 약물 속으로 던져 넣는 걸 지켜보며 해리가 말했다. "한밤중에 도비가 왔었어."

론과 헤르미온느가 놀라서 고개를 들었다. 해리는 그들에게 도비가 했던 말을 설명까지 곁들여서 몽땅 해 주었다. 헤르미온느와 론은 입을 떡 벌린 채 조용히 듣고만 있었다.

"비밀의 방이 *전에도* 열린 적이 있단 말이야?" 헤르미온느가 말했다.

"그러면 답은 분명하군." 론이 의기양양한 목소리로 말했다. "루시우스 말포이가 학교 다닐 때 그 방을 열었던 게 틀림없어. 그리고 이제 아들 드레이코에게 그것을 여는 방법을 말해 준 거야. 하지만 도비가 그 안에 어떤 종류의 괴물이 있는지 말해 주었더라면 좋았을걸. 그런데 그 괴물이 학교를 몰래 돌아다니는 걸 어떻게 아무도 눈치채지 못했을까?"

"모습이 보이지 않게 할 수 있을지도 몰라." 헤르미온느가 거머리를 냄비 바닥에 대고 누르며 말했다. "아니면 변장할 수 있다던가. 갑옷이나 뭐 그런 것으로 말이야……. '카멜레온 굴 귀신'에 대해서 읽은 적이 있거든……."

"넌 책을 너무 많이 읽었어, 헤르미온느." 론이 죽은 풀잠자리들을 거머리 위에 쏟아부으며 말했다. 그는 빈 풀잠자리 봉지를 팡 터트리고 해리를 바라보았다.

"그러니까 우리가 기차를 타지 못하게 막은 것도, 네 팔을 부러뜨린 것도 다 도비 짓이란 말이지……." 그가 고개를 가로저었다. "너 이거 아니, 해리? 그 도비인지 뭔지 하는 요정이 너의 생명을 구하려고 하는 짓을 당장 그만두지 않는다면 잘못하다간 넌 진짜 죽게 될지도 몰라."

콜린 크리비가 습격을 받아서 병동에 죽은 듯이 누워 있다는 소문이 월요일 아침엔 학교 전체로 퍼져 나갔다. 무성한 소문과 의심으로 분위기가 갑자기 살벌해졌다. 1학년들은 혼자 다니다가 습격을 받을까 봐 꼭 무리를 지어 다녔다.

지니 위즐리는 마법 수업 시간에 옆에 앉던 콜린 크리비가 그렇게 되자 넋이 반쯤 나가 있었는데, 프레드와 조지는 지니를 위로한답시고 엉뚱한 장난들을 쳤다. 그들은 번갈아 가며 털이나 부스럼을 얼굴에 잔뜩 붙이고는 그녀를 놀라게 하곤 했다. 결국 위즐리 부인이 퍼시의 편지를 받고, 지니를 놀리는 일을 당장 그만두지 않으면 혼이 날 줄 알라는 경고를 하고 나서야, 프레드와 조지는 장난을 그쳤다.

그러는 사이, 학교에서는 아이들이 너나없이, 교수님들 몰래, 부적 같은 것을 사들이고 있었다. 네빌 롱바텀은 고약한 냄새가 나는 커다란 초록색 양파와 뾰족한 자줏빛 크리스털과 썩은 도롱뇽 꼬리를 샀는데, 주위 친구들이 그는 순수 마법사 혈통이기 때문에 전혀 습격받을 위험이 없다며 안심시키려 해도 아무 소용 없었다.

"스큅인 필치가 가장 먼저 희생당했잖아." 네빌이 잔뜩 겁에 질린 얼굴로 말했다. "그리고 내가 스큅이나 마찬가지라는 건 누구나 아는 사실이야."

12월 둘째 주가 되자, 예전처럼 맥고나걸 교수가 크리스마스에 학교에 남아 있을 사람들의 이름을 적어 갔다. 해리와 론과 헤르미온느는 목록에 주저 없이 이름을 썼는데, 말포이 역시 남아 있을 거라는 말을 듣자 매우 수상쩍은 생각이 들었다.

안타깝게도 그 마법의 약은 반밖에 만들어지지 않았다. 약이 완성되려면 바이콘의 뿔과 오소리 가죽이 필요한데, 그것을 얻을 수 있는 곳은 오로지 스네이프 교수의 개인 창고뿐이기 때문이었다. 해리는 그러나 남몰래 스네이프 교수의 사무실을 털다가 붙잡히느니 차라리 슬리데린의 전설적인 괴물과 직접 맞서는 게 낫겠다고 생각했다.

"스네이프 교수 말이야." 목요일 오후, 다른 기숙사 아이들과 함께 듣는 마법의 약 수업 시간이 다가왔을 때 헤르미온느가 말했다. "잠깐 다른 데 신경 쓰도록 해야 해. 그때 우리 중 하나가 스네이프 교수의 개인 창고로 몰래 숨어 들어가서 필요한 걸 가져오는 거야."

해리와 론이 심각한 표정으로 그녀를 바라보았다.

"훔치는 건 내가 하는 게 나을 것 같아." 헤르미온느가 사무적인 어조로 말했다. "너희 둘은 더 이상 말썽을 피웠다가는 쫓겨날 게 뻔하지만 난 학교 규칙을 어긴 적이 별로 없잖아. 그러니까 너희는 5분 정도만 스네이프 교수의 주의를 딴 데로 돌릴 수 있도록 소란을 좀 피워 봐."

해리는 어처구니없어서 그만 웃어 버렸다. 스네이프의 마법의 약 수업 시간에 고의로 소란을 피우는 건 잠자는 용의 눈을 찌르는 것이나 마찬가지였던 것이다.

마법의 약 수업은 커다란 지하 감옥에서 이루어졌다. 오늘 수업 역시 평상시와 다름없이 딱딱하게 진행되었다. 놋쇠 저울과 각 재료가 담긴 병들이 놓여 있는 나무 책상들 사이에서 스무 개의 냄비가 김을 뿜어내고 있었다. 스네이프 교수가 김 사이로 어슬렁어슬렁 돌아다니며 그리핀도르 학생들의 실험에 대해 일일이 트집을 잡자, 슬리데린들이 고소하다는 듯 낄낄거렸다. 해리는 스네이프가 가장 좋아하는 학생인 드레이코 말포이가 아까부터 계속 툭 튀어나온 복어 같은 눈으로 자신과 론을 흘금흘금 쳐다보는 걸 알았지만, "불공평하다"는 말을 꺼내기도 전에 징계를 받게 되리라는 걸 너무나 잘 알았기 때문에 그냥 모른 체했다.

'부풀어 오르는 약'이 정상치보다 너무 묽게 만들어졌지만, 해리는 달리 어찌해 볼 생각도 하지 못했다. 지금 그의 마음은 온통 딴 데에 가 있었다. 그는 헤르미온느가 언제 신호를 보낼까에만 온 신경을 쓰고 있었으므로, 스네이프 교수가 걸음을 멈추고 그가 만든 약을 비웃는 것도 전혀 눈치채지 못했다. 스네이프 교수가 네빌에게 트집을 잡으려고 돌아섰을 때, 헤르미온느가 해리에게 눈짓을 하고는 고개를 끄덕였다.

해리는 얼른 냄비 뒤로 가서 호주머니에서 프레드의 필리버스터 불꽃놀이를 꺼내, 요술지팡이로 쿡 찔렀다. 그러자 푸푸 하며 불꽃이 튀기 시작했다. 시간이 별로 없었으므로, 해리는 얼른 그것을 고일의 냄비 속으로 톡 던져 넣었다.

그러자 고일의 약이 크게 폭발하며 아이들에게로 튀었다. 아이들이 비명을 질러 댔다. 그 냄비 맞은편에 서 있었던 말포이의 코가 풍선처럼 부풀어 오르기 시작했다. 고일은 아무것도 모르고 양손을 눈에 갖다 댔다가, 눈이 커다란 접시만 하게 팽창해 버리고 말았다. 정신을 차린 스네이프 교수는 곧 학생들을 진정시키려고 애를 썼다. 그 혼란 속에서도 해리는 헤르미온느가 살그머니 빠져나가 스네이프 교수의 창고로 들어가는 걸 보았다.

"조용히! **조용히 해!**" 스네이프 교수가 큰 소리로 말했다. "약물이 튄 사람들은 '수축하는 약'을 줄 테니 앞으로 나오세요. 대체 어떤 녀석이 이렇게 한 거야?"

해리는 말포이가 수박만 해진 코의 무게 때문에 고개를 푹 숙이고, 허둥지둥 앞으로 걸어 나가는 걸 보자 웃음이 터져 나올 것 같았다. 어떤 아이는 양팔이 곤봉처럼 굵어졌고, 또 어떤 아이는 말을 하지 못할 정도로 입술이 부풀어 올랐다. 반 아이들 거의 반 정도가 스네이프 교수의 책상 앞으로 몰려 나갔을 때, 해리는 망토 앞이 불룩해진 헤르미온느가 지하 감옥으로 다시 슬그머니 들어오는 걸 보았다.

아이들이 해독제를 마신 뒤 부풀어 오른 게 가라앉자, 스네이프 교수가 고일의 자리로 휙 날아와 냄비 속에서 까만 재만 남은 불꽃놀이를 발견하고 끄집어냈다. 주위가 갑자기 조용해졌다.

"이걸 던진 녀석이 누군지 알아내기만 하면……." 스네이프 교수가 음산한 목소리로 말했다. "반드시 퇴학시키고 말 테다."

해리는 억지로 태연한 척했지만 스네이프 교수가 계속 그를 똑바로 바라보고 있었으므로, 10분 뒤 울린 종소리가 그렇게 반가울 수가 없었다.

"그는 내가 한 짓이라는 걸 아는 게 분명해." 모우닝 머틀의 화장실로 다시 급히 들어가며 해리가 론과 헤르미온느에게 말했다. "틀림없어."

헤르미온느가 새로 구한 재료들을 냄비 속에 집어넣고 힘껏 휘젓기 시작했다.

"이제 두 주만 있으면 될 거야." 그녀가 만족스럽게 말했다.

"스네이프 교수는 네가 그랬다는 걸 입증하지 못해." 론이 해리를 안심시키며 말했다. "그가 뭘 할 수 있겠니?"

"스네이프 교수를 잘 알잖아, 좀 찜찜해." 약이 거품을 일으키며 부글부글 끓을 때 해리가 말했다.

일주일 뒤, 현관 안의 홀로 걸어가던 해리와 론과 헤르미온느는 게시판 주위에 학생들이 모여 있는 걸 보았다. 그들은 방금 게시된 양피지에 쓰인 공고문을 읽고 있었다. 시무스 피니간과 딘 토마스가 흥분한 표정으로 그들에게 손짓을 했다.

"결투 클럽이 생긴대!" 시무스가 말했다. "오늘 밤에 첫 번째 모임이 있을 거래! 결투 수업은 괜찮을 거야. 요즘 같은 날에는 여러모로 쓸모 있을 거야."

"뭐야, 그럼 그걸 들으면 슬리데린의 괴물과 결투를 할 수 있다는 거야?" 론은 이렇게 말했지만, 그 역시 공고문을 흥미롭게 읽었다.

"괜찮을 것 같은데." 저녁을 먹으러 가는 길에 론이 해리와 헤르미온느에게 말했다. "우리도 갈래?"

해리와 헤르미온느 모두 동의했으므로, 그날 저녁 8시에 그들은 다시 연회장으로 내려갔다. 긴 식탁들은 모두 치워지고, 머리 위에 둥둥 떠 있는 수천 개의 촛불로 밝혀진 황금빛 무대가 한쪽에 마련되어 있었다. 벨벳처럼 까만 천장 아래에 아이들이 하나같이 흥분한 얼굴로 지팡이를 들고 서 있었다. 전교 학생이 다 모였는지 발 디딜 틈이 없었다.

"누가 가르칠까?" 시끄럽게 떠들어 대는 아이들을 헤치고 나아가며 헤르미온느가 말했다. "플리트윅 교수가 젊었을 때 결투 챔피언이었다고 하던데……. 어쩌면 그가 가르칠지도 몰라."

"내 생각엔……." 해리가 말하려는 순간, 질데로이 록허트 교수가 눈부시게 반짝반짝 빛나는 진한 자줏빛 망토를 입고 스네이프 교수와 함께 무대 위로 걸어 올라가고 있었다. 그것을 보고 해리는 괴로운 표정을 지으며 투덜거렸다. 스네이프 교수는 평상시처럼 까만 망토를 입고 있었다.

록허트 교수가 팔을 흔들어 조용히 하라고 한 뒤, 큰 소리로 말했다. "이쪽으로 모이세요, 이쪽으로 모여요! 모두 내가 보입니까? 모두 내 말이 들립니까? 좋습니다!"

"자, 덤블도어 교수님께서 제가 이 결투 클럽을 만들 수 있도록 허락해 주셨습니다. 저 자신이 수없이 많은 어려움을 겪을 때마다 늘 그래 왔던 것처럼, 아 물론 상세한 것을 알고 싶은 사람들은 출간된 제 책들을 보면 압니다만, 어쨌든 이 클럽은 만일의 경우를 대비해 여러분이 스스로를 방어할 수 있도록 훈련시키는 모임입니다. 저를 도와주실 스네이프 교수를 소개합니다." 록허트 교수가 입이 찢어지게 미소를 지으며 말했다. "이분은 결투에 대해선 조금밖에 모르지만 수업을 시작하기 전 간단한 시범을 보일 때 기꺼이 절 도와주시겠다고 하셨습니다. 그러나 아무 걱정 마세요……. 저를 잠깐 도와주신 뒤에는 다시 마법의 약을 가르치러 가실 테니까요, 절대 두려워할 것 없어요!"

"두 사람이 서로 끝장내 버린다면 오죽이나 좋을까?" 론이 해리의 귀에 대고 투덜거렸다.

스네이프 교수의 윗입술이 비틀리고 있었다. 해리는 록허트교수가 왜 여전히 미소를 짓고 있는 건지 궁금했다. 스네이프 교수의 음산한 표정을 보았다면 누구든 달아나고 싶은 생각이 절로 들 텐데 말이다.

록허트 교수와 스네이프 교수가 서로 마주 보고 인사를 나눴다. 아니, 적어도 록허트 교수는 그럴듯하게 예의를 차렸지만, 스네이프 교수는 무뚝뚝하게 머리만 살짝 끄덕였다. 그 뒤 그들이 요술지팡이를 몸 앞으로 들어 올렸다.

"이것이 바로 결투 자세입니다." 록허트 교수가 청중을 향해 설명했다. "셋을 세자마자, 첫 번째 주문을 외울 것입니다. 물론, 지금은 치명적인 주문은 사용하지 않을 것입니다."

"정말 그럴까?" 스네이프 교수가 이를 드러내는 걸 보며 해리가 말했다.

"하나…… 둘…… 셋……."

둘 다 요술지팡이를 머리 위로 크게 휘두르고는 상대 쪽으로 갖다 댔다. 스네이프 교수가 외쳤다. "엑스펠리아르무스!" 눈부신 자줏빛 불빛이 번쩍하더니 록허트 교수가 벌렁 나가떨어졌다. 그는 뒷걸음으로 도망가다가 벽에 세게 부딪친 뒤 마룻바닥으로 주르르 미끄러져 팔다리를 뻗고 누워 버렸다.

말포이와 다른 슬리데린 몇 명이 환호를 했다. 헤르미온느는 발끝으로 서서 바라보며 중얼거렸다. "괜찮을까?"

"알게 뭐야?" 해리와 론이 동시에 말했다.

록허트 교수가 비틀거리며 일어서고 있었다. 모자는 떨어지고 구불구불하던 머리카락은 빳빳이 서 있었다.

"어…… 다들 잘 보았지요?" 그가 비틀거리며 다시 무대 위로 올라가면서 말했다. "이건 '무장 해제 마법'이었습니다. 여러분이 보신 것처럼 제가 지팡이를 놓치고 말았잖아요. 학생들에게 이런 마법을 보여 주신 건 훌륭한 아이디어였어요. 스네이프 교수, 하지만 이렇게 말해도 될지 모르겠지만, 저는 교수님의 의도를 대번에 알 수 있었답니다. 따라서 제가 마음만 먹었다면 막아 내는 건 간단했을 겁니다. 그러나 학생들에게 그 주문의 효과가 어떤 것인지 보여 주길 대단히 잘했다는 생각이 드는군요……."

스네이프 교수는 살기등등한 표정을 짓고 있었다. 분위기가 심상치 않다는 걸 눈치챘는지, 록허트 교수가 이렇게 말했다. "시범은 이만하면 충분한 것 같군요! 이제 여러분을 둘씩 짝지어 줄까 합니다. 스네이프 교수, 저 좀 도와주시겠어요?"

그들은 학생들 사이로 들어와 서로 짝을 지어 주었다. 록허트 교수가 네빌을 저스틴 핀치 플레츨리와 짝지어 주는 사이에 스네이프 교수가 해리와 론에게로 다가왔다.

"단짝을 갈라놓을 시간이 된 것 같구나." 그가 비웃으며 말했다. "위즐리, 넌 피니간하고 해라. 포터는……"

해리는 무심코 헤르미온느 쪽으로 움직였다.

"그러면 안 되지." 스네이프 교수가 차갑게 미소 지으며 말했다. "말포이 군, 이리 와요. 유명한 포터와 한번 붙어 봐야지. 그리고 그레인저…… 넌 벌스트로드와 짝짓고."

말포이가 능글맞게 웃으면서 거들먹거리며 걸어왔다. 그의 뒤에서 *아주 심술궂게* 생긴 슬리데린의 여자아이 하나가 걸어왔다. 몸집이 크고 어깨가 떡 벌어졌으며 턱이 툭 튀어나온 아이였다. 헤르미온느가 희미한 미소를 지어 보였지만 그녀는 미소를 짓지 않았다.

"다들 짝과 마주 서세요!" 록허트 교수가 다시 무대 위로 올라가 외쳤다. "그리고 상대방을 향해서 경례!"

그러나 해리와 말포이는 무뚝뚝하게 서로의 눈만 똑바로 바라보고 서 있었다.

"요술지팡이 준비!" 록허트 교수가 소리쳤다. "셋을 세면, 상대방에게 무장 해제 주문을 외우세요. 그저 무장 해제만 시키는 겁니다. 사고가 나지 않기를 바라기 때문입니다. 하나…… 둘…… 셋!"

해리가 요술지팡이를 높이 휘두르려는 순간, 말포이가 규칙을 어기고 '둘'에서 주문을 외워 버렸다. 해리는 마치 냄비로 머리를 얻어맞은 것 같은 기분이 들었다. 그러나 그는 비틀거리면서도 더 이상 지체하지 않고, 요술지팡이를 곧장 말포이한테 갖다 대고 외쳤다. "릭투셈프라!"

은빛 빛줄기가 말포이의 복부를 치자 그가 씨근거리며 허리를 꼬부렸다.

"*무장 해제만 하라고 했잖아!*" 말포이가 무릎을 꿇고 풀썩 주저앉자, 록허트 교수가 놀라서 결투를 벌이는 아이들의 머리 위로 소리쳤다. 해리가 말포이에게 던진 주문은 '간지럼 태우기 주문'이었던 것이다. 말포이는 웃느라 거의 제정신이 아니었다. 해리는 말포이에게 다른 마법을 건 게 잘못된 일이라는 생각으로 잠시 주춤했지만, 그건 착오였다. 말포이가 숨을 헐떡이며, 요술 지팡이를 해리의 무릎에 갖다 댔다. 그리고 헐떡이는 소리로 "타란탈레그라!"라고 외치자 해리의 다리가 갑자기 정신없이 퀵스텝을 밟기 시작했다.

"그만! 그만!" 록허트 교수가 소리만 지르고 있자, 스네이프 교수가 대신 수습을 맡았다.

"피니트 인칸타템!" 그가 소리쳤다. 그러자 해리는 춤추는 걸 멈췄고, 말포이는 웃는 걸 멈췄다. 그제야 둘 다 주위를 둘러볼 수 있었다.

주위가 온통 초록빛 연기로 휩싸여 있었다. 네빌과 저스틴 모두 마룻바닥에 누워 숨을 헐떡이고 있었다. 론은 얼굴이 창백해진 시무스를 잡고, 자신의 망가진 요술지팡이가 한 짓을 사과하고 있었다. 하지만 헤르미온느와 밀리센트 벌스트로드는 여전히 결투를 벌이고 있었다. 밀리센트가 헤르미온느의 머리를 겨드랑

이에 끼고 세게 짓누르자 헤르미온느가 아파서 훌쩍이고 있었
다. 두 사람의 요술지팡이는 다 마룻바닥에서 뒹굴고 있었다. 해
리가 달려들어 밀리센트를 잡아뗐다. 그러나 그녀의 몸집이 훨
씬 더 컸으므로 쉽지가 않았다.

"이럴 수가, 이럴 수가." 록허트 교수는 결투가 벌어진 현장을
바라보며 맥없이 중얼거렸다. "넌 올라가라, 맥밀란…… 조심해
요, 포세트 양…… 꼭 쥐고 있어요. 그러면 피가 곧 멈출 거예요,
부트……."

"여러분에게 악의가 있는 주문을 막는 방법을 가르쳐 주는 게
좋을 것 같군요." 록허트 교수가 연회장 한가운데에서 어리둥절
한 채 서 있다가 말했다. 그는 두 눈을 부라리고 있는 스네이프
교수를 힐끗 쳐다보고는 얼른 눈길을 돌렸다. "지원자 한 쌍 나
오세요……. 롱바텀과 핀치 플레츨리, 너희는 어떠니?"

"그건 그다지 좋은 선택이 아닌 것 같군요, 록허트 교수." 스네
이프 교수가 커다란 박쥐처럼 휙 날아오며 말했다. "롱바텀은 가
장 간단한 주문으로도 모든 걸 엉망진창으로 만들어 놓는 아이
거든요. 그 앨 시켰다간 어떤 일이 벌어질지 아무도 예측할 수 없
어요." 불그스름한 네빌의 동그란 얼굴이 새빨갛게 변했다. "말
포이와 포터는 어떻소?" 스네이프 교수가 일그러진 미소를 지으
며 말했다.

"좋은 생각이오!" 학생들이 그들에게 공간을 만들어 주기 위

해 뒤로 물러서자, 록허트 교수는 해리와 말포이에게 연회장 한 가운데로 나오라고 손짓했다.

"자, 해리." 록허트 교수가 말했다. "드레이코가 요술지팡이를 네게 갖다 대면, 넌 *이렇게* 하는 거야."

그러면서 그는 자신의 요술지팡이를 들어 올려 복잡하게 휘두르는 동작을 시범 보이려다가 그만 떨어뜨리고 말았다. 스네이프 교수가 능글맞게 비웃자, 록허트 교수가 얼른 다시 집어 들었다. "내 지팡이가 좀 흥분했나 봅니다……."

스네이프 교수가 말포이에게로 다가가더니 그의 귀에 대고 무어라고 속삭였다. 말포이도 역시 능글맞게 웃었다. 해리가 고개를 들어 록허트 교수를 초조하게 바라보며 말했다. "교수님, 막는 방법 한 번만 더 보여 주실 수 있으세요?"

"왜, 겁나니?" 말포이가 록허트 교수가 들을 수 없도록 낮게 말했다.

"웃기지 마." 해리 역시 작은 소리로 말했다.

록허트가 해리의 어깨를 유쾌하게 쳤다. "그저 내가 했던 대로만 해라, 해리!"

"뭐라고요, 그럼 지팡이를 떨어뜨리란 말씀이세요?"

하지만 록허트는 듣고 있지 않았다.

"셋…… 둘…… 하나…… 시작!" 그가 소리쳤다.

말포이가 얼른 지팡이를 들어 올려 큰 소리로 말했다. "세르펜

소르티아!"

그러자 그의 지팡이 끝에서 폭발이 일어났다. 해리는 깜짝 놀랐다. 폭발이 일어난 지팡이 끝에서는 기다란 까만 뱀 한 마리가 튀어나와, 마룻바닥으로 툭 떨어지더니, 몸을 일으키고 공격 태세를 취했다. 아이들이 비명을 지르며 뒤로 물러나자 그 주위가 텅 비어 버렸다.

"움직이지 마라, 포터." 성난 뱀을 똑바로 바라보며 꼼짝 않고 서 있는 해리의 모습이 매우 재미있다는 듯, 스네이프 교수가 빈들빈들 웃으며 말했다. "내가 없애 주마……."

"내가 하겠소!" 록허트 교수가 소리쳤다. 그가 요술지팡이를 뱀에게 휘두르자 펑 하는 큰 소리가 났다. 그러나 뱀은 사라지기는커녕, 공중으로 3미터쯤 날아 올라갔다가 철썩하며 다시 마룻바닥으로 떨어졌다. 뱀이 화가 났는지 미친 듯이 쉭쉭거리며 저스틴 핀치 플레츨리 쪽으로 미끄러지듯 움직여 가더니, 몸을 일으켜 날카로운 이빨을 드러내고 공격 자세를 취했다.

해리는 자신이 그때 왜 그렇게 했는지, 또 그런 일을 할 생각이 있기는 있었던 것인지 도무지 알 수가 없었다. 한 가지 확실한 것은, 마치 자신이 마법에 걸리기라도 한 듯이 뱀에게로 다가가 "얌전히 있어"라고 말했다는 것뿐이었다. 그러자 놀랍게도 그 뱀은 까만색의 굵은 수도 호스처럼 온순하게 마룻바닥으로 축 늘어지더니 해리를 바라보기만 했다. 해리는 두려움이 싹 가시는 걸 느꼈다. 그는 그 뱀이 이제 아무도 공격하지 않으리라는 걸 알았지만, 그걸 어떻게 알았는지는 설명할 수 없었다.

그는 겁에 질려 있던 저스틴이 안도하거나 고마워하는 것 같은 표정을 짓고 있겠거니 하며, 씩 웃으며 쳐다보았다.

"너 지금 무슨 장난치는 거니?" 저스틴이 고함을 치더니 해리가 뭐라 말하기도 전에, 홱 돌아서서는 화를 내며 연회장 밖으로 나가 버렸다.

스네이프 교수가 앞으로 걸어 나와, 지팡이를 한 번 휘두르자, 그 뱀이 까만 연기로 사라져 버렸다. 스네이프 교수도 해리를 뜻밖의 표정으로 바라보고 있었다. 해리는 날카롭고 빈틈없는 그 표정이 마음에 들지 않았다. 사방에서 불길하게 수군대는 소리가 어렴풋이 들렸다. 그때 누군가가 그의 망토 자락을 잡아당겼다.

"어서." 해리의 귀에 론의 목소리가 들렸다. "어서 가자……."

론은 그를 연회장 밖으로 데리고 나갔다. 헤르미온느도 허둥지둥 둘을 따라 나갔다. 그들이 지나가자, 다른 학생들은 마치 어떤 전염병이 옮겨 붙기라도 할 것처럼 뒤로 슬슬 내뺐다. 해리는 무슨 영문인지 전혀 알 수 없었다. 론과 헤르미온느도 걸어가는 동안 내내 아무 설명도 해 주지 않았다. 그 뒤 텅 빈 그리핀도르 학생 휴게실로 들어가자 론이 해리를 한 안락의자로 밀치며 말했다. "*파셀마우스라니. 왜 우리에게 말하지 않았지?*"

"내가 뭐라고?" 해리가 말했다.

"파셀마우스라고!" 론이 말했다. "뱀에게 말할 수 있다는 뜻이야!"

"나도 알아." 해리가 말했다. "내 말은, 내가 그렇게 한 게 이번이 두 번째라는 거야. 언젠가 동물원에서 뜻하지 않게 보아 구렁이를 부추겨 내 사촌 두들리를 공격하게 한 적이 있었어…….
말하자면 길지만…… 그때 그 뱀이 내게 브라질에 가 본 적이 없다고 말하기도 하며 서로 이야기를 나누었었지. 그건 내가 마법사라는 걸 알기 전이었어……."

"보아 구렁이가 네게 브라질에 가 본 적이 없다고 말했다고?" 론이 들릴락 말락 한 소리로 물었다.

"그게 어떻다는 거야?" 해리가 말했다. "여기에 있는 사람들은 대부분 그렇게 할 수 있는 거 아니야?"

"아니야, 아무도 그렇게 하지 못해." 론이 말했다. "그건 그렇게 흔한 재능이 아니야. 해리, 그건 나쁜 거야."

"뭐가 나빠?" 해리는 은근히 화가 났다. "모두 왜 그러는 거야? 잘 들어, 내가 그 뱀에게 저스틴을 공격하지 말라고 말하지 않았더라면……."

"아, 그 뱀에게 바로 그렇게 말했니?"

"무슨 뜻이야? 너도 거기에 있었잖아……. 내 말을 들었을 것 아니야……."

"난 네가 뱀의 언어로 말하는 소릴 들었어." 론이 말했다. "뱀의 언어 말이야. 네가 무슨 말을 했는지는 아무도 몰라……. 저스틴이 겁에 질렸던 것도 당연해. 네 말소리는 꼭 뱀을 부추기거나 뭐 그런 것처럼 들렸어……. 소름 끼쳤다고……."

해리는 어처구니가 없는 듯 입을 벌리고 그를 바라보았다.

"내가 다른 언어로 말했다고? 하지만…… 난 깨닫지 못했어. 어떻게 나 자신도 모르는 말을 내가 할 수 있다는 거야?"

론이 고개를 설레설레 저었다. 론과 헤르미온느 모두 마치 누군가가 죽기라도 한 것 같은 표정을 짓고 있었다. 해리는 뭐가 그리 끔찍한지 이해할 수 없었다.

"뱀이 저스틴의 머리를 물어뜯지 못하게 한 게 도대체 뭐가 잘못되었다는 거니?" 그가 말했다. "저스틴이 '목이 없는 사냥꾼협회'에 들어갈 필요가 없게 되었는데 내가 어떻게 그렇게 했는지가 뭐가 그리 중요하냐고?"

"중요해." 헤르미온느가 마침내 쉰 목소리로 말했다. "왜냐하면 살라자르 슬리데린이 바로 뱀과 의사소통하는 것으로 유명했기 때문이야. 슬리데린 기숙사의 상징이 뱀인 건 바로 그 때문이지."

해리의 입이 딱 벌어졌다.

"바로 그거야." 론이 말했다. "그리고 지금쯤 모든 아이가 네가 그의 손자의 손자의 손자의 손자의 손자나 뭐 그런 관계쯤 된다고 생각할 거야……."

"하지만 난 아니야." 해리는 자신도 정확히 설명할 수 없는 막

연한 두려움에 휩싸였다.

"하지만 그건 입증하기가 어려워." 헤르미온느가 말했다. "그는 1000년 전쯤에 살았던 사람이니까 말이야. 우리가 아는 건, 그저 네가 그의 후손일지도 모른다는 것뿐이야."

해리는 그날 밤 몇 시간 동안이나 눈을 뜬 채로 침대에 누워 있었다. 창밖엔 눈발이 날리고 있었다.

'내가 정말 살라자르 슬리데린의 후손일까?' 해리는 아버지의 가족에 대해 아는 게 하나도 없었다. 더즐리 가족은 그가 마법사 친척들에 대해 물어보기만 하면 항상 질색을 하곤 했다.

해리는 조용히 뱀의 언어로 말을 해 보려 했다. 하지만 아무 소리도 나오지 않았다. 그렇게 하려면 뱀과 얼굴을 맞대고 있어야 하는 것 같았다.

'하지만 난 그리핀도르에 있어,' 해리는 생각했다. '내가 슬리데린의 피를 가졌다면 마법의 모자가 날 여기에 넣지 않았을 거야……'

'아,' 그의 머릿속에서 심술궂은 어떤 작은 목소리가 말했다. '하지만 마법의 모자는 널 슬리데린에 넣고 싶어 했어, 기억나지 않아?'

해리는 몸을 뒤척였다. 다음 날 약초학 수업 시간에 저스틴을 만나면, 뱀을 부추긴 게 아니라, 해치지 말고 가만히 있으라고

금색 머리를 길게 땋아 늘인 여자아이가 걱정스럽게 말했다.

"한나." 그 뚱보 남자애가 진지하게 말했다. "그 아이는 뱀의 말을 했어. 그 아이는 어둠의 마법사가 틀림없어. 너 좋은 마법사치고 뱀에게 말할 수 있는 사람 봤어? 사람들은 슬리데린을 파셀마우스라고 불렀어."

분명히 알아들을 수는 없었지만 몹시 투덜거리는 소리가 들렸다. 어니가 계속했다. "벽에 쓰인 말 기억나니? '후계자의 적들이여, 조심하라'라는 말 말이야. 포터는 필치와 약간 언쟁을 벌였어. 그런데 그다음에 어떤 일이 벌어졌니? 필치의 고양이가 공격받았잖아. 1학년생 크리비는 퀴디치 시합에서 포터를 화나게 했었어. 그가 진흙 바닥에 누워 있는 사진을 찍는다고 말이야. 그런데 그다음에 어떤 일이 벌어졌니? 크리비가 당했잖아."

"하지만 그렇게 착해 보이는 애가 어떻게." 한나가 믿을 수 없다는 듯 말했다. "그리고 뭐랄까, 그 아이는 **그 사람**을 사라지게 한 장본인이잖아. 그런 아이가 그렇게 나쁜 아이일 리가 없어, 그렇지 않니?"

어니가 목소리를 속삭이듯이 낮추자, 아이들이 더 가까이 모여들었으므로 해리는 좀 더 잘 듣기 위해 더 가까이 다가갔다.

"그 아이가 **그 사람**의 공격을 받고 어떻게 살아남았는지는 아무도 몰라. 더 정확하게 말하면, 그런 일이 일어났을 때 그 아이는 그저 갓난아기에 지나지 않았어. 그 애는 흔적도 없이 사라졌어야 해. 그런데 봐, 그 아이는 멀쩡히 살아남았잖아. 그런 저주에서 살아남을 수 있었다는 건 그 애가 아주 강력한 어둠의 마법사라는 증거야." 그가 목소리를 아주 낮춰 속삭이듯이 말했다. "그 사람이 애당초 그 아이를 죽이고 싶어 했던 건 어쩌면 바로 그 때문인지도 몰라. 쉽게 말하면 자신에게 필적할 만한 또 다른 어둠의 마법사를 없애 버리려 했다는 얘기지. 포터가 숨기고 있는 다른 힘들은 무엇일까?"

해리는 더 이상 알아들을 수가 없었다. 그래서 큰 소리로 목을 가다듬으며, 책꽂이 뒤에서 걸어 나왔다. 후플푸프의 아이들은 그를 보자 돌처럼 굳어 버렸다. 어니의 얼굴에서는 핏기가 사라지고 있었다.

"안녕." 해리가 말했다. "저스틴 핀치 플레츨리가 어디에 있는지 혹시 아니?"

후플푸프 아이들이 가장 우려했던 일이 확인되는 순간이었다. 그들 모두 걱정스러운 얼굴로 어니를 바라보았다.

"그 애는 왜?" 어니가 떨리는 목소리로 말했다.

"결투 클럽에서 일어난 뱀 사건 때문에 말이야. 그 애에게 정말로 어떤 일이 일어났던 건지 설명하려고." 해리가 말했다.

어니가 새하얘진 입술을 깨문 뒤, 심호흡을 했다. "우리 모두 그 자리에 있었어. 그리고 우린 그때 어떤 일이 일어났는지 다 봤어."

"그러면 내가 뱀에게 말한 뒤, 뱀이 뒤로 물러섰다는 걸 다들 알겠네?" 해리가 말했다.

"아니야." 어니는 완강히 말했지만, 그의 목소리는 떨리고 있었다. "넌 뱀에게 저스틴 쪽으로 가라고 말했어."

"난 뱀에게 그 애를 쫓아가라고 하지 않았어!" 해리의 목소리는 분노로 떨리고 있었다. "뱀은 그 앨 *건드리지도* 않았잖아!"

"하마터면 그럴 뻔했어." 어니가 말했다. "그리고 네가 엉뚱한 생각을 할까 봐 말하는데……." 그가 급히 말했다. "확인해 보면 알겠지만, 우리 가족은 위로 9대까지 모두 다 마법사야. 내 혈통은 누구보다도 순수해. 그러니까……."

"난 네가 어떤 혈통인지 관심 없어!" 해리가 사납게 말했다. "내가 왜 머글 태생을 습격하고 싶어 하겠어?"

"난 네가 함께 사는 머글들을 지독히도 싫어한다는 말을 들은 적이 있어." 어니가 얼른 말했다.

"누구든 더즐리 가족과 함께 살아 본다면 다 그렇게 될 거야." 해리가 말했다. "너도 한번 그 집에서 살아 보라고."

해리가 그렇게 말하고는 홱 돌아서서 발을 쾅쾅 구르며 도서관에서 나가는 바람에, 금박을 입힌 커다란 마법 책의 표지를 닦고 있던 핀스 부인의 따가운 눈초리를 받았다.

해리는 너무 화가 나서 자신이 어디로 가고 있는지 전혀 몰랐다. 그런데 깜박하는 사이 어느 복도로 들어섰는데, 뭔가 아주 크고 딱딱한 것에 부딪치는 바람에 그만 마룻바닥으로 벌렁 나자빠지고 말았다.

"오, 안녕, 해그리드." 해리가 위를 올려다보며 말했다.

해그리드의 얼굴은 어깨까지 덮는 큰 양털 모자로 완전히 가려져 있었지만, 두더지 가죽 코트를 입고 복도를 다 막고 서 있는 것으로 보아, 해그리드인 게 분명했다. 장갑을 낀 그의 커다란 손에 죽은 수탉이 들려 있었다.

"잘 지냈니, 해리?" 그가 털모자를 벗으며 말했다. "왜 수업에 안 들어가고?"

"휴강됐어요." 해리가 일어서며 말했다. "여기서 뭐 하고 계세요?"

해그리드가 축 처진 수탉을 들어 올렸다. "이번 학기에 벌써 두 번째야." 그가 설명했다. "여우도, 피 빨아먹는 도깨비의 짓도 아니야. 그래서 교장 선생님의 허가를 받아 닭장에 마법을 걸어 두려고 가는 참이야." 그가 눈이 묻어 희끄무레해진 눈썹을 모으고 해리를 더 주의 깊게 살폈다.

"너 정말 괜찮니? 굉장히 흥분하고 화난 것처럼 보이는데."

해리는 어니와 다른 후플푸프 아이들이 자신에 대해 말했던 것을 해그리드에게 말해 줄 기분이 아니었다.

"아무것도 아니에요." 그가 말했다. "저는 이만 가 보는 게 좋겠어요, 해그리드. 다음 시간이 변신술 수업이라 책을 가지러 가야 하거든요."

그는 마음이 온통 어니가 했던 말로 가득 차 있었지만 발걸음을 재촉했다.

"저스틴은 언젠가 우연히 자신이 머글 태생이라는 말을 포터에게 했었는데 그 이후로 계속 이런 일이 일어날까 봐 불안해했었대."

해리는 계단을 쾅쾅 밟으며 올라가 또 다른 복도로 방향을 돌렸다. 그곳은 훨씬 더 어두웠다. 꽉 닫히지 않은 창문 사이로 불어닥친 세찬 바람 때문에 횃불들이 다 꺼졌기 때문이다. 그런데 복도를 반쯤 걸어갔을 때 그는 마룻바닥에 누워 있는 뭔가에 걸려 곤두박질치며 넘어지고 말았다.

그리고 무엇에 걸려 넘어졌는지 보려고 고개를 돌리는 순간, 해리는 심장이 멎는 것 같은 아득한 느낌이 들었다.

저스틴 핀치 플레츨리가 뭔가에 충격을 받은 듯 굳은 표정으로 멍하니 천장을 바라보며, 뻣뻣하고 싸늘하게 식은 채 마룻바닥에 누워 있었다. 그것만이 아니었다. 그의 옆에는 해리가 지금까지 한번도 본 적이 없는 이상한 또 하나의 형상이 있었다.

그것은 목이 달랑달랑한 닉이었는데, 뽀얗고 투명한 진줏빛은 온데간데없고 새까맣게 그을린 채, 마룻바닥 위 20여 센티미터 정도 되는 높이에 길게 누워 미동도 하지 않고 둥둥 떠 있었다. 머리는 반쯤 떨어져 있었고 역시 저스틴처럼 충격으로 얼어붙은 표정을 짓고 있었다.

해리는 벌떡 일어섰다. 숨이 가빴고 가슴은 두방망이질했다. 그는 아무도 없는 복도 이쪽저쪽을 미친 듯이 바라보았다. 거미들이 줄지어 그 두 명으로부터 황급히 달아나는 게 보였다. 소리라고는 복도 양쪽에 있는 교실에서 들려오는 교수님들의 희미한 목소리뿐이었다.

달아나면, 아무도 해리가 이곳에 있었다는 걸 알지 못할 것이다. 그러나 해리는 이들을 이대로 여기에 누워 있게 내버려 둘 수가 없었다……. 도움을 요청해야 했다……. 그렇지만 그가 이 일과 아무런 관련이 없다는 걸 누가 믿어 줄까?

그가 전전긍긍하며 서 있을 때, 바로 옆에 있는 문이 쾅 하고 열리더니 소리의 요정 피브스가 튀어나왔다.

"이런, 꼬맹이 포터로군!" 피브스가 옆으로 급히 움직이다가 해리의 안경을 탁 치는 바람에 안경이 비뚤어졌다. "포터 뭐 하니? 포터가 왜 숨어 있……."

공중제비를 하던 피브스가 한 반쯤 돌았을 때 갑자기 멈췄다. 물구나무를 선 채, 저스틴과 목이 달랑달랑한 닉을 발견한 것이다. 피브스는 얼른 몸을 바로 하고 숨을 가득 들이마시더니, 해리가 미처 말리기도 전에 소리소리 질렀다. **"습격이에요! 습격! 습격이 또다시 일어났어요! 사람도 유령도 안전하지 못해요! 죽을 힘을 다해 달아나세요! 습겨……억!"**

쾅, 와르르, 쾅! 복도에서 문이 잇따라 활짝 열리며 사람들이 물밀듯이 쏟아져 나왔다. 한참이나 계속되는 혼란 속에서, 사람들이 저스틴을 밟고 지나가거나 목이 달랑달랑한 닉을 뚫고 지나가는 일이 벌어졌다. 교수님들이 조용히 하라고 소리칠 때 해리는 아이들이 자신을 꼼짝 못하게 벽에다 밀어붙이고 있다는 걸 알았다. 맥고나걸 교수가 변신술 수업을 받던 학생들과 함께 달려왔는데, 한 아이의 머리카락은 여전히 흑백으로 온통 줄무늬가 쳐진 채로였다. 그녀는 요술지팡이를 이용해 펑 하는 시끄러운 소리를 낸 다음, 아이들이 조용해지자 모두 교실로 돌아가라고 명령했다. 아이들이 다 교실로 들어가 버릴 때쯤 후플푸프의 학생인 어니가 숨을 헐떡이며 도착했다.

"모두 얘가 그런 거예요!" 어니가 얼굴이 새하애져서, 손가락으로 해리를 가리키며 소리쳤다.

"그만하면 됐다, 맥밀란!" 맥고나걸 교수가 날카롭게 말했다.

피브스는 머리 위에서 심술궂게 웃으며 까불까불 움직이면서 그 현장을 내려다보고 있었다. 피브스는 언제나 혼란을 좋아했다. 교수님들이 허리를 굽혀 저스틴과 목이 달랑달랑한 닉을 살피자, 피브스가 갑자기 노래를 부르기 시작했다.

오, 포터, 이 천덕꾸러기야. 오, 무슨 짓을 한 거야.
학생들을 죽이다니, 넌 그게 재미있는지 모르지만⋯⋯.

"이제 그만해, 피브스!" 맥고나걸 교수가 큰 소리로 호통치자, 피브스가 해리에게 혓바닥을 쏙 내밀고는 뒤로 붕 날아가 사라져 버렸다.

저스틴은 플리트윅 교수와 천문학과의 시니스트라 교수가 병동으로 옮겼지만, 목이 달랑달랑한 닉은 어떻게 해야 할지 아무도 모르는 것 같았다. 결국, 맥고나걸 교수는 마법으로 허공에서 커다란 부채를 하나 만들어 내더니, 그것을 어니에게 주며 목이 달랑달랑한 닉을 계단 위로 둥둥 떠가게 하라고 지시했다. 어니는 그녀가 시키는 대로 했다. 이렇게 되자 이제 해리와 맥고나걸 교수만 남게 되었다.

"이쪽으로 와라, 포터." 그녀가 말했다.

"교수님." 해리가 즉시 말했다. "저는 맹세코 아무 짓도 하지 않았어요······."

"이 일은 내 소관 밖이다, 포터." 맥고나걸 교수가 퉁명스럽게 말했다.

그들은 말없이 복도 끝의 모퉁이를 돌아가 커다랗고 굉장히 이상하게 생긴 이무기 석상(성문 등에 빗물이 흘러내리게 하기 위해 난간에 끼우는, 이무기 머리 모양의 돌홈—옮긴이) 앞에서 멈춰 섰다.

"레몬 사탕!" 그녀가 말했다. 그게 암호였는지, 갑자기 이무기 석상이 움직이더니 뒤에 있는 벽이 둘로 쩍 쪼개지며 옆으로 비켜섰다. 앞으로 닥칠 일에 대한 두려움으로 가득 차 있었음에도,

해리는 놀라지 않을 수 없었다. 그 벽 뒤에는 꼭 에스컬레이터처럼 위로 매끄럽게 움직이는 나선형의 계단이 있었다. 맥고나걸 교수와 함께 계단 위에 발을 들여놓자, 벽이 쿵 하고 닫히는 소리가 들렸다. 그들은 빙글빙글 돌며 계속해서 위로 높이 올라갔고, 마침내 약간 현기증이 날 때쯤, 눈앞에 놋쇠로 만든 그리핀(독수리의 머리와 날개에 사자의 몸통을 가진 전설 속의 동물―옮긴이) 모양의 고리쇠가 달린 박달나무 문이 어슴푸레 빛나고 있었다.

　그는 이제야 맥고나걸 교수가 어디로 데려온 건지 알았다. 이곳은 덤블도어 교수의 거처가 틀림없었다.

제 **12** 장

폴리주스 마법의 약

맨 위에 다다르자 그들은 돌계단에서 내려섰다. 맥고나걸 교수가 톡톡 노크를 하자 문이 스르르 열렸다. 맥고나걸 교수는 해리에게 안에서 잠시 기다리라고 말하고는 그를 혼자 내버려 둔 채 어디론가 가 버렸다.

해리는 주위를 둘러보았다. 덤블도어 교수의 사무실은 해리가 지금까지 가 본 어느 교수님들의 사무실보다도 흥미로웠다. 만약 학교에서 쫓겨날지도 모른다는 두려운 마음만 아니었다면, 이렇게 둘러볼 수 있게 된 걸 무엇보다도 기뻐했을 것이다.

커다란 원형의 방 안에서는 온갖 이상한 소리가 났다. 가느다란 다리를 가진 긴 탁자 위에는 씽 하는 소리를 내며 연기를 뿜어내는 기이한 은빛 도구들이 잔뜩 놓여 있었다. 사방의 벽은 온통 역대 교장 선생님들의 초상화들로 뒤덮여 있었는데, 사진틀 속의 교장 선생님들은 하나같이 꾸벅꾸벅 졸고 있었다. 또한 갈고리 모양의 다리가 달린 굉장히 큰 책상이 하나 있었는데, 그 뒤쪽에 놓여 있는 선반에는 다 낡아 빠지고 해진 마법사 모자가 놓여 있었다. 바로 기숙사를 배정하는 *마법의 모자*였다.

해리는 망설였다. 그는 사방 벽에 걸린 사진틀 속에서 조는 마법사들을 조심스럽게 쳐다보았다. 모자를 꺼내서 다시 한 번 써 봐도 괜찮겠지? 그냥 알아보려는 것뿐인데……. 그냥 이 모자가 자신을 올바른 기숙사에 넣은 *건지* 확인해 보려는 것뿐인데…….

해리는 조용히 책상 앞으로 걸어가, 선반에서 모자를 내려 천천히 머리에 썼다. 모자는 너무 커서 지난번에 썼을 때처럼 눈까지 푹 덮어 버렸다. 해리는 모자의 까만 내부를 응시하며 기다렸다. 그때 귓가에 작은 목소리가 들렸다. "무엇을 골똘히 생각하니, 해리 포터?"

"어, 네에." 해리가 중얼거렸다. "귀찮게 해서 죄송해요. 물어 볼 게 있어서요."

"내가 널 올바른 기숙사에 넣었는지 궁금해하고 있었지?" 모자가 재빨리 말했다. "그래…… 너의 기숙사를 정할 땐 특히 힘들었어. 하지만 전에 말했던 대로야." 해리는 가슴이 두근거렸다. "넌 슬리데린에서도 잘했을 *거야*……."

가슴이 철렁 내려앉았다. 그는 모자를 홱 벗었다. 더럽고 색이다 바랜 모자가 그의 손에 힘없이 축 늘어져 있었다. 해리는 속이 울렁거리는 걸 느끼며 모자를 다시 선반 위로 밀어 넣었다.

"틀렸어요." 그가 말없는 모자에게 큰 소리로 말했다. 모자는 움직이지 않았다. 해리는 모자를 똑바로 바라보며, 뒤로 물러섰다. 그때 뒤에서 기침하는 것 같은 이상한 소리가 났다. 그는 획 돌아섰다.

방 안에 아무도 없는 게 아니었다. 문 뒤에 있는 황금빛 횃대에 새 한 마리가 앉아 있었다. 칠면조를 닮은 그 새는 꽤 늙어 보였다. 해리가 빤히 바라보자, 그것이 다시 기침 소리 같은 걸 내며 마주 바라보았다. 그 새는 매우 아파 보였다. 눈동자에는 생기가 없었으며, 해리가 지켜보는 동안에도 꼬리에서 깃털 두어 개가 떨어졌다.

덤블도어 교수의 애완용 새가 없다면 방 안에 혼자 있게 되어 더 좋겠다고 생각한 순간, 마치 그 생각 탓이기라도 한 것처럼 그 새가 갑자기 확 불길에 타오르는 놀라운 일이 벌어졌다.

해리는 깜짝 놀라서 소리를 지르며 뒤로 물러섰다. 그리고 혹시 물컵이 있나 하고 주위를 열심히 둘러보았지만 보이지 않았다. 금세 그 새는 불덩어리가 되어 버렸다. 그러고는 꽥 하고 한 번 크게 비명을 지르더니 마룻바닥에 검게 타 버린 잿더미만 남았다.

그때 사무실 문이 열렸다. 덤블도어 교수가 매우 침울한 표정으로 들어왔다.

"교수님." 해리는 숨이 막혀 말이 잘 나오지 않았다. "교수님의 새가…… 저는 어떻게 할 수가 없었어요. 그냥 불이 붙어 버렸어요."

그러나 놀랍게도 덤블도어 교수는 미소를 지었다.

"죽을 때가 된 거란다." 그가 말했다. "그 새는 며칠 동안 무시무시한 표정을 짓고 있었지. 가야 할 때가 임박했기 때문이야."

그는 해리의 얼굴에 나타난 어리둥절한 표정을 보고 싱그레 웃었다.

"펙스는 불사조란다, 해리. 불사조들은 죽을 때가 되면 갑자기 확 타올랐다가 잿더미에서 다시 태어나지. 저걸 봐라……."

해리가 내려다보자 정말로 아주 작고 쭈글쭈글한, 금방 태어난 새 한 마리가 잿더미에서 얼굴을 삐죽 내밀었다. 그건 아까 보았던 그 새만큼이나 생김새가 추했다.

"펙스가 불타 버리는 모습을 보다니 안됐구나." 덤블도어 교수가 책상 뒤로 가 앉으며 말했다. "그 새는 원래 빨간색과 황금색 깃털을 가진 굉장히 멋진 새란다. 불사조들은 대단히 매혹적인 생물이지. 굉장히 무거운 짐도 나를 수 있고, 눈물은 병을 고치는 힘이 있으며, 또 대단히 충실한 애완동물이 되기도 한단다."

펙스가 타 버리는 걸 본 충격에, 해리는 잠시 자신이 무엇 때문에 이곳에 왔는지 까맣게 잊고 있었지만, 덤블도어 교수가 책상 뒤에 있는 높은 의자에 앉아 하늘빛 눈으로 해리를 뚫어질 듯 바라보자 다시 모든 생각이 떠올랐다.

그러나 덤블도어 교수가 미처 말을 꺼내기도 전에, 사무실 문이 엄청나게 큰 소리를 내며 확 열리더니 해그리드가 텁수룩한 까만 머리에 털모자를 쓰고, 흥분한 얼굴로 불쑥 들이닥쳤다. 손에는 아까 보았던 그 죽은 수탉이 여전히 흔들거리며 들려 있었다.

"해리가 그런 게 아닙니다, 덤블도어 교수님!" 해그리드가 다급하게 말했다. "저 아이가 발견되기 조금 전에 제가 해리와 말을 나누었어요. 얘는 그럴 시간이 전혀 없었어요……."

덤블도어가 뭐라고 말하려고 했지만, 해그리드는 흥분해서 수탉을 이리저리 흔들어 깃털을 사방에 흐트러뜨리며 고함을 질러 댔다.

"해리가 그랬을 리가 없어요. 저는 필요하다면 마법부 장관 앞에서라도 맹세할 수 있어요."

"해그리드, 난……."

"사람을 잘못 보신 거예요. 해리는 절대로……."

"해그리드!" 덤블도어가 큰 소리로 말했다. "난 해리가 다른 사람들을 습격했다고 생각하지 않아요."

"아……." 해그리드가 수탉을 옆으로 툭 떨어뜨리며 말했다. "알겠습니다. 저는 그럼 밖에서 기다리겠습니다, 교장 선생님."

그리고 그는 무안한 표정으로 걸어 나갔다.

"제가 그런 게 아니라고 생각하신다고요, 교수님?" 덤블도어 교수가 책상에서 수탉의 깃털을 털어 낼 때 해리가 희망을 가지고 물어봤다.

"그렇단다, 해리. 난 그렇게 생각하지 않는단다." 그러나 덤블도어 교수의 표정은 웬일인지 다시 침울해졌다. "하지만 네게 할 말이 있어서 부른 거란다."

덤블도어 교수가 긴 손가락 끝을 한데 모으고 바라보는 동안 해리는 초조하게 기다렸다.

"해리, 혹시 내게 말하고 싶은 건 없니?" 그가 부드럽게 말했다. "어떤 것이든 말이다."

해리는 뭐라고 말해야 할지 몰랐다. 그는 "흥, 다음은 어떤 잡종이 당할 차례일까!"라고 소리치던 말포이와, 모우닝 머틀의 화장실에서 부글부글 끓는 폴리주스 마법의 약을 떠올렸다. 그리고 두 번이나 들었던 형체 없는 목소리와 "아무도 듣지 못하는 목소리를 듣는 건 좋은 징조가 아니야, 심지어 마법사의 세계에서조차도 말이야"라고 하던 론의 말도 생각났다. 그는 또 모두 그에 대해 뭐라고 수군대고 있는지와 그가 살라자르 슬리데린과 어떻게든 관련된 것 같다는 떨쳐 버릴 수 없는 두려움에 대해서도 생각했다…….

"아뇨." 해리가 말했다. "아무것도 없어요, 교수님……."

저스틴과 목이 달랑달랑한 닉이 동시에 습격을 받은 사건 이후 사람들은 이제 그저 막연히 겁먹는 것이 아니라 정말로 공포에 떨고 있었다. 특히 목이 달랑달랑한 닉이 그렇게 된 게 사람들에게 큰 충격을 주었던 것 같았다. 도대체 정체가 뭐기에 유령에게까지 그렇게 할 수 있을까? 얼마나 무서운 힘이기에 이미 죽은 사람까지 해칠 수 있을까? 학생들은 집에서 크리스마스를 보내기 위해 앞다투어 호그와트 급행열차 표를 샀다.

"이런 식으로 가다간 우리밖에 안 남겠어." 론이 해리와 헤르미온느에게 말했다. "우리와 말포이와 크레이브와 고일. 굉장히 즐거운 휴일이 되겠군."

크레이브와 고일은 말포이가 뭘 하든 무조건 따라 했으므로, 크리스마스 휴일에도 말포이와 함께 성에 머물기로 했다. 그러나 해리는 대부분의 사람이 떠나는 게 오히려 기뻤다. 그는 마치 자신의 입에서 송곳니가 자라거나 독액을 뿜어내기라도 할 것처럼, 사람들이 복도에서 자기를 슬금슬금 피해 가는 데 질려 있었다. 또 그가 지나갈 때면 수군거리며 손가락질을 하거나, 불평을 해 대는 데도 넌더리가 났다.

그러나 프레드와 조지는 이 모든 것이 매우 재미있다고 생각했다. 그들은 복도에서 해리 앞으로 걸어 나가 이렇게 소리쳤다. "사악하고도 위대한 마법사 슬리데린의 후계자가 나가시니 모두 길 좀 비켜라……."

퍼시는 이런 행동을 굉장히 못마땅하게 여기고 있었다.

"이건 재미로 삼을 일이 아니야." 그가 차갑게 말했다.

"저리 비켜, 형." 프레드가 말했다. "해리는 급해."

"그래, 해리는 지금 송곳니가 돋아난 하인과 차 한잔하러 비밀의 방으로 가는 길이야." 조지가 깔깔거리며 말했다.

지니도 그걸 전혀 재미있어하지 않았다.

"*그러지 마.*" 지니는 프레드가 해리에게 큰 소리로 다음번엔 누굴 습격할 계획이냐며 물을 때마다, 혹은 해리와 마주친 조지가 커다란 마늘 한 쪽을 내보이며 해리를 피하는 척할 때마다 불평을 해 댔다.

해리는 신경 쓰지 않았다. 그는 오히려 기분이 좋았다. 왜냐하면 프레드와 조지는 적어도 그가 슬리데린의 후계자라는 착상 자체가 아주 어이없다고 생각하고 이런 장난을 치는 것이기 때문이다. 그러나 그들의 익살스러운 장난이 드레이코 말포이를 약오르게 했던지, 말포이는 위즐리 형제가 그렇게 장난치는 걸 볼 때마다 심술궂게 굴었다.

"그건 바로 말포이 녀석이 자기가 슬리데린의 후계자라는 걸 말하고 싶어 *좀이 쑤신다*는 뜻이야." 론이 다 알고 있다는 듯이 말했다. "녀석은 원래 자기보다 잘난 사람은 못 봐 주는 성격이잖아. 그런데 일은 다 제 녀석이 했는데 엉뚱하게도 네가 유명해지니까 심술이 난 거지 뭐."

"이제 얼마 남지 않았어." 헤르미온느가 흡족한 어조로 말했다. "폴리주스 마법의 약이 거의 다 됐거든. 이제 언제라도 말포이에게서 진실을 알아낼 수 있을 거야."

마침내 학기가 끝나자, 성에도 정원에 쌓인 눈만큼이나 깊은 정적이 찾아왔다. 해리는 그러나 그게 음울하기보다는 오히려 평화롭다는 생각이 들었고, 헤르미온느와 위즐리 형제들과 함께 그리핀도르 탑에 마음대로 드나들며 즐거운 시간을 보냈다. 누구의 방해도 받지 않고 큰 소리로 떠들며 카드놀이도 할 수 있었을 뿐만 아니라, 몰래 결투 연습까지도 할 수 있었다. 프레드와 조지와 지니는 위즐리 부부와 함께 이집트에 있는 빌에게 가지 않고 학교에 남아 있기로 했다. 퍼시는 그들의 행동이 유치하다며 못마땅하게 생각해서, 그리핀도르 학생 휴게실로는 거의 내려오지 않았다. 그는 전에, 자기가 크리스마스 동안에 학교에 머무는 것은 이런 곤란한 시기에 교수님들을 돕는 것이 반장으로서의 의무이기 때문일 *뿐이라고* 그들에게 거드름을 피우며 말했었다.

크리스마스 아침은 춥고 하얗게 밝아 왔다. 다섯 명이 함께 쓰는 기숙사 방에 둘만 남아 있던 해리와 론은, 꼭두새벽부터 옷을 다 차려입고 선물을 들고 들이닥친 헤르미온느 때문에 잠에서 깨고 말았다.

"일어나." 그녀가 창문 커튼을 걷으며 큰 소리로 말했다.

"헤르미온느, 넌 여기에 들어오면 안 되잖아." 론이 햇빛 때문에 눈을 가리며 말했다.

"메리 크리스마스." 헤르미온느가 그에게 선물을 던지며 말했다. "난 폴리주스 약에 풀잠자리를 더 넣느라, 거의 한 시간 전에 일어났어. 이제 다 됐어."

해리가 그 말에 갑자기 눈을 동그랗게 뜨며 일어나 앉았다.

"정말이니?"

"물론이지." 헤르미온느가 론의 쥐 스캐버스를 옆으로 옮기고 침대 끝에 앉으며 말했다. "시험해 보기엔 오늘이 딱 좋아."

바로 그 순간, 헤드위그가 부리에 작은 소포를 물고 방 안으로 날아들었다.

"안녕." 부엉이가 침대에 내려앉자 해리가 유쾌하게 말했다. "이제는 화가 풀렸나 보지?"

부엉이가 애정의 표시라도 하듯 그의 귀를 조금씩 물어뜯었다. 그건 부엉이가 지금 가져다준 더즐리 가족이 보낸 선물보다 훨씬 더 좋은 선물이었다. 그들이 해리에게 보낸 건 고작 이쑤시개 하나와 그가 여름방학 동안에도 호그와트에서 보낼 수 있는지 알아보라는 쪽지 편지가 다였다.

해리의 나머지 크리스마스 선물은 훨씬 더 만족스러웠다. 해그리드는 그에게 커다란 당밀 퍼지 통조림을 보냈으며, 론은 《캐논

팀과의 비행》이라는 책을 주었는데, 그건 그가 가장 좋아하는 퀴디치 팀에 대한 여러 가지 재미있는 이야기가 많이 쓰여 있는 책이었다. 또 헤르미온느는 해리에게 독수리 깃털로 만든 고급 깃펜을 사 주었다. 해리가 마지막 선물을 뜯자, 위즐리 부인이 손수 뜬 새 스웨터와 커다란 자두 케이크가 들어 있었다. 위즐리 부인이 보낸 카드를 읽는 동안, 해리는 위즐리 씨의 차(그건 커다란 버드나무와 충돌한 이후 발견되지 않았다) 사건을 떠올리고는 마음이 무거워졌다. 그리고 또 한차례 론과 함께 학교 규칙을 크게 위반할 것을 생각하니, 무거운 죄책감에 휩싸였다.

모든 사람이, 심지어 나중에 폴리주스 마법의 약을 마셔야 하는 사람들까지도, 호그와트의 크리스마스 만찬을 맘껏 즐기고 있었다.

연회장은 정말 멋져 보였다. 서리가 덮인 크리스마스트리 10여 그루가 곳곳에 서 있었고, 서양호랑가시나무와 겨우살이의 굵은 줄기가 천장을 열십자로 가로지르고 있었다. 그리고 천장에서는 마법에 걸린 눈이 떨어지고 있었는데, 따뜻했으며 물기도 없었다. 덤블도어는 그들에게 그가 가장 좋아하는 캐럴을 몇 곡 부르게 했는데, 해그리드는 에그노그(술에 우유와 설탕을 섞은 것—옮긴이)가 한 잔씩 들어갈 때마다 점점 더 소리 높여 시끄럽게 불러 댔다. 프레드는 퍼시의 반장 배지가 '바보'라고 읽히도록 마법을 걸었다. 이 사실을 까맣게 모르는 퍼시는 아이들이 자기만 보면 깔깔거리자, 왜 그렇게 웃는 거냐고 계속 묻고 다녔다. 해리는 드레이코 말포이가 슬리데린 테이블에 앉아 자신의 새 스웨터에 대해 뭐라고 큰 목소리로 욕설을 퍼붓는 것에도 전혀 신경 쓰지 않았다. 행운의 여신이 그들에게 살짝만 미소 지어 준다면, 말포이는 몇 시간 후면 그런 짓을 한 것을 평생 후회하게 될 벌을 받을 것이기 때문이었다.

해리와 론이 세 접시째의 크리스마스 푸딩을 다 먹어 치우자 헤르미온느가 그들을 연회장 밖으로 데리고 나가 그날 저녁의 계획을 다시 한 번 일러 주었다.

"아직 너희가 변신할 사람의 몸 일부가 필요해." 헤르미온느가 마치 그들을 간단한 쇼핑을 위해 슈퍼마켓에 보내기라도 하는 듯이 사무적으로 말했다. "크레이브와 고일의 것을 구할 수 있다면 가장 좋겠지. 그 애들은 말포이의 단짝 친구들이니까, 녀석이 뭐든지 말할 게 틀림없어. 그리고 또 우리가 그 녀석에게 물어보는 동안 진짜 크레이브와 고일이 불쑥 나타나지 않도록 확실히 해 둘 필요가 있어. 하지만 그 방법은 내가 이미 다 생각해 두었어." 그녀가 해리와 론의 놀란 표정을 본체만체한 채, 먹음직스러운 초콜릿 케이크 두 개를 들어 올리며 계속해서 말했다. "이 케이크 안에 간단한 수면제를 넣었어. 너희는 그저 크레이브와 고일이 쉽게 이 케이크를 발견하도록 적당한 곳에 놓아두기만 하면 돼. 일단 그 애들이 잠들면, 머리카락을 몇 가닥 뽑고 그 애들을 빗자루 벽장 속으로 옮겨 놓도록 해."

해리와 론은 불안한 표정으로 서로 바라보았다.

"헤르미온느, 내 생각엔⋯⋯."

"그렇게 했다간 일이 크게 잘못될 수도 있어⋯⋯."

하지만 헤르미온느의 눈빛은 맥고나걸 교수의 눈빛처럼 아주 완고해 보였다.

"그 마법의 약은 크레이브와 고일의 머리카락이 없으면 무용지물이 될 거야." 그녀가 엄격히 말했다. "너희 말포이를 조사해 보고 *싶지 않니?*"

"아, 알았어, 알았어." 해리가 말했다. "그런데 넌? 넌 누구의 머리카락을 뽑을 거니?"

"난 벌써 준비해 뒀어!" 헤르미온느가 호주머니에서 아주 작은 병 하나를 꺼내 그 안에 있는 머리카락 한 가닥을 보여 주며 밝게 말했다. "결투 클럽에서 나와 몸싸움을 벌였던 밀리센트 벌스트로드 기억하니? 그 애가 내 목을 조를 때 내 망토에 이게 묻었지 뭐야! 그 아이는 크리스마스를 보내러 집에 갔어. 하지만 그저 다시 돌아오기로 결정했다고 말하기만 하면 돼."

헤르미온느가 부산을 떨며 폴리주스 약을 다시 살펴보러 가자, 론이 사형선고라도 받은 것 같은 표정으로 해리에게 고개를 돌렸다.

"이거 너무 위험할 것 같지 않니?"

하지만 해리와 론의 생각과는 달리, 그 계획의 1단계는 헤르미온느가 말했던 대로 놀라울 정도로 순조롭게 진행되었다. 그들은 차를 마신 뒤 사람이 아무도 없는 현관 안의 넓은 홀 모퉁이에 숨어, 슬리데린의 테이블에서 트라이플(포도주에 담근 카스텔라류─옮긴이)을 네 그릇째 퍼먹는 크레이브와 고일을 기다리고 있었다. 해리는 초콜릿 케이크를 눈에 잘 띄게 계단의 난간 위에 올려놓았었다. 크레이브와 고일이 연회장 밖으로 나오는 걸 발견하자, 그들은 얼른 현관 옆에 있는 갑옷 뒤로 숨었다.

"얼마나 멍청한지 한번 볼까?" 론이 긴장된 목소리로 이렇게 중얼거리고 있을 때, 크레이브와 고일이 케이크를 가리키더니 얼른 움켜잡고 멍청하게 씩 웃으며 그걸 통째로 커다란 입속으로 쑤셔 넣었다. 잠깐 동안 그들은 맛있어 죽겠다는 듯 게걸스럽게 먹어 댔다. 그러고는 별안간 둘 다 마룻바닥으로 벌렁 나자빠졌다.

이제 그들을 홀 맞은편에 있는 벽장 속에 숨기는 게 문제였다. 일단 그들을 양동이와 자루걸레 사이에 안전하게 집어넣은 후, 해리는 고일의 이마를 덮은 억센 머리카락 두어 개를 홱 잡아당겼고, 론도 크레이브의 머리카락 몇 가닥을 뽑았다. 신발도 잠시 빌려야 했다. 자신들의 신발이 크레이브와 고일의 발 크기보다 너무 작았기 때문이다. 그러고는 일이 계획대로 너무 술술 잘 풀리는 것 같아 조금 싱거운 기분으로 모우닝 머틀의 화장실로 달려갔다.

헤르미온느가 젓는 냄비에서 나오는 자욱한 검은 연기 때문에 앞이 거의 보이지 않았다. 해리와 론은 망토를 얼굴로 끌어올리고, 조용히 문을 노크했다.

"헤르미온느?"

자물쇠가 끽끽거리며 열리는 소리가 나더니 헤르미온느가 아주 상기된 얼굴로 나타났다. 그녀 뒤에서는 끈적끈적한 약이 거품을 일으키며 부글부글 끓고 있었다. 변기 위에는 커다란 유리컵 세 개가 준비되어 있었다.

"구했어?" 헤르미온느가 숨을 죽이고 물었다.

해리가 그녀에게 고일의 머리카락을 보여 주었다.

"좋았어. 난 세탁실에서 이 망토들을 슬쩍 집어 왔어." 헤르미온느가 작은 자루를 들어 올리며 말했다. "너희가 크레이브와 고일이 되면 더 큰 망토가 필요할 것 같아서 말이야."

그들 셋은 냄비 속의 약을 뚫어지게 들여다보았다. 가까이 다가가서 보자, 꼭 거무스름한 색의 걸쭉한 진흙이 부글부글 끓는 것 같았다.

"들어갈 건 다 들어갔어." 헤르미온느가 《모스테 포텐트 마법의 약》 책의 얼룩진 쪽을 초조하게 다시 훑어보며 말했다. "모양이 꼭 책에서 설명한 대로야……. 이걸 마신 뒤 정확히 한 시간 뒤, 우린 원래 모습으로 다시 돌아올 거야."

"이제 뭘 하지?" 론이 작은 소리로 물었다.

"이걸 석 잔으로 나눈 뒤 머리카락을 넣는 거야."

헤르미온느가 그 약을 국자로 푹 떠서 각 유리컵에 담았다. 그러곤 떨리는 손으로 밀리센트 벌스트로드의 머리카락을 병에서 흔들어 빼내어 첫 번째 유리컵에 넣었다.

그러자 그 마법의 약이 끓어오르는 주전자처럼 큰 소리로 쉬쉬거리며 거품이 일었다. 그리고 잠시 뒤, 메스꺼운 노란색으로 변했다.

"에구. 밀리센트 벌스트로드 그 애랑 똑같은 색깔이네." 론이 그것을 보고 질색하며 말했다. "맛도 틀림없이 메스꺼울 거야."

"너희도 넣어." 헤르미온느가 말했다.

해리는 고일의 머리카락을 가운데 유리컵에 떨어뜨렸고, 론도 크레이브의 것을 마지막 컵에 넣었다. 두 유리컵 모두 쉬쉬 대면서 거품이 일었다. 그리고 고일의 머리카락을 넣은 컵은 국방색으로, 크레이브의 머리카락을 넣은 건 거무스름한 갈색으로 변했다.

"잠깐만." 론과 헤르미온느가 컵을 집으려고 손을 뻗자 해리가 말했다. "다 같이 이 안에서 마시면 안 될 것 같아……. 우리가 크레이브와 고일로 변하면 여기가 너무 비좁을 거야. 그리고 밀리센트 벌스트로드의 몸집도 그리 작지는 않잖아.”

“좋은 생각이야.” 론이 문의 자물쇠를 열며 말했다. “각자 다른 칸으로 들어가자.”

폴리주스 마법의 약을 흘리지 않도록 조심하면서, 해리는 가운데 화장실 안으로 살짝 들어갔다.

“준비됐니?” 그가 소리쳤다.

“준비됐어.” 론과 헤르미온느의 목소리가 들렸다.

“하나…… 둘…… 셋…….”

코를 꼭 잡고, 해리는 그 약을 두 모금에 죽 마셨다. 푹 삶은 양배추 맛이 났다.

약을 마시자마자, 마치 살아 있는 뱀을 삼키기라도 한 듯 속이 뒤틀리기 시작했다. 해리는 허리를 구부린 채로, 혹시 잘못되는 건 아닐까 생각했다. 그때 위장에서부터 손끝 발끝까지 타는 듯한 강렬한 느낌이 빠르게 퍼져 나갔다. 그리고 온몸이 녹아내리는 것 같은 소름 끼치는 느낌이 들면서, 몸 여기저기의 살갗에 뜨거운 밀랍처럼 거품이 일었다. 손가락은 굵어지고, 손톱은 넓어졌으며, 손마디가 나사못처럼 부풀어 오르며 양손이 커지기 시작했다. 양어깨는 아프게 늘어났으며 이마가 따끔거리는 것으로 보아 머리카락이 눈썹 쪽으로 슬금슬금 내려오고 있다는 걸 알 수 있었다. 숨통이 터져 버리는 것처럼 가슴이 팽창하더니 망토가 찢겼다. 부풀어 오른 발이 치수가 작은 신발 속에서 고통스러워했다…….

그리고 시작했을 때처럼 갑자기, 모든 게 멈췄다. 해리는 맨 끝 화장실에서 시무룩하게 꼴꼴거리는 머틀의 소리를 들으며, 돌처럼 차가운 마룻바닥에 얼굴을 대고 누워 있었다. 그는 발을 흔들어 간신히 신발을 벗어 버리고 일어섰다. 고일로 변한 걸 느낄 수 있었다. 그는 커다란 손을 떨며, 발목 위로 30센티미터나 기어 올라가 있는 망토를 벗은 뒤, 헤르미온느가 훔쳐 온 망토를 입고 보트처럼 큰 고일의 구두끈을 졸라맸다. 눈을 덮은 머리카락을 쓸어 올리려고 손을 올리자, 이마 밑으로 늘어진 억센 머리카락이 느껴졌다. 그리고 고일은 안경을 끼지 않기 때문인지 모든 것이 흐리멍덩하게 보였다. 그는 안경을 벗고 소리쳤다. "너희 둘다 괜찮니?" 그의 입에서 귀에 거슬리는 고일의 낮은 목소리가 나왔다.

"응." 오른쪽 화장실에서 툴툴거리는 듯한 크레이브의 굵고 낮은 소리가 들렸다.

해리는 문을 열고 금이 간 거울 앞으로 걸어 나갔다. 고일이 멍청하고 옴폭 들어간 눈으로 그를 바라보고 있었다. 해리가 귀를 긁자 거울 속의 고일도 그렇게 했다.

론의 문이 열렸다. 그들은 서로 빤히 바라보았다. 낯빛이 창백하고 충격받은 것처럼 보인다는 것 말고는, 론은 푸딩 그릇 같은 헤어스타일에서부터 고릴라 같은 긴 팔까지 어김없이 크레이브였다.

"이거 정말 믿을 수가 없어." 론이 거울 앞으로 다가가 크레이브의 납작한 코를 찌르며 말했다. "*믿을 수가 없어.*"

"서두르는 게 좋겠어." 해리가 고일의 굵은 손목을 조이는 시계를 느슨하게 하며 말했다. "그런데 슬리데린의 학생 휴게실은 어디에 있지? 누군가 쫓아갈 사람이 있으면 좋을 텐데……."

론이 해리를 뚫어지게 보고 있다가 말했다. "고일이 *생각하는* 모습을 보니까 굉장히 이상해." 그가 헤르미온느의 문을 세게 두드렸다. "빨리 나와, 가게……."

높은 음조의 카랑카랑한 목소리가 그에게 대답했다.

"난…… 난 가지 않는 게 좋을 것 같아. 난 놔두고 그냥 가."

"헤르미온느, 밀리센트 벌스트로드가 못생긴 거 다 알아. 그게 너라는 건 아무도 모를 거야……."

"아니야…… 정말이지…… 난 가지 않는 게 좋을 것 같아. 너희 둘 빨리 서둘러, 시간 허비하지 말고……."

해리가 어리둥절한 표정으로 론을 바라보았다.

"그래, *그렇게 하니까* 훨씬 더 고일답다." 론이 말했다. "교수님이 질문할 때마다 녀석은 항상 그런 표정을 짓잖아."

"헤르미온느, 괜찮니?" 해리가 문틈으로 말했다.

"괜찮아, 난 괜찮아……. 어서 가……."

해리는 손목시계를 들여다보았다. 귀중한 60분 중 5분이 벌써 지나가 버렸다.

"그럼 여기서 다시 보자, 알았지?" 그가 말했다.

해리와 론은 화장실 문을 조심스럽게 열고 주위에 아무도 없는지 살핀 뒤 출발했다.

"팔 좀 휘두르지 마." 해리가 론에게 낮게 속삭였다.

"뭐라고?"

"크레이브는 팔을 꼭 붙이고 있잖아……."

"이건 어때?"

"그래, 훨씬 낫다……."

그들은 대리석 계단을 내려갔다. 이제 슬리데린의 학생 휴게실까지 쫓아갈 슬리데린 학생 하나만 찾으면 되었다. 하지만 주위엔 아무도 없었다.

"좋은 생각 없니?" 해리가 작은 소리로 물었다.

"슬리데린 아이들은 항상 저쪽에서 아침을 먹으러 오던데." 론이 지하 감옥 입구를 보고 고개를 끄덕이며 말했다. 그 말이 떨어지기가 무섭게, 그 입구에서 고수머리를 길게 늘어뜨린 여자아이 하나가 나타났다.

"미안한데……." 론이 허둥지둥 그 애에게 다가가 말했다. "우리가 학생 휴게실로 가는 길을 잊어 먹었거든."

"뭐라고?" 그 여자아이가 딱딱하게 말했다. "우리 학생 휴게실이라니? 난 래번클로 학생이야."

그 애가 수상쩍다는 듯이 그들을 돌아보며 걸어갔다.

해리와 론은 급히 돌계단을 내려가 어둠 속으로 들어갔다. 크레이브와 고일의 커다란 발이 마룻바닥에 닿을 때마다 발소리가 굉장히 크게 울려 퍼졌다. 왠지 이 일이 예상만큼 쉽지 않을 것 같은 기분이 들었다.

복도는 미로처럼 복잡했지만 사람은 하나도 없었다. 그들은 초조하게 손목시계를 들여다보며 학교 밑으로 점점 더 깊이 들어갔다. 15분쯤 뒤, 거의 자포자기하다시피 했을 때, 앞에서 별안간 뭔가 움직이는 소리가 났다.

"하!" 론이 흥분해서 말했다. "이제야 찾았군!"

옆방에서 누군가가 나오고 있었다. 그러나 서둘러 가까이 갔을 때, 가슴이 철렁 내려앉았다. 그건 슬리데린 학생이 아니라, 퍼시였다.

"너, 여기서 뭐 하니?" 론이 놀라서 말했다.

퍼시는 기분이 좋지 않은 것 같았다.

그가 딱딱하게 말했다. "네가 알 바 아니야. 너 크레이브 맞지?"

"뭐? 어, 응." 론이 말했다.

"빨리 기숙사로 들어가." 퍼시가 엄하게 말했다. "요즘 같은 땐 어두운 복도를 돌아다니는 게 위험하니까 말이야."

"*너도.*" 론이 되받아쳤다.

"난, 반장이야." 퍼시가 몸을 바로 하며 말했다. "아무것도 감히 날 습격할 생각은 하지 못할 거야."

해리와 론 뒤에서 갑자기 어떤 목소리가 울렸다. 드레이코 말
포이가 그들에게로 어슬렁어슬렁 다가왔다. 해리는 난생처음으
로, 그를 만난 게 너무나 기뻤다.

"너희구나." 그가 그들을 바라보면서 점잔 빼며 말했다. "여태
연회장에서 먹고 있었던 거니? 괜히 이리저리 찾아다녔잖아. 정
말로 이상한 걸 보여 주려고 했단 말이야."

말포이가 날카로운 눈초리로 퍼시를 흘끗 바라보았다.

"그런데 여기서 뭐 하는 거야, 위즐리?" 그가 비웃으며 말했다.

퍼시는 불끈 화가 치미는 것 같았다.

"학교 반장에게 좀 더 공손하게 굴도록 해!" 그가 말했다. "그
런 식으로 했다간 언젠가 혼날 줄 알아."

말포이가 코웃음을 치며 해리와 론에게 따라오라는 시늉을 했
다. 해리는 퍼시에게 사과의 말을 하려다가 갑자기 멈추고 허둥
지둥 말포이를 쫓아갔다. 다음 통로로 돌아갔을 때 말포이가 말
했다. "저 피터 위즐리를 그냥……."

"퍼시야." 론이 무심코 바로잡아 주었다.

"아무려면 어때." 말포이는 대수롭지 않다는 듯 대답했다. "난
그가 최근 들어 살금살금 돌아다니는 걸 여러 번 봤어. 뭘 하고
다니는지는 다 알아. 자기가 슬리데린의 후계자를 한 손으로 잡
을 거라고 생각하고 있는 게 뻔해."

그가 조롱 섞인 짧은 웃음을 지었다. 해리와 론은 흥분한 표정을 주고받았다.

말포이는 아무 장식 없이 쭉 뻗은 습기 찬 돌담 옆에 멈춰 섰다.

"새 암호가 뭐지?" 그가 해리에게 말했다.

"어⋯⋯." 해리가 말했다.

"아, 그래. 순수 혈통이지!" 말포이가 그의 말을 듣지도 않고 말하자, 벽 속에 감춰져 있던 돌문이 스르르 열렸다. 해리와 론은 말포이를 따라 안으로 걸어 들어갔다.

슬리데린의 학생 휴게실은 거친 돌벽으로 둘러싸인, 천장이 낮은 기다란 지하 방이었는데 천장에는 초록빛 나는 둥근 전등이 사슬에 매달려 있었다. 정교하게 조각된 벽난로의 선반 밑에서는 불이 딱딱 소리를 내며 타고 있었고, 그 주위에는 등이 높은 의자에 앉아 있는 슬리데린 학생 몇 명의 검은 윤곽이 보였다.

"여기서 기다려." 말포이가 난로 뒤에 있는 빈 의자 두어 개를 몸짓으로 가리키며 해리와 론에게 말했다. "난 가서 그걸 가져올게. 우리 아버지가 조금 전에 내게 보내 준 거야⋯⋯."

말포이가 무엇을 보여 줄 건지 궁금해하면서, 해리와 론은 최대한 편해 보이는 척하며 앉아 있었다.

잠시 뒤 말포이가 가위로 오려 낸 신문 조각처럼 보이는 것을 들고 돌아왔다. 그는 그것을 론의 코밑으로 밀었다.

"읽으면 재미있을 거야." 그가 말했다.

해리는 론의 눈이 놀라움으로 커지는 것을 보았다. 그는 그 오려
낸 신문을 얼른 읽고 억지웃음을 지으며, 해리에게 건네주었다.

그건 《예언자일보》에서 오려 낸 기사였다.

마법부에서의 조사

머글 문화유물 오용 관리과의 과장인 아서 위즐리 씨는 오늘, 머
글 차에 마법을 건 죄로 50갈레온의 벌금이 과해졌다. 올해 초에 마
법에 걸린 차가 호그와트 마법학교에 추락하자 이 학교의 이사장 루
시우스 말포이 씨는 오늘 위즐리 씨의 사임을 요구했다.

"위즐리 씨는 마법부의 명예를 실추시켰습니다." 말포이 씨는 기
자에게 이렇게 말했다.

"그는 우리의 법을 제정하는 일에는 확실히 부적합합니다. 그의
우스꽝스러운 머글 보호 법령은 즉시 폐기되어야 합니다."

위즐리 씨는 여기에 대해 어떤 논평도 거부했다. 그의 아내는 기
자들에게, 당장 나가지 않으면 자기 집에 사는 굴 귀신이 가만있지
않을 거라고 협박했다.

"어때?" 해리가 오려 낸 신문을 말포이에게 다시 돌려주자 그
가 조바심 내며 말했다. "우습지 않니?"

"하, 하!" 해리가 찬바람 나게 웃었다.

"아서 위즐리는 머글을 지나치게 좋아해서 탈이야. 그는 차라

리 요술지팡이를 뚝 부러뜨리고 그들에게로 가서 사는 게 나을 거야." 말포이가 경멸하는 투로 말했다. "위즐리 가족은 전혀 순수 혈통처럼 행동하지 않는단 말이야."

론의—아니, 크레이브의— 얼굴이 화가 나서 일그러졌다.

"왜 그래, 크레이브?" 말포이가 날카롭게 말했다.

"배가 아파서." 론이 툴툴거렸다.

"그럼, 병동으로 올라가서 나 대신 저 모든 잡종을 발길로 한 번씩 걷어차 줘." 말포이가 낄낄거리며 말했다. "이 모든 습격 사건들이 《예언자일보》에 아직 실리지 않았다는 게 정말 놀라워." 그가 생각에 잠겨 계속했다. "내 생각엔 덤블도어가 이 모든 걸 쉬쉬하려고 하는 것 같아. 하지만 이런 사건들이 계속된다면 그는 파면당하고 말 거야. 우리 아버지는 언제나 늙은이 덤블도어가 여기서 가장 골칫거리라고 하셨어. 그가 머글 태생들을 좋아하기 때문이지. 훌륭한 교장 선생님이라면 크리비 같은 인간쓰레기를 들어오게 하지 않았을 거야."

말포이는 손을 들어 올려서 콜린이 사진 찍는 흉내를 냈는데, 지독하게 똑같아 보였다. "네 사진 찍어도 되니, 포터? 사인 좀 해 줄 수 있니? 네 신발 좀 핥아도 되니, 제발, 포터?"

그가 손을 내리고 해리와 론을 바라보았다.

"너희 둘 *왜 그러니?*"

아주 늦게서야 해리와 론이 억지웃음을 지어 보이자, 말포이는 흡족해하는 것 같았다. 어쩌면 크레이브와 고일은 아둔해서 늘 한 발짝 늦게 이해하는지도 몰랐다.

"성인(聖人) 포터, 잡종의 친구." 말포이가 천천히 말했다. "그 녀석도 마법사로서 적절하지 못한 감정을 갖고 있어. 그렇지 않다면 저 잘난 체하는 잡종, 그레인저와 붙어 다니지는 않을 거야. 그런데도 사람들은 그 녀석이 슬리데린의 후계자라고 생각하다니!"

해리와 론은 숨을 죽이고 기다렸다. 말포이는 확실히 조금만 있으면 그게 자신이라고 말할 것이다……. 그러나 그때…….

"그런데 도대체 그가 누굴까?" 말포이가 성을 내며 말했다. "알기만 하면 도와줄 수도 있을 텐데."

론의 입이 딱 벌어졌다. 그러자 크레이브가 평소보다 훨씬 더 우둔해 보였다. 다행히 말포이는 눈치채지 못했고, 해리는 얼른 머리를 굴려 말했다. "넌 그래도 그 뒤에 누가 있는지 조금은 알고 있을 거야……."

"그렇지 않다는 걸 너도 알잖아, 고일. 몇 번을 말해야 되겠니?" 말포이가 날카롭게 말했다. "그리고 우리 아버지는 지난번에 비밀의 방이 열렸던 것에 대해서도 아무 말도 해 주려고 하시지 않아. 물론, 그건 50년 전이었으니까, 아버지가 학교 다니던 시절보다도 훨씬 이전에 일어난 일이긴 하지만, 아버진 다 알고 계셔. 그런데 아버진 그걸 비밀로 해 두어야 한다는 거야. 그것에 대해 너무 많이 알면 수상쩍어 보일 거라면서 말이야. 하지만 난 한 가진 알아……. 지난번에 비밀의 방이 열렸을 때, 잡종이 죽었다는 거야. 그러니까 이번에도 그들 중 하나가 정말로 죽는 건 시간문제야……. 난 그게 그레인저였으면 좋겠어." 그가 재미있다는 듯 말했다.

론은 크레이브의 커다란 주먹을 움켜쥐고 있었다. 론이 말포이를 주먹으로 한 방 갈기기라도 한다면 탄로가 나고 말 게 분명했으므로, 해리는 조마조마한 마음으로 그에게 경고의 눈길을 던지며 말했다. "지난번에 그 방을 연 사람은 잡혔니?"

"응……. 그 사람은 쫓겨났어." 말포이가 말했다. "어쩌면 아직도 아즈카반에 있을지도 몰라."

"아즈카반?" 해리가 당황해서 물었다.

"아즈카반…… *마법사의 감옥* 말이야. 너 그것도 모르니, 고일?" 말포이가 믿을 수 없다는 듯 그를 바라보았다. "솔직히, 넌 머리가 너무 안 돌아가, 구제 불능이야."

그가 가만히 있지 못하고 의자에서 끊임없이 움직이며 말했다. "아버지는 내게 자중하고 있으라고 하셔. 슬리데린의 후계자가 그걸 잘해 내도록 말이야. 학교가 그 모든 잡종의 때를 없애는 게 필요하긴 하지만, 그 일을 한 것으로 오인받을 짓은 하지 말라는 말씀이시지. 물론, 아버진 당장에는 해야 할 일이 엄청나게 많으셔. 마법부가 지난주에 우리 영지를 불시 단속했다는 거 아니?"

해리는 고일의 멍청한 얼굴을 억지로 흥미 있어 하는 표정으로 만드느라 애썼다.

"그래……." 말포이가 말했다. "다행히, 그들은 많이 찾아내지는 못했어. 아버진 굉장히 귀중한 어둠의 마법 재료를 갖고 계시거든. 하지만 운 좋게도, 우리 집 응접실 마루 밑에 있는 밀실은 아무도 찾아내지 못했어……."

"와!" 론이 말했다.

말포이가 그를 바라보았다. 해리도 그랬다. 론은 얼굴이 빨개졌다. 그의 머리카락조차 빨갛게 변하고 있었다. 그리고 코도 서서히 길어지고 있었다……. 시간이 가까워져 오자, 론이 다시 본래 모습으로 바뀌고 있었고 론이 갑자기 놀란 표정으로 해리를 바라본 것으로 보아서 해리 역시 변하고 있는 게 분명했다.

그들은 둘 다 벌떡 일어섰다.

"배 아플 때 먹는 약을 좀 찾아봐야겠어." 론이 툴툴거리며 말했다. 그리고 그들은 말포이가 눈치채지 못했길 바라며, 쏜살같이 슬리데린의 학생 휴게실을 뛰쳐나와 돌벽으로 가서는, 그 복도를 단숨에 빠져나왔다. 몸이 오그라들자 해리는 발이 고일의 커다란 신발에서 이리저리 미끄러지는 걸 느낄 수 있었고, 긴 망토가 발에 밟혔으므로 자꾸 끄집어 올려야 했다. 그들은 요란한 소리를 내며 계단을 올라가 어두운 현관 안의 홀로 들어갔다. 벽장 속에 갇힌 크레이브와 고일이 문을 두드려 대는 소리가 홀 안

가득 울려 퍼지고 있었다. 그들은 크레이브와 고일의 신발을 벽
장 문 밖에 놔둔 채, 양말을 신은 채로 대리석 계단을 올라가 모
우닝 머틀의 화장실로 향했다.

"완전히 시간 낭비한 건 아니었어." 론이 화장실로 들어간 뒤
문을 닫으면서 숨을 헐떡이며 말했다. "학생들을 습격하는 게 누
군지는 아직 알아내지 못했지만, 난 내일 아버지께 편지를 써서
말포이네 집 응접실 밑을 조사해 보라고 말씀드릴 거야."

해리가 금이 간 거울에 비친 자신의 얼굴을 살펴보았다. 그는
다시 정상으로 돌아와 있었다. 그가 안경을 다시 낄 때 론이 헤르
미온느의 화장실 문을 탕탕 쳤다.

"헤르미온느, 이제 나와. 네게 말할 게 아주 많아……."

"저리 가!" 헤르미온느가 우는 목소리로 말했다.

해리와 론은 서로 얼굴을 바라보았다.

"왜 그래?" 론이 말했다. "너도 지금쯤은 정상으로 돌아왔을
텐데, 우린……."

그때 그 화장실 문에서 모우닝 머틀이 미끄러지듯 나왔다. 해
리는 그 애가 그렇게 행복한 표정을 짓는 건 처음 보았다.

"우으으으, 조금 있다 봐." 머틀이 말했다. "정말 끔찍해……."

그러고는 자물쇠를 미는 소리가 들리더니 헤르미온느가 망토
를 머리 위로 끄집어 올린 채로, 훌쩍이면서 나왔다.

"무슨 일이야?" 론이 무슨 일인지 모르겠다는 듯 말했다. "아

직도 밀리센트의 코나 뭐 그런 걸 갖고 있는 거니?"

헤르미온느가 망토를 내리자 론이 뒷걸음질을 쳤다.

그녀의 얼굴이 까만 털로 뒤덮여 있었다. 눈은 노랗게 변했고 머리카락 사이로는 길고 뾰족한 귀가 삐죽이 나와 있었다.

"그건 고…… 고양이의 털이었어!" 그녀가 울며 말했다. "미…… 밀리센트 벌스트로드가 고양이를 가…… 갖고 있는 줄은 몰랐지 뭐야! 그리고 그 야…… 약은 동물 변신에는 사용하지 않도록 되어 있어!"

"으으." 론이 신음했다.

"너 굉장히 *놀림받겠다.*" 머틀이 유쾌히 말했다.

"괜찮아, 헤르미온느." 해리가 얼른 말했다. "우리가 병동으로 데려다 줄게. 폼프리 부인은 절대로 많이 물어보지 않아……."

헤르미온느를 설득해 화장실에서 나오기까지는 한참이 걸렸다. 그들의 뒤에 대고 모우닝 머틀이 큰 소리로 웃어 대며 소리쳤다. "너한테 *꼬리가* 달렸다는 걸 모두가 알게 되면 정말 재밌겠다. 하하."

제 **13** 장

비밀 일기

헤르미온느는 병동에 몇 주를 머물렀다. 학생들이 크리스마스 휴일을 보내고 다시 돌아오자, 그녀가 습격을 받아서 병동에 입원한 것이라는 엉뚱한 소문이 순식간에 퍼져 버렸다. 많은 학생이 헤르미온느를 한번 보려고 병동 앞을 지나다녔으므로, 폼프리 부인은 헤르미온느가 털 난 얼굴이 보여 창피당하는 일이 없도록 침대에 커튼을 높이 달아 주었다.

해리와 론은 매일 저녁 헤르미온느를 찾아갔다. 그녀에게 그날그날의 숙제를 알려 주기 위해서였다.

"만약 내 얼굴에 털이 자라났다면, 난 공부하지 않고 쉬었을 거야." 어느 날 저녁 론이 헤르미온느의 머리맡 탁자 위에 책들을 쏟아 내며 말했다.

"바보 같은 소리 마, 론. 그때그때 해 놓지 않으면 나중엔 따라갈 수가 없어." 헤르미온느가 활발하게 말했다. 이제 얼굴에 난 털이 모두 사라지고 눈이 서서히 갈색으로 돌아오고 있었으므로 그녀는 기분이 굉장히 좋아졌다. "그런데 무슨 새로운 실마리라도 잡았니?" 그녀가 폼프리 부인이 들을 수 없도록 작은 소리로 말했다.

"전혀." 해리가 침울하게 말했다.

"분명히 말포이 짓일 거라고 생각했는데." 론이 100번도 더 했던 말을 또 했다.

"저건 뭐니?" 해리가 헤르미온느의 베개에서 쑥 비어져 나온 황금빛 나는 것을 가리키며 물었다.

"그저, 빨리 회복되라는 카드야." 헤르미온느가 허둥지둥 말하며 그것을 보이지 않게 쑤셔 넣으려고 했지만, 론을 당해 내지는 못했다. 론은 그것을 잡아 빼서 펼치더니, 큰 소리로 읽었다.

"그레인저 양에게, 쾌유를 빕니다. 멀린 3등급 훈장, 어둠의 마법 방어 연맹 명예 회원이자, 《마녀주간지》의 가장 매력적인 미소상을 다섯 차례 수상한 당신의 선생, 질데로이 록허트 교수로부터."

론이 메스꺼운 표정으로 헤르미온느를 올려다보았다.

"너 이걸 베개 밑에 놓고 자니?"

하지만 때마침 폼프리 부인이 헤르미온느가 먹을 약을 들고 들어오는 바람에 그녀는 굳이 대답하지 않아도 되었다.

"록허트 교수가 그렇게 멋지니?" 그들이 병동을 나와 그리핀
도르 탑 쪽으로 가는 계단에 올라섰을 때 론이 해리에게 물었다.

스네이프 교수는 그들에게 어찌나 많은 숙제를 내 주었던지, 해
리는 2학년을 마치기도 전에 6학년이 된 것 같은 기분이 들었다.
론이 헤르미온느에게 '머리카락을 곤두서게 하는 마법의 약'에
는 쥐꼬리를 몇 개 넣어야 하는지 물어볼 걸 하고 후회하고 있을
때, 위층에서 성난 목소리가 들렸다.

"필치야." 급히 계단을 올라가 몸을 숨기고서 귀를 기울이며,
해리가 속삭였다.

"누가 또 당한 게 아닐까?" 론이 긴장해서 말했다.

그들은 이성을 잃은 것 같은 필치의 목소리가 나는 쪽을 향해
귀를 세우고 조용히 서 있었다.

"……할 일이 훨씬 더 많아졌어! 이 일 아니어도 할 일이 산더
미 같은데 밤새도록 걸레질이라니! 안 되지, 더 이상은 참을 수
없어, 덤블도어 교수에게 가야겠어……."

그리고 그의 발소리가 점점 더 작아지더니 복도 끝에서 문이
쾅 닫히는 소리가 들렸다.

그들은 고개를 모퉁이 쪽으로 내밀었다. 필치는 평상시처럼 망
을 보고 있었던 게 분명했다. 그들이 서 있는 곳은 노리스 부인이
습격받았던 바로 그곳이었던 것이다. 그들은 필치가 소리치고

있던 곳을 흘끗 보았다. 복도 반까지 물이 흥건히 차 있었는데, 모우닝 머틀의 화장실 문틈에서 여전히 스며 나오는 것 같았다. 필치의 고함이 그치자, 화장실 벽에서 머틀이 울부짖는 소리가 울려 퍼지는 걸 들을 수 있었다.

"저 애가 또 왜 저러지?" 론이 말했다.

"가서 보자." 그들은 망토를 발목 위로 끌어올리고 물이 흥건한 곳을 지나 '고장' 표지판이 붙어 있는 화장실 안으로 들어갔다.

모우닝 머틀이 그 어느 때보다도 큰 소리로 엉엉 울고 있었다. 그녀는 늘 있던 화장실 칸 안에 숨어 있는 것 같았다. 벽과 바닥이 흠뻑 젖을 정도로 물이 넘치면서 촛불마저 다 꺼졌으므로 화장실 안은 아주 어두웠다.

"왜 그러니, 머틀?" 해리가 물었다.

"거기 누구니?" 머틀이 불쌍하게 훌쩍거리며 말했다. "이번엔 또 뭘 던지러 온 거야?"

해리가 간신히 그녀의 화장실 쪽으로 걸어가며 말했다. "내가 너에게 뭘 던진다고 그러니?"

"묻지 마." 머틀이 이미 축축이 젖은 바닥 위로 더 많은 물을 튀기면서 나타나 소리쳤다. "난 아무 짓도 안 했는데, 왜 나한테 책을 던지는 거야……."

"하지만 넌 책에 맞는다 해도 다치진 않잖아." 해리가 사리에 맞게 말했다. "내 말은 책이 그냥 널 통과해 지나가니까 말이야,

안 그래?"

그 말을 했던 게 큰 실수였다. 머틀이 몸을 부풀어 오르게 하더니 날카로운 목소리로 말했다. "우리 모두 머틀에게 책을 던지자. 그 아이는 아무것도 느끼지 못하니까! 배 쪽으로 지나가게 하면 10점이고, 머리로 지나가게 하면 50점이야! 하, 하, 하! 굉장히 재미있겠다고, 난 그렇게 생각하지 *않아!*"

"그런데 대체 누가 책을 네게 던졌다는 거니?" 해리가 물었다.

"몰라……. 난 그저 변기 파이프 속에 앉아서, 죽음에 대해 생각하고 있었어. 그런데 그게 바로 내 머리 위로 떨어졌어." 머틀이 그들을 노려보며 말했다. "저쪽에 있었는데, 물에 쓸려 내려갔어……."

해리와 론은 머틀이 가리키는 세면대 밑을 바라보았다. 그곳에 자그마한 얇은 책 한 권이 놓여 있었다. 너덜너덜한 검은색 표지였는데, 화장실 안의 다른 물건들과 마찬가지로 푹 젖어 있었다. 해리가 그것을 집으려고 한 발짝 내디뎠을 때, 론이 그의 등짝을 덥석 잡았다.

"왜 그래?" 해리가 말했다.

"너 미쳤니?" 론이 말했다. "위험할 수도 있잖아."

"*위험하다고?*" 해리가 웃으며 말했다. "쓸데없는 소리 마. 저런 책 같은 게 어떻게 위험할 수 있니?"

"넌 몰라." 론이 걱정스러운 표정으로 그 책을 보며 말했다.

"아빠가 말씀해 주셨는데, 마법부가 압수한 어떤 책들은 눈을 새까맣게 태워 버리기도 했대. 그리고 《어느 마법사의 시》라는 책을 읽은 사람은 모두 죽을 때까지 리머릭이라는 이상한 시구를 읊어 댔었어. 또 바스(영국 남서부에 있는 서머싯 주의 온천도시 — 옮긴이)에 사는 어떤 늙은 마녀는 *한번 읽기 시작하면 절대로 멈출 수 없는* 책을 갖고 있었어! 그렇게 되면 책에 코를 박은 채로 모든 걸 한 손으로만 하면서 평생을 살아야 해. 그리고……."

"그래, 무슨 얘긴지 알겠어." 해리가 말했다.

정체를 알 수 없는 그 작은 책은 푹 젖은 채로 바닥에 놓여 있었다.

"하지만 한번 살펴봐야 그런지 안 그런지 알 수 있을 것 아니야." 그는 그렇게 말하고는 론을 살짝 피해, 바닥에서 그 책을 집어 들었다.

해리는 그게 일기장이라는 걸 단번에 알았고, 표지에 적힌 희미한 연도는 그게 50년 된 것이라는 걸 말해 주었다. 그는 몹시 궁금한 마음으로 일기장을 펼쳤다. 첫 쪽에 잉크로 쓰인 'T. M. 리들'이라는 이름이 희미하게 남아 있었다.

"잠깐." 조심스럽게 다가와 해리의 어깨 너머로 살펴보고 있던 론이 말했다. "그 이름 알아……. T. M. 리들은 50년 전에 학교에서 특별 공로상을 받았었어."

"넌 도대체 그걸 어떻게 알았니?" 해리가 놀라서 물었다.

"필치가 내게 벌로 그의 방패꼴 트로피를 50번이나 닦게 했으니까 알지." 론이 화를 내며 말했다. "내가 민달팽이를 다 토했던 트로피가 바로 그거였거든. 그 이름에서 민달팽이의 끈적끈적한 점액을 한 시간 동안이나 닦아 냈는데, 그걸 기억하지 못한다는 건 말도 안 되지."

해리는 젖은 페이지들을 떼어 냈다. 일기장에는 아무것도 쓰여 있지 않았다. 어떤 페이지에도 쓴 흔적이 전혀 없었다. 심지어 메이블 아줌마의 생일이나 치과 의사, 3시 30분 같은 간단한 메모도 하나 없었다.

"이 일기장엔 아무것도 쓰여 있지 않아." 해리가 실망해서 말했다.

"그런데 왜 누가 이걸 변기 속에다 넣어 쓸려 보내려 했던 걸까?" 론이 이상하다는 듯이 말했다.

일기장 뒤표지에는 런던 복스홀 가에 있는 잡화점 이름이 인쇄되어 있었다.

"리들은 머글 태생이 분명해." 해리가 생각에 잠겨 말했다. "복스홀 가에서 이 일기장을 샀다면 말이야……."

"그럼, 너한텐 이런 건 별로 필요 없겠네." 론이 갑자기 목소리를 낮췄다. "머틀의 코에 맞히기 50점 내기할래?"

그러나 해리는 그걸 호주머니에 쑥 밀어 넣었다.

2월 초가 되자 헤르미온느는 수염도 없어지고, 꼬리도 없어지고, 털도 모두 없어져서 병동에서 나오게 되었다. 그리핀도르 탑으로 돌아온 첫날 저녁에, 해리는 그녀에게 T. M. 리들의 일기장을 보여 주었다.

"흠, 이 일기장엔 신비한 힘들이 있는지도 몰라." 헤르미온느가 그 일기장을 가져가 자세히 살펴보며 신이 나서 말했다.

"만일 그렇다면, 그 힘들은 꼭꼭 숨겨 놓았을 거야." 론이 말했다. "부끄럼을 타는지도 모르지. 그런데 넌 왜 이런 걸 계속 보관하는 거니, 해리?"

"그저 누가 왜 이걸 내버리려고 했는지 알고 싶은 것뿐이야." 해리가 말했다. "리들이 어떻게 해서 호그와트에서 특별 공로상을 받게 되었는지도 알고 싶고 말이야."

"여러 가지가 있을 수 있잖아." 론이 말했다. "O.W.L.을 서른 개쯤 받았을지도 모르고 대왕 오징어한테 잡혀 죽을 뻔한 어떤 교수님을 구했을지도 몰라. 어쩌면 머틀을 죽였을지도 모르지. 그건 모든 사람을 위해 특별히 힘써 준 것일 테니까 말이야⋯⋯."

하지만 해리는 헤르미온느의 얼굴에 나타난 표정에서 그녀가 자신과 똑같은 생각을 하고 있다는 걸 알 수 있었다.

"뭐야?" 론이 해리와 헤르미온느를 차례로 바라보며 말했다.

"어, 비밀의 방이 50년 전에 열렸다고 했지?" 해리가 말했다. "말포이가 그렇게 말했잖아."

"그래⋯⋯." 론이 천천히 말했다.

"그리고 *이 일기장은 50년 됐고.*" 헤르미온느가 흥분해서 일기장을 톡톡 치며 말했다.

"그래서?"

"오, 론, 정신 차려." 헤르미온느가 날카롭게 말했다. "지난번에 그 방을 연 사람은 *50년 전*에 쫓겨났잖아. 또 T. M. 리들은 *50년 전*에 학교에서 특별 공로상을 받았고 말이야. 그러면 만일 리들이 슬리데린의 후계자를 잡은 공로로 특별 공로상을 받았다면 어떻게 될까? 그의 일기장은 어쩌면 우리에게 모든 걸 말해 줄지도 몰라. 그 방이 어디에 있으며, 그걸 여는 방법이며, 그 안에 어떤 종류의 괴물이 살고 있는지 모두 말이야. 그렇다면 이번에 일어난 습격 사건들의 배후에 있는 사람은 이 일기장이 존재하는 걸 바라지 않았을 거야, 안 그래?"

"정말 *기막힌* 이론이야, 헤르미온느." 론이 말했다. "딱 하나 아주 작은 흠이 있다는 것 말고는 말이야. *그의 일기장에는 아무것도 쓰여 있지 않다는 것 말이야.*"

하지만 헤르미온느는 가방에서 요술지팡이를 꺼내고 있었다.

"어쩌면 투명 잉크로 쓴 걸지도 몰라!" 그녀가 작은 소리로 말했다.

그러곤 그녀가 일기장을 톡톡톡 세 번 두드리며 "아파레시움!"이라고 말했다.

아무 일도 일어나지 않았다. 하지만 헤르미온느는 전혀 실망하지 않고 다시 가방 속으로 손을 넣어 지우개처럼 생긴 연한 빨간색 물건을 꺼냈다.

"이건 '비밀 폭로제'야. 다이애건 앨리에서 샀어." 그녀가 말했다.

그러더니 그녀가 1월 1일을 세게 문질렀다. 그러나 아무 일도 일어나지 않았다.

"거 봐, 이 노트에선 아무것도 알아낼 수 없어." 론이 말했다. "리들은 이 일기장을 크리스마스 선물로 받았다가 써 보지도 못하고 죽었을지도 모르잖아."

해리는 왜 리들의 일기장을 내던져 버리지 않는 건지 자신도 알 수 없었다. 사실 그는 그 일기장에 아무것도 쓰여 있지 않다는 걸 알고 있으면서도, 마치 끝까지 읽고 싶은 소설책이라도 되는 듯, 계속 멍하니 책장을 넘기고 있었다. 그리고 해리는 확실히 T. M. 리들이라는 이름을 한번도 들어 본 적이 없었음에도, 그가 마치 반쯤 잊힌 어린 시절의 친구라도 되는 듯, 어떤 중요한 의미가 있는 것 같은 느낌이 들었다. 하지만 말도 되지 않는 생각이었다. 호그와트에 오기 전에 그에겐 친구가 단 한 명도 없었다. 아니, 두들리 때문에 도저히 친구를 사귈 수가 없었다.

어쨌거나 해리는 리들에 대해 더 많은 걸 알아내기로 결심했다. 론은 트로피 보관실은 생각만 해도 치가 떨린다며 다시는 가고 싶지 않다고 고집을 부렸지만, 해리와 헤르미온느에게 이끌려 다음 날 쉬는 시간에 리들의 공로상을 살펴보러 갔다.

리들의 반짝반짝 윤이 나는 황금 방패꼴 트로피는 잘 보이지 않는 한쪽 귀퉁이 진열장 속에 세워져 있었다. 그러나 그 트로피엔 그가 왜 그 상을 받게 되었는지는 상세히 적혀 있지 않았다("천만다행이지 뭐야, 만약 그랬다면 트로피가 훨씬 더 컸을 테고, 그러면 난 여전히 그걸 닦고 있을지도 모르잖아." 론이 말했다). 그러나 그들은 마법 실력이 뛰어난 학생에게 수여하는 오래된 우수 마법 메달과 과거에 수석했던 학생들의 목록에서도 리들의 이름을 발견했다.

"리들도 꼭 퍼시 형 같은 사람이었군." 론이 넌더리가 나서 코를 찡그리며 말했다. "완벽하고, 수석이고…… 어쩌면 전교 회장이었을지도 모르지……."

"그게 뭐가 나쁘니?" 헤르미온느가 약간 상처받은 목소리로 말했다.

이제 호그와트 성에도 다시 해가 들기 시작하면서 성안의 분위기가 더 밝아졌다. 저스틴과 목이 달랑달랑한 닉이 당한 이후 더 이상의 습격은 없었고, 폼프리 부인은 맨드레이크가 침울해지고 뭔가 자꾸 숨기려고 하는 경향을 보이는 것으로 보아 유년기를 지나 사춘기에 접어든 것 같다며 기뻐했다.

"여드름이 다 없어지면 다시 큰 화분에 옮겨 심어도 될 거예요." 해리는 어느 날 저녁 그녀가 필치에게 친절하게 말하는 걸 들었다. "조금만 있으면 맨드레이크를 잘라 내어 약한 불에 달여서 의식 회복제를 만들 수 있을 거예요. 그러면 머지않아 노리스 부인도 다시 살아날 겁니다."

습격이 뜸해지자 해리는 슬리데린의 후계자가 겁을 먹었을지도 모른다고 생각했다. 학생들이 그렇게 조심하고 의심하는 상태에서, 비밀의 방을 연다는 건 점점 더 위험한 일임이 틀림없었다. 어쩌면 무엇인지는 몰라도, 그 괴물은 또다시 50년 동안 겨울잠을 자기로 한 것인지도 몰랐다.

그러나 후플푸프의 어니 맥밀란은 그런 낙천적인 생각에 찬성하지 않았다. 그는 여전히 해리가 그 짓을 했으며, 해리가 결투 클럽에서 '정체를 드러냈다'고 확신했다. 거기엔 피브스도 한몫 거들었다. 그는 계속해서 학생들이 많이 몰려 있는 복도에 나타나 이제는 아예 춤까지 추며 "오, 포터, 이 천덕꾸러기야……"라고 시작되는 노래를 불러 댔다.

질데로이 록허트 교수는 꼭 자기가 습격을 중단시킨 것처럼 행동했다. 그리핀도르 학생들이 변신술 수업을 받으려고 모여들고 있을 때, 해리는 그가 맥고나걸 교수에게 말하는 소리를 우연히 듣게 되었다.

"이제 더 이상의 문제는 없을 것 같아요, 미네르바." 그가 아는 체하며 코를 가볍게 두드리고 윙크를 하며 말했다. "비밀의 방이 이번엔 영원히 잠겨 있을 것 같아요. 범인은 내게 잡히는 게 시간 문제라는 걸 알게 된 게 틀림없어요. 나한테 잡히기 전에, 일찌 감치 그만두는 게 더 낫겠다고 생각했겠죠, 뭐. 이제 학생들의 사기를 높이는 일만 남았어요. 지난 학기의 나쁜 기억을 싹 씻어 내도록 말이오! 지금은 더 이상 말하지 않겠지만, 내 생각엔 그 게……."

그는 코를 다시 톡톡 두드리며 성큼성큼 걸어갔다.

학생들의 사기를 높이겠다는 록허트 교수의 생각은 2월 14일 아침 식사 시간에 명백해졌다. 해리는 전날 밤에 늦게까지 계속 된 퀴디치 연습 때문에 잠을 많이 자지 못했으므로 조금 늦게 연 회장으로 내려갔는데, 안으로 들어서는 순간 잠시 다른 방으로 들어선 게 아닌가 하는 착각이 들었다.

벽마다 온통 타는 듯이 붉은 커다란 꽃들로 뒤덮여 있었다. 더 욱이, 하늘빛 천장에서는 하트 모양의 색종이 조각이 떨어지고 있었다. 해리가 그리핀도르 테이블로 걸어가자, 론은 메스꺼워 하는 표정으로 앉아 있었고, 헤르미온느는 낄낄거리느라 정신이 없는 것 같았다.

"무슨 일이니?" 해리가 베이컨에서 색종이 조각을 떨어내며 물었다.

론이 너무 메스꺼워서 말을 할 수 없다는 듯이, 손가락으로 교수님들의 테이블을 가리켰다. 장식과 어울리게 불타는 듯한 빨간색의 망토를 입은 록허트 교수가 조용히 하라고 손짓을 하고 있었다. 그의 양쪽에 있는 교수님들은 무표정한 얼굴로 앉아 있었다. 해리는 멀리서도 맥고나걸 교수의 볼 근육이 씰룩이는 걸 볼 수 있었다. 또 스네이프 교수는 꼭 스켈레-그로를 한 컵 마신 것 같은 표정이었다.

"즐거운 밸런타인데이 데이죠!" 록허트 교수가 소리쳤다. "그리고 지금까지 제게 카드를 보내 준 마흔여섯 분에게 감사드립니다! 그렇습니다, 저는 실례를 무릅쓰고 여러분 모두를 위해 작은 선물을 준비했어요……. 하지만 이것만이 아니에요!"

록허트 교수가 손뼉을 치자 열두 명의 난쟁이가 들어왔다. 그러나 단순한 난쟁이가 아니었다. 난쟁이들은 하나같이 황금빛 날개를 달고 하프를 들고 있었다.

"제 친구인 사랑의 사자들입니다. 카드를 갖고 있죠!" 록허트 교수가 밝게 미소 지었다. "이들은 오늘 학교를 돌아다니며 여러분에게 밸런타인데이 선물을 전해 줄 것입니다! 그것뿐이 아니에요! 저는 다른 교수님들도 이 행사에 기꺼이 동참하시리라 믿어 의심치 않습니다. 학생 여러분, 스네이프 교수에게 '사랑의 묘약'을 만드는 방법을 보여 달라고 하는 게 어떨까요? 그리고 말이 나왔으니 말이지만, 사람을 황홀하게 하는 마법에 관한 한 플리트윅 교수보다 더 많이 아는 분은 아마 없을 겁니다!"

플리트윅 교수가 양손으로 얼굴을 감쌌다. 스네이프 교수는 누구든 사랑의 묘약을 만들어 달라고 말하는 사람이 있으면 독약으로 죽여 버릴 것 같은 표정을 짓고 있었다.

"말해 봐, 헤르미온느. 너도 설마 그 마흔여섯 명 가운데 하나는 아니겠지?" 1교시 수업을 받으러 연회장을 나서며 론이 말했다. 그러자 헤르미온느가 갑자기 가방을 뒤적거리면서 시간표를 찾는 척하며 아무 대답을 하지 않았다.

난쟁이들은 하루 종일 이 교실 저 교실을 찾아다니며 밸런타인데이 선물을 나누어 주었다. 그날 오후 늦게 그리핀도르 아이들이 마법 수업을 받으러 2층으로 올라가고 있을 때, 한 난쟁이가 해리를 뒤쫓아 왔다.

"와! 해리 포터다!" 굉장히 험상궂게 생긴 난쟁이 하나가 사람들을 밀어제치고 해리 쪽으로 다가오며 소리쳤다.

공교롭게도 지니 위즐리까지 있는 1학년생들 앞에서 밸런타인데이 선물을 받게 되자 해리는 얼굴이 화끈화끈 달아올라 얼른 달아나려고 했다. 그러나 두 발짝도 도망가기 전에 난쟁이가 그에게 다가왔다.

"해리 포터에게 직접 들려줘야 할 노래 선물이 있어요." 그가 하프 줄을 위협적으로 윙 하고 퉁기며 말했다.

"여기선 안 돼." 해리가 달아나려고 하며 씩씩거렸다.

"가만히 있어요!" 그 난쟁이가 해리의 가방을 끌어당기며 툴툴거렸다.

"이거 놔!" 해리가 가방을 다시 세게 잡아끌며 화를 냈다.

그 순간 그의 가방이 북 하고 찢어지면서, 책과 요술지팡이와 양피지와 깃펜이 마룻바닥으로 쏟아져 나왔고, 잉크병이 그 위로 떨어져 산산조각이 났다.

해리는 그 난쟁이가 노래를 시작해 복도에 멍청하게 서 있어야 하는 일이 벌어지지 않도록 얼른 주섬주섬 주워 담았다.

"무슨 일이니?" 드레이코 말포이의 차갑고 느릿느릿한 목소리가 들렸다. 해리는 말포이가 그의 노래 선물을 듣기 전에 그 자리에서 빠져나가려고, 흩어진 것들을 주워 찢어진 가방 속으로 미친 듯이 쑤셔 넣기 시작했다.

"왜들 이렇게 소란이니?" 귀에 익은 또 다른 목소리가 들렸다. 퍼시 위즐리였다.

해리가 당황해서 부리나케 달아나려고 했지만, 난쟁이가 그의 무릎을 잡더니 그를 마룻바닥으로 내동댕이쳤다.

"됐어요." 그가 해리의 발목 위에 앉으며 말했다. "그럼 밸런타인데이 선물을 시작해 볼까요?"

그의 눈은 금방 절인 두꺼비처럼 초록빛이고요,

그의 머리카락은 칠판처럼 까매요.

내 사람이었으면 좋겠어요, 그는 정말 멋져요,

어둠의 마왕을 물리친 영웅이죠.

해리는 그곳에서 사라질 수만 있다면 그린고트에 있는 금을 다 주어도 좋을 것 같았다. 해리가 아무렇지 않은 듯 다른 사람들을 따라 웃으려고 애쓰며, 난쟁이의 무게에 짓눌려 감각이 없어져 버린 발로 간신히 일어서는 동안, 퍼시 위즐리는 재미있어서 울기까지 하는 아이들을 해산시키느라 진땀을 빼야 했다.

"어서들 가, 어서들 가라고, 5분 전에 시작 종이 울렸어. 교실로 가, 어서." 그가 어린 학생들을 밀어내며 말했다. *"그리고 너, 말포이……."*

해리가 흘끗 보자, 말포이가 허리를 굽혀 무언가를 얼른 집더니 심술궂은 표정으로 크레이브와 고일에게 그걸 보여 주었다. 그건 리들의 일기장이었다.

"이리 내놔." 해리가 조용히 말했다.

"포터가 이 안에 뭘 썼을지 궁금한데?" 말포이가 말했다. 그는 표지에 있는 연도를 보지 못하고 그것이 해리의 일기장이라고 생각한 게 분명했다. 주위에 있던 사람들이 갑자기 잠잠해졌다. 지니는 겁에 질린 표정으로, 일기장과 해리를 번갈아 바라보았다.

"돌려줘, 말포이." 퍼시가 엄하게 말했다.

"한번 본 다음에." 말포이가 비웃듯이 일기장을 해리에게 흔들어 보였다.

퍼시가 "학교 반장으로서⋯⋯"라고 말하는 순간, 해리가 더 이상 참지 못하고 요술지팡이를 꺼내 "엑스펠리아르무스!"라고 외쳤다. 그러자 스네이프 교수가 록허트를 무장 해제시켰던 것과 똑같이, 일기장이 말포이의 손을 떠나 공중으로 휙 날아갔다. 그러자 론이 씩 웃으며 그걸 얼른 잡았다.

"해리!" 퍼시가 큰 소리로 말했다. "복도에서는 마법을 부리면 안 돼. 당장 보고하겠어!"

그러나 해리는 들은 척도 하지 않았다. 얄미운 말포이 녀석을 혼내 줬는데 그리핀도르가 5점 정도 감점된들 어떻겠는가. 화가 나서 어쩔 줄 모르고 있던 말포이는 지니가 그의 옆을 지나 교실로 들어가자, 그녀의 뒤에다 대고 짓궂게 쏘아붙였다. "포터가 네가 보낸 밸런타인데이 선물을 별로 마음에 들어 하지 않아서 정말 안됐구나!"

지니는 손으로 얼굴을 감싸고 교실 안으로 달려 들어갔다. 론이 이를 뿌드득 갈며 요술지팡이를 꺼냈지만, 해리가 그를 잡아끌었다. 잘못했다간 론이 또 마법 수업 내내 민달팽이를 토해야 하는 상황이 벌어질지도 몰랐기 때문이다.

해리가 리들의 일기장에서 뭔가 좀 이상한 낌새를 알아챈 것은 플리트윅 교수의 교실에 도착했을 때였다. 다른 책들은 모두 진홍색 잉크에 흠뻑 젖어 있는데, 그 일기장만은 잉크병이 산산조각나기 전과 똑같이 깨끗했다. 그는 론에게 이 점을 말하려고 했지만, 론은 요술지팡이가 또다시 말썽을 일으키는 바람에, 정신이 없었다. 그의 지팡이 끝에서 큼지막한 보랏빛 거품들이 부글부글 피어나고 있었던 것이다.

해리는 그날 밤 가장 먼저 잠자리에 들었다. 이건 어느 정도는 프레드와 조지가 "그의 눈은 금방 절인 두꺼비처럼 초록빛이고요" 하면서 노래 부르는 걸 더 이상 참을 수 없었기 때문이기도 했지만, 또 한편으로는 헛수고일 뿐이라는 론의 말에도 불구하고 리들의 일기장을 다시 한 번 살펴보고 싶었기 때문이다.

해리는 침대에 앉아 아무것도 쓰여 있지 않은 페이지들을 휙휙 넘겨 봤지만, 단 한 페이지에도 진홍색 잉크가 묻어 있지 않았다. 그는 침대 옆에 있는 벽장에서 새 잉크병을 하나 꺼내, 깃펜을 푹 담근 뒤, 일기장 첫 페이지에 한 방울을 똑 떨어뜨렸다.

잉크가 종이 위에서 잠시 밝게 빛나더니, 마치 그 페이지 속으로 빨려 들어가기라도 한 듯, 스르르 사라져 버렸다. 흥분한 해리는 깃펜에 잉크를 잔뜩 묻힌 뒤 '내 이름은 해리 포터야'라고 썼다.

그러자 그 글귀가 순간적으로 빛을 내더니, 역시 흔적도 없이 사라졌다. 그때 예상치도 못했던 일이 벌어졌다.

종이에 해리가 쓰지도 않은 말들이 그의 잉크 색깔로 다시 스며 나왔다.

안녕, 해리 포터. 내 이름은 톰 리들이야. 내 일기장을 어떻게 갖게 되었니?

이 말들이 막 사라지려는 순간에 해리는 얼른 대답을 휘갈겨 썼다.

'누군가가 이걸 변기 속에 넣어 물로 씻어 내리려고 했어.'

그는 리들의 응답을 간절히 기다렸다.

내 기억들을 잉크보다 더 오래가는 방법으로 기록하길 정말 잘 했구나. 하지만 난 이 일기장이 읽히는 걸 바라지 않는 사람들이 있으리라는 걸 알고 있었어.

'무슨 말이니?' 해리가 흥분해서 아무렇게나 갈겨썼다.

이 일기장 안에 끔찍한 기억들이 담겨 있다는 뜻이야. 비밀 이 야기들이. 호그와트 마법학교에서 일어났던 일들이 말이야.

'여기가 바로 거기야.' 해리가 급히 썼다. '내가 있는 곳이 바로 호그와트고, 지금 끔찍한 일이 벌어지고 있어. 혹시 비밀의

방에 대해 아니?'

해리의 가슴이 두방망이질했다. 그의 말이 떨어지기가 무섭게 리들이 곧바로 응답했다. 그는 꼭 자신이 아는 모든 걸 허둥지둥 말하고 있기라도 한 듯, 글씨가 점점 더 삐뚤삐뚤해졌다.

물론 비밀의 방에 대해 알지. 내가 다닐 때, 사람들은 그게 전설일 뿐이며 존재하지 않는다고 말했어. 하지만 그건 거짓말이야. 내가 5학년이었을 때, 그 방이 열렸어. 그리고 괴물이 학생 몇 명을 습격했는데, 끝내 한 명은 죽고 말았어. 난 그 방을 연 사람을 잡았고 그는 쫓겨났지. 하지만 그 당시의 교장 선생님이셨던 디펫 교수는 호그와트에서 그런 일이 일어난 것을 부끄럽게 여겨서, 내게 진실을 말하지 못하게 하셨어. 그리고 희생당한 여자아이는 얼토당토않게도 사고로 죽었다고 발표되었지. 그들은 내가 말썽을 일으킬까 봐 번쩍이는 멋진 트로피를 주고 입 다물고 있으라고 경고했어. 하지만 난 그런 일이 또 일어날 수 있다는 걸 알았어. 괴물은 여전히 살아 있고, 그 괴물을 풀어 놓을 수 있는 사람은 감옥에 들어가지 않았으니까 말이야.

해리는 성급히 답변을 쓰려고 하다가 그만 잉크병을 뒤집어엎을 뻔했다.

'그런 일이 지금 또다시 일어나고 있어. 습격이 세 번 있었는데

누구 짓인지 아무도 모르는 것 같아. 지난번에는 누가 그랬니?'
리들이 응답했다.

원한다면, 보여 줄 수 있어. 내 말을 못 믿겠다면, 내가 그를 잡
던 날 밤의 기억 속으로 널 데려갈 수도 있다는 말이야.

해리는 깃펜을 일기장 위에서 멈춘 채 망설였다. 리들의 말이
무슨 뜻일까? 어떻게 다른 사람의 기억 속으로 들어갈 수 있단 말
인가? 그는 점차 어두워지고 있는 기숙사 방문을 흘끗 바라보았
다. 그리고 다시 일기장을 바라보았을 때 막 글이 쓰이고 있었다.

보여 줄게.

해리는 잠시 머뭇대다가 두 자를 썼다.
'좋아.'
일기장이 마치 강풍이 불고 있기라도 한 듯 휙휙 넘겨지기 시
작하더니, 6월의 반쯤 가서 멈췄다. 그리고 일기장이 탁 펼쳐졌
을 때, 6월 13일 칸이 작은 텔레비전 스크린으로 변했다. 그는 떨
리는 손으로 책을 들어 올리고 눈을 그 작은 스크린에 바짝 갖다
댔다. 그러자 그 스크린이 넓어지면서 몸이 침대에서 떨어지는
가 싶더니, 해리는 스크린을 지나 갖가지 색깔과 그림자들의 소

용돌이 속으로 빠져 들어갔다.

발이 딱딱한 땅에 닿는 걸 느끼고 일어서서 떨고 있을 때, 주변에 있는 희미한 형체들이 갑자기 또렷해졌다.

그는 자신이 어디에 있는지 금방 알았다. 잠자는 초상화들이 있는 이 원형의 방은 바로 덤블도어 교수의 사무실이었다…….그러나 그 책상 뒤에 앉아 있는 사람은 덤블도어 교수가 아니었다. 흰머리 몇 가닥만 남아 있을 뿐 거의 대머리인 쭈글쭈글한 마법사가 촛불 옆에서 편지를 읽고 있었다. 해리는 이 사람을 한번도 본 적이 없었다.

"죄송해요." 해리가 떨며 말했다. "방해하려던 게 아니었어요……."

그러나 그 마법사는 올려다보지 않았다. 그는 약간 얼굴을 찡그리며 계속 읽었다. 해리는 그의 책상으로 더 가까이 다가가 더 듬거리며 말했다. "저…… 그냥 갈까요?"

그러나 그 마법사는 여전히 그를 본체만체했다. 해리의 말을 듣지 못한 것 같았다. 그 마법사가 어쩌면 귀머거리일지도 모른다고 생각하면서, 해리는 목소리를 높였다.

"방해해서 죄송해요. 이제 갈게요." 그는 거의 소리치다시피 했다.

그러나 그 마법사는 한숨을 쉬며 그 편지를 접더니, 일어서서 해리를 쳐다보지도 않고 옆으로 지나가 창문의 커튼을 걷었다.

창밖의 하늘은 붉게 타고 있었다. 해질녘인 것 같았다. 마법사는 다시 책상으로 돌아가 앉더니 엄지손가락을 만지작거리며 문을 바라보았다.

해리는 사무실을 둘러보았다. 불사조 퍽스는 없었다. 씽 하는 소리를 내는 기묘한 은빛 장치도 없었다. 이곳은 리들이 알고 있는 호그와트였다. 즉, 이 낯선 마법사는 덤블도어 교수가 아니라 바로 그 당시의 교장 선생님이고, 해리는 50년 전의 사람들에게는 전혀 보이지 않는 환영에 불과할 뿐이었다.

누군가가 교장실 문을 노크하는 소리가 들렸다.

"들어오시오." 늙은 마법사가 희미한 목소리로 말했다.

열여섯 살쯤 되어 보이는 어떤 남자아이가 들어와 뾰족한 모자를 벗었다. 그의 가슴에서는 은빛 반장 배지가 반짝이고 있었다. 해리보다는 훨씬 더 컸지만, 그의 머리카락은 해리처럼 새까맸다.

"오, 리들이구나." 교장이 말했다.

"절 부르셨습니까, 디펫 교수님?" 리들이 말했다. 그는 긴장한 것처럼 보였다.

"앉거라." 디펫이 말했다. "막 네 편지를 읽고 있었단다."

"아." 리들이 말했다. 그는 두 손을 꼭 쥐고 앉았다.

"얘야." 디펫이 상냥하게 말했다. "여름에 널 학교에 머물러 있게 할 수가 없구나. 방학이 되면 집에 돌아가고 싶을 텐데 왜 가지 않으려는 거니?"

"저는……." 리들이 즉시 말했다. "저는 집으로 돌아가는 것보다 호그와트에 머무는 게 훨씬 더 좋아요. 돌아가는 것보단……."

"방학 동안 머글 고아원에서 지내야 하기 때문이니?" 디펫이 조심스럽게 말했다.

"네, 교수님." 리들이 약간 얼굴을 붉히며 말했다.

"머글 태생이니?"

"혼혈이에요." 리들이 말했다. "아버지는 머글이시고, 어머니는 마녀죠."

"그리고 네 부모는 두 분 다……."

"어머니는 제가 태어나자마자 돌아가셨어요. 고아원에 계신 분들이 그러는데, 어머니는 간신히 제 이름만 지어 주고 돌아가셨대요. 톰은 제 아버지의 이름을 딴 거고, 마볼로는 할아버지 이름을 딴 거래요."

디펫이 매우 안됐다는 듯이 혀를 끌끌 찼다.

"중요한 건, 톰." 그가 한숨을 지었다. "너를 위해 특별한 배려를 해야 했지만 말이다, 현재 상황에서는……."

"요즘에 일어난 습격 사건 때문인가요?" 리들이 이렇게 말하자, 해리는 가슴이 마구 뛰었다. 그는 뭐 하나라도 듣지 못하는 게 있을까 봐, 더 가까이 다가갔다.

"바로 그렇단다." 교장이 말했다. "얘야, 학기가 끝났는데 널 성에 남아 있도록 할 수는 없단다. 특히 최근에 일어난 비극에 비추어 볼 때……. 그 가엾은 어린 소녀의 죽음 말이다……. 너도 고아원에서 지내는 게 훨씬 더 안전할 게다. 사실, 마법부는 심지어 학교 폐쇄 문제를 심각히 논의하고 있을 정도란다. 그런데 우린…… 글쎄…… 이런 심각한 사건들의 원인을 전혀 알아내지 못하고 있으니…….”

리들의 눈이 동그래졌다.

“교수님, 만약 그 사람이 잡힌다면…… 만약 그 모든 습격이 중단된다면…….”

“그게 무슨 말이니?” 디펫이 의자에 똑바로 앉으면서 정색을 하고 물었다. “리들, 그 말은 네가 이들 습격에 대해 뭔가 알고 있다는 뜻이니?”

“아니에요, 교수님.” 리들이 얼른 말했다.

하지만 해리는 ‘아니다’라는 그 말이 바로 자신이 덤블도어 교수에게 했던 부정의 의미와 똑같은 거라고 확신했다.

디펫은 약간 실망한 듯, 맥없이 다시 주저앉았다.

“이제 가도 좋다, 톰…….”

리들이 의자에서 슬그머니 일어나 고개를 푹 숙이고 그 방에서 나가자 해리는 그를 따라갔다.

그들은 움직이는 나선형 계단을 내려가, 음침한 복도에 있는 이무기 석상 옆으로 나왔다. 리들은 심각하게 무언가 생각하고 있는지, 이맛살을 찌푸리며 입술을 깨물고 있었다.

그러곤 갑자기 결정을 내리기라도 한 듯 급히 걸어가기 시작했고, 해리는 조용히 그 뒤를 쫓아갔다.

그런데 그들이 현관 안의 넓은 홀에 이르렀을 때, 긴 머리카락과 수염이 온통 적갈색인 키 큰 마법사 하나가 대리석 계단에서 리들을 불렀다.

"이렇게 늦은 시간에 돌아다니며 뭐 하는 거냐, 톰?"

해리는 그 마법사를 보자 입이 딱 벌어졌다. 그는 다름 아니라 바로 50년 전의 젊은 덤블도어였다.

"교장 선생님을 만나 뵙느라고요." 리들이 말했다.

"그럼 어서 침실로 가렴." 덤블도어는 해리가 너무나 잘 아는 바로 그 뚫어질 듯한 눈초리로 리들을 바라보며 말했다. "요즘 같은 땐 복도를 돌아다니지 않는 게 좋지. 그 사건 이후로는……."

그는 한숨을 푹 쉬더니 리들에게 잘 자라고 말한 뒤 성큼성큼 걸어갔다. 리들은 덤블도어가 눈앞에서 멀어지는 걸 지켜본 뒤, 부리나케 지하 감옥으로 내려가는 돌계단 쪽으로 향했다. 해리도 얼른 뒤따라갔다.

그러나 놀랍게도, 리들은 비밀 복도나 비밀 통로가 아니라 스네이프 교수가 마법의 약 수업을 하는 바로 그 지하 감옥으로 내려갔다. 그리고 거의 닫힌 문을 밀어 열고, 횃불이 밝혀져 있지 않은 바깥 복도를 지켜보고 있었다.

그들은 그 자리에 마치 한 시간은 있었던 것 같았다. 그가 볼 수 있는 것은 그저 조각상처럼 서서 문틈 새로 바깥을 뚫어지게 바라보는 리들의 형상뿐이었다. 그리고 해리의 기대가 무너지고 긴장이 풀리면서 다시 현재로 돌아가고 싶다고 생각하기 시작했을 때, 문 뒤에서 뭔가가 움직이는 소리가 났다.

누군가가 그 복도로 살금살금 걸어오고 있었다. 누군지는 모르지만 그와 리들이 숨어 있는 지하 감옥 옆으로 지나가고 있었다.

리들은 그림자처럼 조용히 문을 열고 나가 뒤따라갔고, 해리는 자신의 발소리가 들리지 않는다는 사실도 잊은 채, 발소리를 죽이고 그의 뒤를 쫓아갔다.

약 5분쯤 그의 뒤를 따라갔을 때, 리들이 갑자기 새로운 소리가 나는 쪽으로 고개를 돌리고 멈춰 섰다. 어떤 문이 삐걱거리며 열리는 소리가 나더니, 누군가가 쉰 목소리로 소곤소곤 말했다.

"어서…… 여길 나가야 해……. 어서 자…… 상자 속으로……."

어디서 많이 듣던 목소리였다.

리들이 갑자기 모퉁이를 돌아 나갔다. 해리도 뒤따라갔다. 문득 열린 문 앞에 쪼그리고 앉아 있는 몸집이 큰 어떤 소년의 거무스름한 윤곽이 보였다. 그 옆에는 굉장히 큰 상자 하나가 놓여 있었다.

"안녕, 루베우스." 리들이 날카롭게 말했다.

그러자 그 소년이 문을 쾅 닫고는 벌떡 일어섰다.

"여기서 뭐 하는 거니, 톰?"

리들이 더 가까이 다가갔다.

"이제 다 끝났어." 그가 말했다. "이제 널 신고할 거야, 루베우스. 만약 습격 사건이 그치지 않는다면 호그와트가 폐쇄될 거야."

"그게 무슨 소리야……?"

"네가 일부러 사람을 죽이려고 했던 건 아닐 거야. 하지만 괴물들은 좋은 애완동물이 되지 못해. 넌 그저 운동시키려고 내보내겠지만……."

"그건 아무도 죽이지 않았어!" 몸집이 큰 그 소년이 닫힌 문 쪽으로 물러나며 말했다. 그의 뒤에서는, 무언가가 급히 움직이며 딸깍딸깍하는 이상한 소리를 냈다.

"이것 봐, 루베우스." 리들이 더 가까이 다가서며 말했다. "그 죽은 여자아이의 부모가 내일 이곳에 올 거야. 호그와트는 어쨌든 그들의 딸을 죽인 그 괴물을 잡아서 처벌하는 성의를 보여야만 해……."

"그가 한 짓이 아니야!" 소년이 큰 소리로 말하자, 그의 목소리가 어두운 복도에 울려 퍼졌다. "그 녀석은 그런 짓을 하지 않아! 절대로!"

"옆으로 비켜서." 리들이 요술지팡이를 잡아 빼며 단호하게 말했다.

그가 주문을 외우자 복도가 갑자기 타는 듯이 붉은빛으로 밝아졌다. 그리고 그 커다란 소년 뒤쪽의 문이 쾅 하고 열리면서 그를 맞은편 벽으로 날려 버렸다. 이어서 그 안에서 무언가가 나왔다. 해리는 아무에게도 들리지 않지만 귀청이 터질 듯한 긴 비명을 질렀다.

등골이 오싹한 털투성이의 거대한 몸체에 뒤엉킨 까만 다리들. 번득이는 여러 개의 눈과 면도날처럼 날카로운 집게발……. 리들이 요술지팡이를 다시 들어 올렸지만, 이미 늦고 말았다. 그 괴물이 그를 넘어뜨리고는 순식간에 복도에서 사라져 버린 것이다.

리들은 그 괴물이 달아난 곳을 지켜보며 급히 일어섰다. 그리고 그가 요술지팡이를 들어 올리는 순간, 몸집이 큰 아이가 얼른 덤벼들더니, 리들의 지팡이를 잡고 그를 다시 바닥에 넘어뜨려 꼼짝 못하게 한 뒤 소리쳤다.

"안 돼!"

그 장면이 빙글빙글 돌더니, 갑자기 새까매졌다. 그리고 몸이 한없이 떨어지는 것 같더니, 해리는 쿵 하는 소리와 함께 그리핀도르 기숙사 방에 있는 자신의 침대 위에 대자로 떨어졌다. 그의 배 위에는 리들의 일기장이 펼쳐진 채 놓여 있었다.

그러고는 해리가 숨 돌릴 틈도 없이, 기숙사 문이 열리며 론이 들어왔다.

"여기 있었구나." 그가 말했다.

해리는 일어나 앉았다. 그는 식은땀을 흘리며 부들부들 떨고 있었다.

"무슨 일이니?" 론이 걱정스러운 얼굴로 그를 쳐다보며 말했다.

"해그리드였어, 론. 바로 해그리드가 50년 전에 그 비밀의 방을 열었던 거야."

제 **14** 장

코넬리우스 퍼지

해리와 론과 헤르미온느는, 유감스럽게도 해그리드가 괴물 같은 끔찍한 동물들을 좋아한다는 사실을 진작부터 알고 있었다. 그들이 1학년이었을 때 해그리드는 자신의 작은 오두막에서 용을 기르려고 했는가 하면, 머리가 셋 달린 거대한 개에게 플러피라는 귀여운 이름을 지어 주기도 했었다. 그러므로 해그리드가 어렸을 때, 만약 성 어딘가에 괴물이 숨어 있다는 소릴 들었다면, 그 괴물을 보기 위해 무슨 짓이라도 했을 것이 분명했다. 그는 그 괴물이 오랫동안 비좁은 곳에 갇혀 있는 걸 대단히 가슴 아프게 여겼을 테고, 그 많은 다리를 쭉 뻗을 기회를 주는 게 당연하다고 생각했을 것이다. 해리는 그 거대한 괴물에게 가죽끈과 목줄을 달려고 애쓰고 있는 열세 살짜리 해그리드의 모습을 어렵지 않게 상상할 수 있었다. 그러나 해리는 또 해그리드가 절대 누군가를 죽일 사람이 아니라고 확신했다.

해리는 차라리 리들의 일기장을 읽는 방법을 알아내지 못했더라면 좋았을 텐데 하는 생각마저 들었다. 론과 헤르미온느는 해리가 본 것을 묻고 또 묻고 자꾸 물었으므로, 해리는 이제 대답하는 데도 지쳤거니와 결론 없이 계속 겉돌기만 하는 지루한 대화에도 신물이 났다.

"리들은 *어쩌면* 엉뚱한 사람을 잡은 건지도 몰라." 헤르미온느가 말했다. "사람들을 습격했던 게 다른 괴물일지도 모르고……."

"이곳 호그와트엔 도대체 얼마나 많은 괴물이 있는 거지?" 론이 느릿느릿 물었다.

"우린 해그리드가 쫓겨났다는 건 알고 있었잖아." 해리가 비참하게 말했다. "그리고 해그리드가 쫓겨난 뒤에 더 이상 습격 사건이 일어나지 않았던 게 틀림없어. 그렇지 않았다면, 리들이 상을 받지 못했을 테니까 말이야."

하지만 론은 다른 쪽으로 생각하려고 했다.

"리들은 꼭 퍼시 형 같아……. 누가 해그리드를 밀고하라고 시키기라도 했대?"

"하지만 그 괴물이 사람을 *죽였잖아*, 론."

헤르미온느가 말했다.

"그리고 호그와트가 폐쇄되면 리들은 머글 고아원으로 돌아가야 했어." 해리가 말했다. "그가 이곳에 머물고 싶어 했던 건 당연해……."

"너 녹턴 앨리에서 해그리드를 만났다고 했지, 해리?"

"그는 육식성 민달팽이를 없애는 약을 사고 있었어." 해리가 얼른 말했다.

그들 셋은 갑자기 조용해졌다. 한참 뒤, 헤르미온느가 망설이는 목소리로 가장 하기 어려운 말을 했다.

"해그리드에게 가서 모든 걸 직접 물어보는 게 어떨까?"

"정말로 그런 걸 물어보러 찾아가고 싶지는 않아." 론이 말했다. "안녕, 해그리드. 말해 보세요, 최근에 성에다 털투성이 괴물을 풀어놓았나요?"

결국, 그들은 습격이 또 있을 때까지 해그리드에게 아무 말도 하지 않기로 결정했고, 며칠 동안 형체가 보이지 않는 목소리의 속삭임도 더 이상 들리지 않자, 해그리드가 왜 쫓겨났는지, 그에게 굳이 물어보지 않아도 된다는 생각에 안도하게 되었다. 또 저스틴과 목이 달랑달랑한 닉이 습격당한 이후 거의 넉 달 동안 더 이상 어떤 일도 일어나지 않았으므로, 사람들은 거의 모두가, 그 습격자가 누군지는 몰라도 영원히 사라졌다고 생각하는 것 같았다.

피브스는 마침내 "오, 포터, 이 천덕꾸러기야"라는 노래 부르기에 싫증을 냈고, 어니 맥밀란은 어느 날 약초학 수업 시간에 해리에게 독버섯 양동이를 넘겨 달라고 아주 정중히 부탁했다. 3월에는 맨드레이크 몇 개가 3번 온실에서 귀에 거슬리는 요란한 파티를 벌이기도 했는데, 이것을 보자 스프라우트 교수는 매우 기뻐했다.

"맨드레이크가 서로의 화분으로 옮겨 가려고 한다는 건 완전히 자랐다는 증거란다." 그녀가 해리에게 말했다. "그렇게 되면 병동에 있는 저 가엾은 사람들을 되살릴 수 있을 거야."

부활절 휴일 동안 2학년들에겐 고민거리가 또 하나 생겼다. 3학년 때 수강할 과목들을 선택해야 하는 것이었다. 적어도 헤르미온느는 그 문제를 아주 심각하게 받아들였다.

"그건 우리의 미래에 영향을 미칠 수도 있어." 새로운 과목 목록을 꼼꼼히 살피며 체크를 하면서 그녀가 해리와 론에게 말했다.

"난 마법의 약은 그만두었으면 딱 좋겠어." 해리가 말했다.

"그럴 수 없다는 거 알잖아." 론이 우울하게 말했다. "우리가 전 학기에 들었던 과목은 모두 들어야 해. 그러지 않아도 된다면 난 어둠의 마법 방어술을 뺐을 거야."

"하지만 그건 매우 중요해!" 헤르미온느가 깜짝 놀라서 말했다.

"록허트 교수가 가르치는 걸 보면 전혀 그렇지 않아." 론이 말했다. "난 작은 요정들을 풀어 주지 말아야 한다는 것 말고는 그에게 배운 게 하나도 없단 말이야."

네빌 롱바텀은 모든 마법사 친척들로부터 편지를 받았는데, 그들 모두 과목 선택에 대해 각기 다른 충고를 해 주었다. 네빌은 혼란스럽기도 하고 걱정스럽기도 해서인지, 혓바닥을 내밀고 앉아서 과목 목록을 읽으며, 아이들에게 '산술점'과 '고대 문자' 중 어느 것이 더 공부하기 어려울지 묻고 있었다. 해리처럼, 머글 속에서 자란 딘 토마스는 눈을 감고 지팡이로 목록을 아무 데나 쿡 찌른 뒤, 그것이 가리키는 과목들을 고르기도 했다. 그러나 헤르미온느는 누구의 충고도 받아들이지 않고 모든 과목을 다 적어 넣었다.

해리는 만약 버논 이모부와 페투니아 이모에게 마법사로서의 자신의 진로에 대해 의논했다면 그들이 뭐라고 했을까 생각하자 절로 웃음이 나왔다. 그에게 조언을 해 주는 사람이 전혀 없었던 건 아니었지만, 그중에서도 퍼시 위즐리는 자신의 경험을 몹시 얘기해 주고 싶어 했다.

"그건 네가 앞으로 무엇을 하고 싶은가에 달려 있어, 해리." 그가 말했다. "장래에 대해 생각하는 건 빠를수록 좋아. 내가 볼 때 점술가도 괜찮을 것 같아. 사람들은 머글 연구가 별 볼일 없다고 하지만, 난 마법사들이라면 비 마법 세계에 대해서도 철저히 알아야 한다고 생각해. 특히 그들과 아주 가까운 일을 할 생각이라면 더욱 그렇지……. 우리 아버지를 봐, 아버지는 언제나 머글 문제에 관심이 있으시잖아. 우리 형 찰리는 늘 야외에서 일하는 걸 좋아했으니까, 신비한 생물들을 돌보는 곳으로 갔잖아. 잘해 봐, 해리."

하지만 해리는 자신 있는 게 퀴디치밖에 없었다. 결국 그는 론과 똑같은 과목들을 선택했다.

그리핀도르의 다음 퀴디치 시합은 후플푸프와 하기로 되어 있었다. 우드는 저녁 식사 후 매일 밤 단체 훈련을 해야 한다고 고집했으므로, 해리는 퀴디치와 숙제 말고는 다른 걸 할 시간이 전혀 없었다. 그러나 비는 더 이상 내리지 않아서, 날씨만큼은 훈련하기에 점점 더 좋아지고 있었다. 토요일에 있을 시합 전날 저녁, 훈련을 마친 해리는 이번에야말로 그리핀도르가 퀴디치 우승컵을 탈 수 있을 거라고 생각하며 빗자루를 갖다 놓으려고 기숙사로 올라갔다.

그러나 그의 유쾌한 기분은 오래가지 않았다. 기숙사 방 앞에서 네빌 롱바텀을 만났는데, 그는 극도로 흥분한 것처럼 보였다.

"해리, 난 누가 그랬는지 몰라⋯⋯. 내가 들어갔을 때 벌써 저렇게 되어 있었어⋯⋯."

걱정스러운 눈초리로 해리를 바라보며, 네빌이 문을 밀었다.

해리의 가방 속에 들어 있던 물건들이 사방으로 흩어져 있었다. 망토는 갈기갈기 찢기고, 이불은 침대에서 끌어 내려졌으며, 침대 옆에 있는 서랍장 서랍이란 서랍은 죄다 열렸고, 그 안에 들어 있던 물건들은 매트리스 위에 뒤엎어져 있었다.

해리는 너무나 기가 막혀 입을 벌린 채 침대 쪽으로 걸어갔다.

《트롤과의 여행》에서 뜯겨 나온 책장 몇 페이지가 발에 밟혔다. 네빌과 함께 담요를 침대 위로 다시 끌어올릴 때, 론과 딘과 시무스가 들어왔다. 딘이 놀라 물었다.

"무슨 일이니, 해리?"

"몰라." 해리가 말했다.

하지만 론은 해리의 망토를 살피고 있었다. 주머니마다 다 뒤집혀 있었다.

"누군가가 뭘 찾고 있었나 봐." 론이 말했다. "뭐 잃어버린 거 있니?"

해리는 흩어져 있는 것들을 주섬주섬 주워 가방 속으로 던지기 시작했다. 그런데 록허트의 책들을 다 던져 넣었을 때 무언가가 없어졌다는 걸 알았다.

"리들의 일기장이 *없어졌어*." 그가 론에게 작은 목소리로 말했다.

"뭐라고?"

해리가 갑자기 기숙사 문으로 달려 나가자 론이 그를 따라 나갔다. 그들은 허둥지둥 그리핀도르의 학생 휴게실로 내려갔다. 사람들이 다 기숙사로 돌아간 그곳에서, 헤르미온느가 혼자서 《고대 문자는 쉽게 만들어졌다》라는 책을 읽고 있었다.

헤르미온느는 해리와 론의 말을 듣고 깜짝 놀란 것 같았다.

"하지만…… 훔칠 수 있는 사람은 그리핀도르 학생뿐이야……

다른 애들은 우리 암호를 모르잖아……."

"맞았어, 바로 그거야." 해리가 말했다.

그들은 다음 날 아침, 눈부신 햇살과 산들산들 부는 상쾌한 바람에 잠에서 깨어났다.

"퀴디치하기엔 딱 좋은 날씨로군!" 우드가 그리핀도르 테이블에서, 선수들 접시에 스크램블드 에그를 잔뜩 담아 주며 흥분을 감추지 못하고 말했다. "해리, 기운 내. 넌 아침을 잘 먹어 둬야 해."

해리는 사람들이 꽉 들어찬 그리핀도르 테이블을 빤히 내려다보며, 리들 일기장의 새 주인이 바로 자기 눈앞에 있는 게 아닐까 생각하고 있었다. 헤르미온느는 도둑맞은 것을 알리라고 부추겼지만, 해리는 그렇게 하고 싶지 않았다. 그렇게 되면 그는 교수님에게 그 일기장에 대해 모든 걸 말해야 할 것이다. 그리고 해그리드가 50년 전에 왜 쫓겨났는지 아는 사람이 몇 명이나 되겠는가? 그는 그 모든 이야기를 다시 꺼내는 사람이 되고 싶지 않았다.

그러나 론과 헤르미온느와 함께 연회장을 나와 퀴디치 물건들을 가지러 갈 때, 엎친 데 덮친 격으로 심각한 걱정거리가 또 하나 생겼다. 대리석 계단에 막 발을 들여놓았을 때 그 소리가 또다시 들린 것이다. "이번엔 죽일 거야……. 가죽을 벗겨서…… 갈기갈기 찢어서……."

해리가 소리를 꽥 지르자 론과 헤르미온느 모두 소스라치게 놀라 그에게서 떨어졌다.

"저 목소리!" 해리가 어깨 너머를 훑어보며 말했다. "방금 그 목소리가 또 들렸어! 너희는 못 들었니?"

론이 눈을 동그랗게 뜨고 고개를 저었다. 그러나 그 순간 헤르미온느가 손으로 이마를 탁 쳤다.

"해리, 막 무슨 생각이 났어! 도서실에 좀 가 봐야겠어!"

그녀는 쏜살같이 계단 위로 올라갔다.

"저 애가 또 무슨 생각이 났다는 거니?" 해리가 그 목소리가 어디서 들렸는지 알아내려고, 넋 나간 사람처럼 주위를 둘러보며 말했다.

"나보다야 생각이 엄청 많겠지."

론이 고개를 흔들며 말했다.

"그런데 도서실엔 왜 가는 거니?"

"그거야 헤르미온느가 늘 하는 거잖아." 론이 어깨를 으쓱하며 말했다. "의심나는 게 있으면, 도서실에 가는 거."

해리는 엉거주춤 서서, 그 목소리를 다시 들어 보려고 했지만, 연회장에서 나온 사람들이 시끄럽게 떠들며 하나둘 퀴디치 경기장으로 가고 있어서 더 이상 집중할 수가 없었다.

"가는 게 좋겠어." 론이 말했다. "거의 11시야. 시합이······."

해리는 그리핀도르 탑으로 달려 올라가 님부스 2000을 들고 와서는, 얼른 떼 지어 정원으로 나가는 아이들 틈에 끼었지만,

머릿속엔 온통 형체 없는 목소리 생각뿐이었다. 탈의실에서 진홍색 망토를 입을 때, 그는 그나마 모든 사람이 이 경기를 지켜보기 위해 바깥에 나와 있다는 사실에 위안을 얻었다.

선수들은 떠들썩한 박수갈채를 받으며 경기장으로 걸어 나갔다. 올리버 우드가 연습 비행을 하려고 골대 주위로 날아오르자 후치 부인이 공들을 놓아 주었다. 카나리아빛 노란색 망토를 입은 후플푸프 선수들은 모여서 막바지 전략 논의를 하고 있었다.

해리가 막 빗자루에 올라타려고 할 때, 맥고나걸 교수가 커다란 보라색 손확성기를 들고 거의 뛰다시피 경기장으로 들어왔다.

해리는 가슴이 철렁 내려앉았다.

"시합이 취소되었습니다." 맥고나걸 교수가 관중석을 가득 메운 학생들에게 손확성기를 통해 큰 소리로 알렸다. 올리버 우드는 어이가 없다는 표정으로, 경기장으로 내려와 빗자루를 탄 채 맥고나걸 교수 쪽으로 날아갔다.

"하지만, 교수님!" 그가 소리쳤다. "저흰 경기를 해야만 해요…… 우승컵이…… *그리핀도르가……*"

그러나 맥고나걸 교수는 그를 무시한 채 손확성기를 통해 계속해서 큰 소리로 말했다.

"학생들은 모두 각자 기숙사 학생 휴게실로 돌아가십시오. 상세한 이야기는 기숙사 담당 교수님께서 해 주실 것입니다. 될 수 있는 대로 빨리 가세요, 어서!"

그러고는 그녀는 손확성기를 내리고 해리에게 오라고 손짓했다.

"포터, 넌 나랑 같이 가는 게 좋겠다……."

맥고나걸 교수가 이번에도 자기를 의심하는 건가 하고 해리가 생각하고 있을 때, 론이 불평하는 군중을 헤치고 나오는 게 보였다. 맥고나걸 교수와 해리가 성을 향해 가자 론이 달려왔다. 그러나 놀랍게도, 맥고나걸 교수는 론이 같이 가는 걸 꺼리지 않았다.

"그래, 너도 가는 게 좋겠구나, 위즐리……."

그들 주위에 떼 지어 몰려 있던 학생들은 시합이 취소된 것에 대해 투덜대고 있는가 하면, 걱정스러운 표정을 짓고 있기도 했다. 해리와 론은 맥고나걸 교수를 따라 다시 학교로 들어가 대리석 계단 위로 올라갔다. 그러나 그들은 이번엔 누구의 사무실로도 들어가지 않았다.

"약간 놀랐을 게다." 병동에 도착했을 때 맥고나걸 교수가 놀라울 정도로 부드러운 목소리로 말했다. "습격이 또 있었단다……. 또 두 명이 당했어."

해리는 속이 뒤틀리는 걸 느꼈다. 그들은 안으로 들어갔다.

폼프리 부인이 긴 곱슬머리의 5학년짜리 소녀를 이리저리 살피고 있었다. 해리는 그 애를 단번에 알아보았다. 그 애는 언젠가 론과 함께 슬리데린의 학생 휴게실로 가는 길을 물었던 바로 그 래번클로의 여학생이었다. 그리고 그 옆에 있는 침대에는…….

"헤르미온느!" 론이 신음을 내뱉었다.

헤르미온느는 두 눈을 흐리멍덩하게 뜨고 죽은 듯이 누워 있었다.

"도서실 근처에서 발견되었단다." 맥고나걸 교수가 말했다. "이게 저 애들 옆에 떨어져 있었는데…… 혹시 본 적 없니?"

그녀가 작고 동그란 거울 하나를 들어 올리고 있었다.

해리와 론은 둘 다 헤르미온느를 빤히 바라보며 고개를 저었다.

"다시 그리핀도르 탑까지 바래다주마." 맥고나걸 교수가 맥없이 말했다. "어쨌든 나도 가서 학생들에게 말해 줘야 할 테니 말이다."

"모든 학생은 매일 저녁 6시까지 기숙사 학생 휴게실로 돌아와야 합니다. 그 시간 이후에는 단 한 명도 기숙사를 떠나선 안 돼요. 여러분은 수업을 받을 때마다 교수님들의 지시를 받게 될 것입니다. 교수님 없이는 단 한 명도 화장실을 사용해선 안 됩니다. 남은 퀴디치 훈련과 시합은 모두 연기될 것입니다. 그리고 더 이상 저녁 활동들은 없을 것입니다."

그리핀도르 학생들은 학생 휴게실 안에 옹기종기 모여 앉아 조용히 맥고나걸 교수의 말에 귀를 기울였다. 그녀는 읽고 있던 양피지를 돌돌 만 뒤 다소 목멘 목소리로 말했다. "우리는 지금 굉장히 난처한 처지에 처해 있습니다. 범인이 잡히지 않는다면 학교가 폐쇄될지도 몰라요. 따라서 뭐라도 알고 있다고 생각하는 사람은 앞으로 나와 주길 바랍니다."

그녀가 그렇게 말하고 나서 다소 어설프게 초상화 구멍으로 나가자, 그리핀도르 학생들이 떠들어 대기 시작했다.

"그리핀도르의 유령 닉을 치지 않는다면, 그리핀도르 학생 두 명과 래번클로 한 명 그리고 후플푸프 한 명이 습격당했어." 위즐리 쌍둥이 형제의 친구 리 조던이 손가락을 꼽으며 말했다.

"교수님들이 슬리데린 아이들은 모두 안전하다는 걸 알아챘을까? 이 모든 허튼수작이 슬리데린에서 벌인 일이라는 건 *뻔한 사실* 아니야? 슬리데린의 *후계자*, 슬리데린의 *괴물*……. 학교에선 왜 슬리데린들을 몽땅 쫓아내지 않는 거지?" 그가 이렇게 큰 소리로 말하자, 아이들이 동의 표시로 고개를 끄덕이는가 하면 여기저기서 산발적으로 박수갈채가 터져 나오기도 했다.

퍼시 위즐리는 리 조던 뒤에 있는 의자에 앉아 있었지만, 그의 말을 듣고 있는 것 같지 않았다. 그의 얼굴은 창백했으며 어리벙벙해 보였다.

"퍼시가 충격을 받았나 봐." 조지가 해리에게 나직이 말했다. "저 래번클로 여자애 말이야, 페네로프 클리어워터. 그 애는 반장이거든. 퍼시는 그 괴물이 감히 *반장까지* 습격하리라고는 생각하지 않았을 거야."

하지만 해리는 듣는 둥 마는 둥 했다. 그는 마치 돌처럼 병동 침대에 누워 있는 헤르미온느의 영상을 지워 버릴 수가 없었다.

그리고 만약 범인이 빠른 시일 내에 잡히지 않는다면, 그는 다시 더즐리 가족과 함께 평생을 살아야 할 것이다. 톰 리들은 학교가 폐쇄될 경우 머글 고아원으로 돌아가야 한다는 상황에 부딪쳤기 때문에 해그리드를 신고했었다. 해리는 이제야 톰의 기분이 어떠했는지 정확히 알 수 있었다.

"이제 어떻게 하지?" 론이 해리의 귀에 대고 조용히 말했다. "학교에선 해그리드를 의심하는 것 같니?"

"가서 해그리드에게 말해야겠어." 해리가 마침내 결심한 듯 말했다. "이번에는 그가 한 짓이 아니라고 믿지만, 만약 그가 지난번에 그 괴물을 풀어 주었다면 비밀의 방으로 들어가는 방법을 알 거고, 그러니까 또 의심받을 수도 있을 거야."

"하지만 맥고나걸 교수님은 수업받을 때가 아니면 탑에서 나오지 말라고 했잖아……."

"내 생각엔." 해리가 한층 더 조용히 말했다. "우리 아버지의 옛 망토를 다시 꺼내야 할 때인 것 같아."

해리가 아버지로부터 물려받은 것은 단 한 가지, 길고 은빛 나는 투명 망토뿐이었다. 아무도 몰래 학교에서 빠져나가 해그리드에게 가려면 그걸 이용하는 수밖에 없었다. 그들은 평상시와 같은 시간에 침대로 들어가, 네빌과 딘과 시무스가 비밀의 방에 대한 논의를 끝내고 마침내 곯아떨어질 때까지 기다렸다가, 조용히 일어나 다시 옷을 입고 망토를 뒤집어썼다.

어둡고 인적이 끊긴 성의 복도를 걸어가는 건 유쾌한 일이 아니었다. 해리는 전에도 몇 차례 밤에 성을 돌아다닌 적이 있긴 했지만, 해가 진 뒤에 성안에 사람들이 그렇게 많이 모여 있었던 적은 한번도 없었다. 교수님들과 반장들과 유령들이 짝을 지어 복도를 걸어 다니며 이상한 움직임을 살피고 있었다. 투명 망토는 소리까지 들리지 않게 하지는 못했으므로, 스네이프 교수가 상비 경계를 서고 있는 지점에서 불과 몇 미터 떨어지지 않은 곳에서 론이 발가락을 채었을 때는 숨이 멎을 것 같았다. 하지만 다행히도, 론이 투덜거리는 바로 그 순간에 스네이프 교수가 재채기를 했으므로 들키지는 않았다. 그들은 오크문에 도달해 문을 열고 나왔을 때에야 비로소 한시름 놓았다.

그날 밤은 맑았으며, 별들이 총총 떠 있었다. 그들은 급히 걸어가 불이 밝혀진 해그리드의 집 밖에서 망토를 벗었다.

노크를 하자마자, 문이 홱 열리더니 해그리드가 그들의 얼굴에 석궁을 겨냥했다. 멧돼지 사냥용인 팽이라는 큰 개가 해그리드 뒤에서 큰 소리로 짖어 댔다.

"아니!" 그가 석궁을 내리고 그들을 빤히 보며 말했다. "너희 여기서 뭐 하는 거니?"

"그건 무엇 때문에 갖고 있는 거죠?" 해리가 안으로 들어서면서 석궁을 가리키며 물었다.

"아무것도 아니야…… 아무것도…….” 해그리드가 중얼거렸다. "난 혹시나…… 신경 쓰지 말고…… 앉아……. 차 끓여 줄게…….”

그러나 해그리드는 정신이 나간 사람처럼 내내 허둥대기만 했다. 그는 주전자 물을 엎지르는 바람에 불을 꺼뜨릴 뻔했는가 하면, 또 긴장해서 커다란 손을 덜덜 떨다가 찻주전자를 깨뜨리기까지 했다.

"괜찮아요, 해그리드?" 해리가 물었다. "헤르미온느 소식 들었어요?”

"어, 들었단다, 그래.” 해그리드가 약간 갈라지는 목소리로 말했다.

해그리드는 계속해서 창문을 초조하게 흘끗흘끗 바라보았다. 그가 커다란 머그잔에 끓는 물을 부어 주고(그는 차 봉지를 넣는 걸 깜박했다) 접시에 과일 케이크 한 조각을 놓으려고 할 때 큰 소리로 문 두드리는 소리가 났다.

해그리드가 놀라 과일 케이크를 떨어뜨렸다. 해리와 론은 당황한 눈길을 교환한 뒤, 얼른 투명 망토를 다시 뒤집어쓰고 한쪽 구석으로 물러섰다. 해그리드는 그들이 잘 숨었는지를 살핀 뒤 석궁을 잡고 문을 홱 열었다.

"잘 있었나, 해그리드.”

그건 덤블도어 교수였다. 그는 굉장히 심각한 얼굴로 안으로 들어왔고, 이어서 매우 이상하게 생긴 또 한 명의 남자가 따라 들어왔다.

그 낯선 사람은 헝클어진 잿빛 머리에 불안한 표정을 짓고 있었으며, 이상한 옷차림을 하고 있었다. 그는 가는 세로줄 무늬가 있는 정장에 진홍색 넥타이, 그리고 긴 까만 망토에 뾰족한 보랏빛 부츠를 신고 있었다. 또 한쪽 겨드랑이에는 라임빛 나는 초록색 중산모자를 끼고 있었다.

"저 사람은 아버지의 상관이셔!" 론이 속삭였다. "코넬리우스 퍼지, 마법부 장관이지!"

해리는 입을 다물게 하려고 론을 팔꿈치로 쿡 찔렀다.

해그리드는 얼굴이 창백해져서는 진땀을 뻘뻘 흘리고 있었다. 그는 의자에 무너지듯이 앉아 덤블도어 교수와 코넬리우스 퍼지 장관을 번갈아 바라보았다.

"나쁜 일이네, 해그리드." 퍼지 장관이 다소 짧게 끊어지는 듯한 어조로 말했다.

"대단히 나쁜 일이야. 여기 와야만 했네. 머글 태생들이 네 번이나 습격당했네. 사태가 걷잡을 수 없게 되었어. 그래서 마법부가 나서기로 했네."

"저는 절대로……." 해그리드가 애원하는 듯한 표정으로 덤블도어 교수를 바라보며 말했다. "제가 안 그랬다는 걸 아시잖아요, 덤블도어 교수님……."

"해그리드는 내 신임을 한껏 받고 있다는 점을 이해해 주었으면 하네, 코넬리우스." 덤블도어 교수가 퍼지 장관에게 난색을 보이며 말했다.

"이것 보게, 알버스." 퍼지 장관이 기분이 언짢은 듯이 말했다. "해그리드는 전력이 있어. 마법부는 어떤 조치를 취해야만 하네. 학교 이사들과 연락해 봤는데……."

"다시 한 번 말하지만 코넬리우스, 해그리드를 데려가는 건 조금도 도움이 되지 않을걸세." 덤블도어 교수가 말했다. 그의 파란 눈은 노기로 활활 타오르고 있었다. 해리는 그런 눈빛을 본 적이 없었다.

"내 입장도 좀 생각해 주게." 퍼지 장관이 자신의 중산모자를 만지작거리며 말했다. "난 많은 압력을 받고 있어. 무언가 했다는 걸 보여 줘야만 하네. 만일 해그리드가 한 짓이 아닌 걸로 판명이 난다면, 해그리드는 다시 돌아올 테니 더 이상 말하지 말게. 하지만 지금으로선 난 그를 데려가야만 하네. 내 의무를 다하기 위해서는 어쩔 수 없어……."

"절 데려간다고요?" 해그리드가 부들부들 떨며 말했다. "절 어디로 데려간다는 거죠?"

"그저 잠깐 동안 감옥에 들어가는 것뿐이네." 퍼지 장관이 해그리드를 똑바로 바라보지 못하고 말했다. "형벌이 아니네, 해그리드. 그저 예방 조치일 뿐이지. 만약 다른 누군가가 잡히면, 자네는 충분한 보상을 받고 풀려날 거야…….”

“아즈카반은 아니죠?” 해그리드가 쉰 목소리로 말했다.

퍼지 장관이 미처 대답하기도 전에, 또 한 번 문 두드리는 소리가 났다.

덤블도어 교수가 문을 열었다. 이번엔 론이 해리의 갈비뼈를 팔꿈치로 쿡 찔렀다. 해리가 너무나 놀란 나머지 헉 하는 소리를 냈던 것이다.

루시우스 말포이 씨가 길게 늘어진 까만 망토를 입고, 차갑고 흡족한 미소를 지으며 해그리드의 오두막 안으로 성큼성큼 걸어들어왔다. 팽이 으르렁거리기 시작했다.

“벌써 와 계셨군요, 퍼지.” 그가 만족스러운 듯이 말했다. “좋습니다, 좋아요…….”

“여기엔 웬일이오?” 해그리드가 버럭 화를 내며 말했다. “내 집에서 당장 나가시오!”

“여보게, 나도 여기 이 안에 들어오는 게 전혀 유쾌하지 않다네……. 어…… 그런데 자네가 이걸 집이라고 했나?” 루시우스 말포이가 작은 오두막을 휘 둘러보며 코웃음을 쳤다. “난 그저 볼일이 있어서 학교를 찾아온 것뿐인데 교장 선생님께서 이곳에 계시다고 하기에 잠시 들른 것뿐이네.”

“무슨 용건이오 , 루시우스?” 덤블도어 교수가 말했다. 그는 점잖게 말했지만, 그의 파란 눈에서는 여전히 노기가 활활 타오르고 있었다.

"무서운 일이오, 덤블도어." 말포이가 긴 양피지 두루마리를 꺼내며 빈들빈들 말했다. "하지만 이사들은 당신이 물러설 때라고 생각하고 있소. 이건 공식적인 정직 명령서요……. 이 안에 열두 명의 서명이 있소. 우린 당신이 시류에 뒤떨어지고 있는 게 아닌가 걱정하고 있소. 현재까지 습격이 몇 번이나 있었소? 오늘 오후에만도 두 명이 또 습격을 당했소, 안 그렇소? 이런 식으로 나가다간, 호그와트엔 머글 태생이 단 한 명도 남지 않을 것이오. 그렇게 되면 이 학교가 어떻게 되겠소?"

"자, 이것 보게, 루시우스." 퍼지 장관이 불안해하는 표정으로 말했다. "덤블도어 교수가 정직되다니…… 안 되네, 안 돼……. 지금 같은 상황에서 그렇게 하다니……."

"교장의 임명이나 정직은 이사들의 권한이오, 퍼지." 말포이 씨가 구변 좋게 말했다. "그리고 교장인 덤블도어 교수가 이들 습격을 막지 못했으니……."

"이것 보게, 말포이. 덤블도어 교수가 그것들을 막을 수 없다면……." 퍼지 장관이 말했다. 그의 코밑에서는 이제 땀이 스며 나오고 있었다. "과연 누가 막을 수 있겠나?"

"그건 두고 봐야죠." 말포이 씨가 비열하게 미소를 지으며 말했다. "하지만 우리 열두 명이 투표했을 때……."

해그리드가 벌떡 일어서자, 그의 텁수룩한 까만 머리가 천장을 살짝 스쳤다.

"이사들이 동의하기까지 도대체 얼마나 많이 협박하고 공갈쳤소, 말포이, 어?" 그가 고함을 쳤다.

"이보게, 그렇게 성질을 부렸다간 조만간 곤란한 처지에 놓이게 될걸세, 해그리드." 말포이 씨가 말했다. "충고하는데, 아즈카반의 간수에게는 이런 식으로 소리치지 말게. 그들은 이런 걸 절대로 좋아하지 않을 테니까 말일세."

"덤블도어 교수를 내쫓을 순 없어!" 해그리드가 버럭 소리를 지르자, 멧돼지 사냥용 큰 개인 팽이 바구니 속에서 몸을 움츠리고 낑낑거렸다. "덤블도어를 내쫓았다가는 머글 태생들은 온전치 못할 거야! 다음번엔 살인이 일어날 거라고!"

"진정하게, 해그리드." 덤블도어 교수가 날카롭게 말했다. 그는 루시우스 말포이를 바라보았다.

"만약 이사들이 나의 해임을 원한다면, 루시우스, 난 물론 물러나겠소……."

"하지만……." 퍼지 장관이 더듬거리며 말했다.

"안 돼요!" 해그리드가 으르렁거렸다.

덤블도어 교수는 하늘빛 눈을 루시우스 말포이의 차가운 회색빛 눈에서 떼지 않았다.

"그러나……." 덤블도어 교수가 모두가 똑똑히 알아들을 수 있도록 아주 천천히 그리고 명확하게 말했다. "난 이곳에서 단 한 사람도 날 좋아하지 않게 될 때만이 *진정으로* 이 학교를 떠날 것이오. 또한 도움을 요청하는 사람이 단 한 사람이라도 있다면 호그와트는 언제라도 도움을 받게 될 것이오."

잠시, 해리는 덤블도어 교수의 눈이 그와 론이 숨어 있는 구석 쪽으로 휙 움직였다고 확신했다.

"감동적인 말씀이군요." 말포이 씨가 허리를 굽히며 말했다. "우리 모두 당신의…… 음…… 대단히 독특한 경영 방식을 그리워할 것이오, 알버스. 그리고 제발 당신의 후임자는 그 어떤…… 그러니까…… '살인'도 막을 수 있기를 바랄 뿐이오."

그러고는 그는 오두막 문으로 성큼성큼 걸어가 문을 열고 허리를 굽혀 덤블도어 교수를 나가게 했다. 퍼지 장관은 중산모자를 만지작거리며, 해그리드가 먼저 나가길 기다렸지만, 해그리드는 가만히 서서 깊은 한숨을 내쉬고는 조심스럽게 이렇게 말했다. "만약 누구든 뭘 좀 알아내고 싶다면, *거미들만* 따라가면 돼. 거미가 잘 안내해 줄 테니까! 내가 말할 건 그것뿐이야."

퍼지 장관이 놀라서 그를 빤히 쳐다보았다.

"좋아, 난 간다." 해그리드가 두터지 가죽 코트를 입으며 말했다. 하지만 그는 퍼지 장관을 따라 나가려고 하다가, 다시 멈추고 큰 소리로 이렇게 말했다. "그리고 내가 없는 동안 누군가가 팽을 돌봐 줘야 할 거야."

문이 쾅 닫히자 론이 투명 망토를 벗었다.

"이제 큰일 났어." 그가 쉰 목소리로 말했다. "덤블도어 교수
도 없고. 차라리 오늘 밤 학교를 폐쇄하는 게 좋을 거야. 덤블도
어 교수가 없으면 습격이 하루에 한 번씩 일어날 테니까."

팽이 소리를 길게 뽑아 울부짖으며, 닫힌 문을 긁기 시작했다.

제 **15** 장

아라고그

여름의 기운이 정원을 지나 성으로 퍼져 오고 있었다. 하늘과 호수는 모두 붉은빛을 띤 청색으로 변했고, 온실에는 양배추만 한 커다란 꽃들이 활짝 피어났다. 그러나 성 창문에서 아무리 내려다보아도, 뒤를 졸졸 따라오는 팽과 함께 정원을 큰 걸음으로 걸어 다니던 해그리드의 모습은 보이지 않았으므로, 해리는 마음이 무겁기만 했다. 하긴 성안에서 일어나는 일이라고 더 나을 것도 없었다. 일이 잘못 돌아가고 있는 건 성안도 마찬가지였다.

해리와 론은 헤르미온느를 병문안 가고 싶었지만, 이제 병동에서는 방문을 금하고 있었다.

"우리도 어쩔 수가 없구나." 폼프리 부인이 병동 문틈 새로 엄하게 말했다. "안 돼, 미안하구나. 언제 또 애들이 습격당할지 모르니까……."

덤블도어 교수가 없으니까 전에 없이 불안감이 퍼져 나갔다. 이제 햇살은 더 이상 성안으로도 들어오지 않는 것 같았다. 걱정스러운 표정이나 긴장하는 표정을 짓지 않는 얼굴은 거의 찾아볼 수가 없었고, 복도에서 울리는 웃음소리는 하나같이 날카롭고 괴이하게 들렸으므로, 웃었다가도 얼른 그치곤 했다.

해리는 덤블도어의 마지막 말을 끊임없이 되뇌었다. "난 이곳에서 단 한 사람도 날 좋아하지 않게 될 때만이 진정으로 이 학교를 떠날 것이오. 또한 도움을 요청하는 사람이 단 한 사람이라도 있다면 호그와트는 언제라도 도움을 받게 될 것이오." 그러나 이런 말이 무슨 소용이란 말인가? 모두 다 당황하고 겁을 먹고 있는데, 정확히 누구에게 도움을 요청해야 한다는 말인가?

해그리드가 남긴 거미들에 대한 암시가 이해하기는 훨씬 더 쉬웠다. 문제는 성안에 따라갈 거미가 단 한 마리도 남아 있지 않은 것 같다는 것이었다. 해리는 론과 함께(론은 마지못해 하기는 했지만) 가는 곳마다 훑어보았다. 그들은 물론 혼자서 돌아다녀선 안 되며 성에서 이동할 때는 다른 그리핀도르 학생들과 무리를 지어 다녀야 한다는 사실 때문에 행동에 더욱 제약을 받았다. 다른 학생들 대부분은 교실을 옮겨 갈 때 교수님들의 안내를 받는다는 것을 기뻐하는 것 같았지만, 해리는 그게 몹시 싫었다.

그러나 한 사람만은 두려워하고 의심하는 그런 분위기를 철저히 즐기는 것 같았다. 드레이코 말포이는 마치 자신이 학생회장으로 임명되기라도 한 것처럼 거들먹거리며 학교를 돌아다녔다. 해리는 그러나 덤블도어 교수와 해그리드가 떠나고 두 주 뒤에 있었던 마법의 약 수업 때까지는, 그가 무엇 때문에 그렇게 즐거워하는지 전혀 깨닫지 못했다.

해리는 마법의 약 수업 시간 때 말포이 바로 뒤에 앉아 있다가, 그가 크레이브와 고일을 자못 기분 좋은 듯이 바라보며 하는 말을 우연히 듣게 되었다.

"난 늘 덤블도어를 제거할 사람은 바로 아빠일 거라고 생각했어." 말포이가 굳이 목소리를 낮추려고 하지도 않으며 말했다. "아버지는 덤블도어가 우리 학교 사상 최악의 교장이라고 생각하신다고 내가 그랬잖아. 아마 이번엔 훌륭한 교장이 오실 거야. 비밀의 방이 닫히는 걸 바라지 않는 사람 말이야. 맥고나걸 교수도 오래가지 않을걸. 그 교수는 그저 교장의 공석을 채우고 있을 뿐이야."

스네이프 교수가 헤르미온느의 빈자리라든가 끓는 냄비에 대해 한마디 말도 없이, 해리 옆으로 휙 하고 지나갔다.

"교수님." 말포이가 큰 소리로 말했다. "교장직에 지원해 보시는 게 어떠세요?"

"자, 자, 말포이." 스네이프 교수는 좋아서 입이 찢어질 것 같았다. "덤블도어 교수는 이사회의 결정으로 잠시 정직되었을 뿐이란다. 그분은 아마 곧 우리에게로 돌아오실 거야."

"그래요, 맞아요." 말포이가 능글맞게 웃으며 말했다. "하지만 교수님이 지원하시면 저희 아버지는 교수님께 표를 던지실 거예요……. 제가 아버지께 교수님이 이곳에서 가장 훌륭하신 분이라고 말씀드리겠어요……."

스네이프 교수는 지하 감옥을 휩쓸고 지나다니며 히죽히죽 웃고 있었으므로, 다행히 냄비에다 토하는 시늉을 하는 시무스 피니간을 발견하지 못했다.

"잡종들이 아직도 모두 짐을 싸지 않았다는 게 놀라워." 말포이가 계속했다. "다음 녀석은 반드시 죽을 거야, 5갈레온을 걸겠어. 그게 그레인저가 아닌 게 좀 유감이기는 하지만 말이야……."

바로 그 순간에 종이 울렸던 건 정말 다행이었다. 말포이의 그 마지막 말이 떨어지기가 무섭게 론이 의자에서 뛰어내렸는데, 모두 가방과 책들을 챙기느라 정신이 없어서, 그가 말포이를 잡으려고 하는 걸 아무도 눈치채지 못했다.

"저 녀석을 가만두지 않겠어." 해리와 딘이 팔을 잡자 론이 고함쳤다. "난 상관없어, 지팡이도 필요없어, 저 녀석을 내 손으로 죽이고 말겠어……."

"어서들 서둘러라. 너희를 모두 약초학 수업받는 곳으로 데려다 주어야 하니까 말이다." 스네이프 교수가 학급 아이들 머리 위로 소리치자, 그들이 줄을 맞춰 걸어갔다. 하지만 그 뒤를 따라가는 동안에도 론은 여전히 해리와 딘에게 붙잡힌 팔을 빼내려고 했다. 성에서 나와 온실 쪽에 있는 채소밭에 다다랐을 때에야 겨우 론이 좀 진정되었으므로 놔줄 수 있었다.

약초학 수업은 분위기가 아주 침체되어 있었다. 함께 수업을 듣던 저스틴과 헤르미온느가 빠져 있었기 때문이다.

스프라우트 교수는 그들 모두에게 아비니시아의 슈리벌피그 가지 치는 일을 시켰다. 해리는 퇴비 더미 위에 시든 줄기를 한 아름 내려놓다가 어니 맥밀란과 얼굴이 마주치게 되었다. 어니는 한숨을 푹 쉬더니 아주 딱딱한 어투로 이렇게 말했다. "해리, 널 의심했던 거 미안해. 네가 헤르미온느 그레인저를 습격하지 않았다는 거 알아. 그리고 내가 지금까지 얘기했던 거 모두 사과할게. 우린 이제 모두 같은 배를 탄 거야. 그리고……."

그가 통통한 손을 내밀자, 해리는 악수했다.

어니와 그의 친구 한나는 해리와 론이 가지 치고 있는 슈리벌피그에서 함께 작업했다.

"저 드레이코 말포이 녀석은……." 어니가 죽은 가지를 꺾어내며 말했다. "그 녀석은 이 모든 게 좋아 죽겠나 봐, 안 그러니? 아무래도 난 그 녀석이 슬리데린의 후계자인 것 같아."

"너 참 똑똑하다." 론이 말했다. 그는 해리처럼 쉽게 어니를 용서하지 않는 것 같았다.

"너도 그게 말포이라고 생각하니, 해리?" 어니가 물었다.

"아니." 해리가 너무나 확고하게 말하자 어니와 한나가 빤히 바라보았다.

잠시 뒤, 해리의 눈에 무언가가 들어왔다.

커다란 거미 몇 마리가 맞은편 잔디밭 위로 허둥지둥 달아나고 있었는데, 마치 미리 예정된 모임에 참석하기 위해 가장 짧은 경로를 따라가기라도 하는 듯 이상하게 일직선으로 이동하고 있었다. 해리는 가지 치는 가위로 론의 손을 툭 쳤다.

"*아야! 왜 그……*"

해리는 햇빛 때문에 눈을 찡그린 채, 거미들이 나아가는 곳을 가리켰다.

"정말이네." 론이 반가운 표정을 지으려다가 이내 울상이 되었다. "하지만 지금은 따라갈 수가 없잖아……."

어니와 한나가 호기심 가득한 얼굴로 그들의 말을 듣고 있었다.

해리는 눈을 가늘게 뜨고 거미들에게 초점을 맞췄다. 그것들이 만약 정해진 경로를 따라가는 것이라면, 어딘가에선 틀림없이 멈출 것이다.

"거미들은 금지된 숲으로 향하는 것 같아……."

론은 그것이 아주 탐탁지 않은 것 같았다.

수업이 끝나자 스프라우트 교수가 학급 학생들을 어둠의 마법 방어술 교실까지 바래다주었다. 해리와 론은 자신들의 말소리가 들리지 않도록 다른 사람들 뒤에 처져서 걸었다.

"투명 망토를 다시 사용해야만 할 거야." 해리가 론에게 말했다. "팽을 데려가도 좋을 것 같아. 그 녀석은 해그리드와 자주 숲에 들어갔었잖아. 아마 도움이 될 거야."

"맞아." 론이 초조한 듯 요술지팡이를 손가락으로 빙빙 돌리며 말했다. "저…… 그런데…… 숲 속에 늑대인간은 없겠지?" 록허트 교수의 교실에서 평상시처럼 뒷자리에 앉으며 그가 덧붙였다.

그 질문에 대답하고 싶지 않았던지, 해리가 이렇게 말했다. "숲 속에는 좋은 것들도 있어. 켄타우로스는 괜찮고, 유니콘도……."

론은 금지된 숲에 들어가 본 적이 없었다. 해리는 딱 한 번 들어갔었지만 다시는 들어갈 일이 없기를 바랐다.

록허트 교수가 교실 안으로 기운차게 걸어 들어오자, 학생들의 눈이 모두 그에게로 쏠렸다. 호그와트의 다른 교수님들은 모두 예전과 달리 어두운 표정이었지만, 록허트 교수만은 전혀 달라진 것 없이 즐거워 보였다.

"자, 여러분." 그가 얼굴 가득 미소를 지으며 외쳤다. "왜 모두 시무룩한 거죠?"

아이들은 서로 화난 표정으로 바라보기만 할 뿐, 아무도 대답하지 않았다.

"아직 모르는 건가요?" 그들이 전혀 알지 못하고 있기라도 한 듯 록허트 교수가 천천히 말했다. "위험한 순간은 지나갔어요! 범인은 잡혔다고요……."

"누군데요?" 딘 토마스가 큰 소리로 물었다.

"마법부 장관은 해그리드가 한 짓이라는 걸 100퍼센트 확신하지 않았다면 그를 잡아가지 않았을 거예요." 록허트 교수는 누군가에게 하나 더하기 하나는 둘이 된다는 걸 설명하는 투로 말했다.

"그야 그랬겠죠." 론이 딘보다 훨씬 더 크게 말했다.

"내 자랑은 아니지만, 해그리드의 체포 건에 대해서는 내가 조금 더 자세히 알고 있어요, 위즐리 군." 록허트 교수가 독선적인 어조로 말했다.

론은 그렇게 생각하지 않는다고 말하려고 했지만, 해리가 책상 밑으로 발로 세게 차는 바람에 말을 그만두었다.

"우린 거기에 없었던 걸로 해야 해, 기억해?" 해리가 속삭였다. 그러나 록허트 교수의 넌더리 나는 명랑함과 은연중에 해그리드를 쓸모없는 사람이라고 말한 것과, 이제는 모든 게 끝난 것처럼 행동하는 것에 어찌나 화가 났던지, 해리는 《굴 귀신과 돌아다니기》 책을 록허트 교수의 멍청한 얼굴로 홱 던져 버리고 싶었다. 그러나 그는 꾹 참고, 론에게 '오늘 밤에 하자'고 짧게 휘갈겨 쓴 쪽지를 보내는 것으로 만족했다.

론은 그 쪽지를 읽고 나서 침을 꿀꺽 삼키고는, 평소에 헤르미온느가 앉았던 빈자리를 슬쩍 바라보았다. 그러고는 마침내 결심을 굳혔는지 고개를 끄덕였다.

요즈음 그리핀도르의 학생 휴게실은 늘 사람들로 북적댔는데, 그건 저녁 6시 이후에는 달리 갈 곳이 없기 때문이다. 또한 할 애 깃거리도 많았으므로, 학생 휴게실에는 때로 자정이 지나도록 아이들이 남아 있곤 했다.

해리는 저녁을 먹자마자 가방에서 투명 망토를 꺼내 학생 휴게 실로 와서는, 저녁 내내 그것을 깔고 앉아 아이들이 다 기숙사 방 으로 돌아갈 때를 기다렸다.

그러는 동안 프레드와 조지는 해리와 론에게 카드 게임을 몇 판 하자며 도전장을 냈고, 지니는 평상시 헤르미온느가 앉아 있 던 의자에 앉아 침통한 얼굴로 그들을 지켜보고 있었다. 해리와 론은 그 게임을 빨리 끝내려고 계속해서 일부러 져 주었지만, 그 럼에도, 프레드와 조지와 지니는 자정이 훨씬 지나서야 비로소 자러 올라갔다.

해리와 론은 멀리서 두 기숙사의 방문이 닫히는 소리가 들릴 때까지 기다렸다가, 망토를 뒤집어쓰고 초상화 구멍으로 기어 나갔다.

모든 교수님의 감시를 피해 성 밖으로 나가는 건 대단히 힘든 일이었다. 그들은 마침내 현관 안의 홀에 도달해 오크문의 잠금 장치를 연 뒤, 소리가 나지 않도록 문틈으로 살짝 비집고 나가, 달빛이 드리워진 정원으로 걸어 나왔다.

"그런데 말이야." 새까만 잔디밭 위를 걷고 있을 때 론이 불쑥 말했다. "숲 속에 갔는데 따라갈 거미들이 하나도 없으면 어떡하지? 그 거미들은 그리로 가지 않았을지도 모르잖아. 그것들은 그저 아무 데로나 가고 있었던 것 같았어. 하지만······."

론은 내심 기대에 차서 말꼬리를 흐렸다.

그들은 해그리드의 집에 도착했다. 안에 아무도 없어서인지 집은 쓸쓸하고 초라해 보였다. 해리가 문을 밀어서 열자, 팽이 그들을 보고 좋아서 미친 듯이 날뛰었다. 팽이 갑작스레 짖어서 성에 있는 사람들을 모두 깨울까 봐, 녀석에게 부리나케 벽난로 위의 선반에 있는 깡통 당밀 퍼지를 먹이자, 팽의 이빨이 쩍 들러붙었다.

해리는 투명 망토를 해그리드의 탁자 위에 올려놓았다. 칠흑같이 어두운 숲 속에서는 굳이 그게 필요하지 않을 것 같았기 때문이다.

"이것 봐, 팽, 우린 산책하러 나갈 거야." 해리가 개의 다리를 쓰다듬으며 말하자, 팽이 좋아라고 그들 뒤를 쫓아 집 밖으로 뛰어 나갔다. 팽은 숲 언저리로 쏜살같이 달려가더니, 커다란 단풍나무에다 대고 한쪽 다리를 들어 올렸다.

해리가 요술지팡이를 꺼내 "루모스!"라고 중얼거리자, 요술지팡이 끝에 오솔길에서 거미들을 찾을 수 있기에 딱 적당한 밝기의 아주 작은 불빛이 나타났다.

"잘했어." 론이 말했다. "나도 그렇게 하고 싶지만, 너도 알다시피…… 그랬다간 어쩌면 폭발하거나 뭐 그렇게 될지 몰라서 말이야……."

해리가 잔디밭을 가리키며 론의 어깨를 툭 쳤다. 거미 두 마리가 요술지팡이 불빛을 피해 황급히 나무 그늘 쪽으로 달아나고 있었다.

"좋았어." 론이 마치 최악의 상황에 버려지기라도 한 듯 한숨을 지으며 말했다. "난 준비됐어. 가자."

그들은 숲 속으로 들어갔다. 팽은 이리저리 뛰어다니며 킁킁거리며 나무뿌리나 나뭇잎 냄새를 맡았다. 그들은 지팡이 불빛을 이용해, 오솔길을 따라 조금씩 꾸준히 이동하는 거미들을 쫓아갔다. 그들은 나뭇가지 부러지는 소리나 나뭇잎이 살랑대는 소리 말고 혹시 다른 소리가 들리지 않을까 잔뜩 긴장하면서, 약 20분 정도 그 거미 뒤를 아무 말 없이 쫓아갔다. 그 뒤, 나무들이 너무 울창해서, 머리 위의 별들은 더 이상 보이지 않고 해리의 지팡이 불빛만이 희미하게 어두운 숲을 밝히고 있을 때, 거미들이 오솔길을 벗어나는 게 보였다.

해리는 그 거미들이 어디로 가는지 보려고 멈춰 섰지만, 발 부근의 동그란 불빛 말고는 주위가 완전히 새까매서 전혀 알 수 없었다. 그는 숲에 이렇게까지 깊숙이 들어와 본 적이 없었다. 그는 지난번에 여기에 왔을 때 숲 오솔길을 떠나지 말라던 해그리드의 충고가 생생히 기억났다. 그러나 해그리드는 이제 멀리 떨어져 있었다. 어쩌면 아즈카반의 감옥에 있을지도 모르지만, 그는 거미들을 따라가라는 말을 남기고 떠났다.

무언가 축축한 것이 손에 닿자 해리가 깜짝 놀라 뒤로 물러서다가 론의 발을 밟았는데, 그건 그저 팽의 코였다.

"어떻게 생각하니?" 해리가 론에게 물었다. 그는 지팡이에서 나온 불빛으로, 간신히 론의 눈을 알아볼 수 있었다.

"여기까지 왔는데 이젠 어쩔 수 없잖아." 론이 말했다.

그들은 급히 움직이는 거미들의 그림자를 따라 더 깊숙이 들어갔다. 그러나 이젠 그렇게 빨리 움직일 수도 없었다. 나무뿌리와 그루터기들이 자꾸 발에 걸렸기 때문이다. 해리는 손에 닿는 팽의 뜨거운 입김을 느낄 수 있었다. 그들은 몇 차례나 멈춰서, 웅크리고 앉아 지팡이 불빛으로 거미들을 찾아야 했다.

적어도 30분쯤은 걸은 것 같았다. 낮게 늘어진 나뭇가지와 가시나무에 걸려 망토가 찢어졌다. 한참 가자, 숲은 어느 때보다 울창했지만 지면은 약간 내리막길 같았다.

그때 팽이 갑자기 쩌렁쩌렁 울리게 큰 소리로 짖어 대는 바람에, 해리와 론은 화들짝 놀랐다.

"뭔데?" 론이 해리의 팔꿈치를 꼭 잡은 채 새까만 어둠 속을 휘 둘러보며 큰 소리로 물었다.

"저기에서 뭔가가 움직였어." 해리가 속삭이듯이 말했다. "들어 봐……. 뭔가 커다란 것처럼 들려……."

그들은 귀를 기울였다. 오른쪽 저만치에서, 뭔가 커다란 것이 나무들 사이를 헤치면서 다가오고 있었다.

"이런." 론이 말했다. "어…… 어…… 어."

"조용히 해." 해리가 극도로 흥분해서 말했다. "들리겠어."

"*내 소리가 들린다고?*" 론이 이상하게 높은 목소리로 말했다. "이미 팽이 짖는 소리가 다 들렸어!"

그들은 칠흑 같은 어둠 속에서 두려움에 떨며 꼼짝 않고 서 있었다. 이상하게 나직이 우르르거리는 소리가 나더니 갑자기 조용해졌다.

"뭘 하는 거지?" 해리가 물었다.

"덤벼들 준비를 하고 있겠지." 론이 말했다.

그들은 감히 움직이지도 못하고, 벌벌 떨면서 기다렸다.

"가 버린 걸까?" 해리가 속삭였다.

"몰라……"

그때, 오른쪽에서, 갑자기 밝은 불빛이 확 타올랐으므로 두 사람 모두 얼른 손을 올려 눈을 가렸다. 팽은 깽깽거리며 달아나려고 하다가, 가시나무 사이에 갇히자 훨씬 더 크게 깽깽거렸다.

"해리!" 론이 안도한 나머지 갈라진 목소리로 소리쳤다. "해리, 저건 우리 차야!"

"*뭐라고?*"

"저길 봐!"

해리가 발부리에 걸려 넘어지면서 론을 따라 그 불빛 쪽으로 머뭇머뭇 걸어가자, 잠시 뒤 공터가 나왔다.

위즐리 씨의 차가 울창한 숲 한가운데에서 나뭇가지들로 잔뜩 덮인 채로 헤드라이트를 환히 켜고 서 있었다. 론이 얼이 빠져서 입을 헤벌린 채로 차 쪽으로 걸어가자, 그 차가 마치 주인을 맞기라도 하는 듯이, 천천히 그에게로 움직였다.

"내내 여기에 있었나 봐!" 론이 차 주변으로 걸어가며 좋아서 말했다. "이것 좀 봐. 차가 숲 속에 있는 동안 엉망이 되어 버렸어……."

차는 옆구리가 여기저기 긁혀 있었을 뿐만 아니라, 온통 진흙 투성이였다. 차 혼자서 숲을 굴러다녔던 게 분명했다. 팽은 그 차에는 전혀 관심이 없는 것 같았다. 녀석은 계속해서 해리 옆에 꼭 붙어 있었는데, 해리는 녀석이 떨고 있는 걸 느낄 수 있었다. 다소 숨을 돌리자, 해리가 지팡이를 다시 망토 속으로 쑤셔 넣었다.

"이게 우릴 습격할 거라고 생각했다니!" 론이 차에 기대어 톡톡 치며 말했다. "난 또 이 차가 어디로 갔나 했지!"

해리는 거미들이 더 많이 있나 보려고 밝은 불빛이 비추는 땅을 흘끗 바라보았지만, 거미들은 이미 눈부신 헤드라이트 불빛을 피해 달아나고 없었다.

"어디로 갔는지 모르겠어." 해리가 말했다. "어서, 가서 찾아보자."

론은 아무 말도 하지 않았다. 그는 움직이지도 않았다. 그의 눈은 해리 뒤쪽으로 3미터쯤 떨어진 바닥의 어떤 점에 고정되어 있었다. 그의 얼굴은 공포로 납빛이 되어 있었다.

갑자기 딸깍거리는 커다란 소리가 나더니, 해리가 미처 돌아서기도 전에 기다란 털투성이인 무언가가 그의 몸통을 잡고 그를 땅에서 번쩍 들어 올렸다. 해리는 거꾸로 대롱대롱 매달려 있었다. 겁에 질려 몸부림치는 사이 딸깍거리는 소리가 더 많이 들렸고, 론의 다리 역시 땅에서 들려 올라가는 게 보였다. 낑낑거리며 소리를 길게 뽑으며 짖고 있던 팽은 어느새 어두운 숲 속으로 내몰리고 있었다.

해리는 매달린 채로, 엄청나게 긴 여섯 개의 털투성이 다리로 걸어가는 괴물이 번득이는 한 쌍의 까만 집게발로 자기를 꽉 움켜쥐고 있는 걸 보았다. 뒤에서는 그런 동물 또 하나가 걸어오는 소리가 들렸다. 그것은 론을 잡고 있을 게 분명했다. 팽이 세 번째의 괴물에게서 벗어나려고 몸부림치며 큰 소리로 낑낑거리는 소리가 들렸지만, 해리는 소리치고 싶어도 소리칠 수가 없었다. 마치 공터에 있는 차에 목소리를 두고 온 듯 소리가 나오지 않았다.

그 동물에게 얼마나 오랫동안 잡혀 있었는지 알 수 없었다. 그런데 얼마쯤 가자 갑자기 어둠이 걷히면서 온통 나뭇잎으로 뒤덮인 땅에 거미들이 우글거리고 있는 게 보였다. 괴물들이 나무가 하나도 없는 거대한 분지에 도달해 있었다. 하늘에서는 여전히 별들이 밝게 빛나고 있었음에도, 지상에서는 지금까지 한번도 본 적이 없는 끔찍한 광경이 벌어지고 있었다.

거미들. 그러나 발밑에 있는 나뭇잎들 위로 떼 지어 몰려오는 것처럼 작은 거미가 아니었다. 짐마차를 끄는 말 정도 크기에, 여덟 개의 눈과 여덟 개의 다리, 털투성이인 거대한 까만색의 거미였다. 해리를 들고 있는 거대한 괴물이 가파른 내리막길을 내려가 우묵한 분지 한가운데 있는 어렴풋한, 반구형의 거미줄로 향하는 동안, 다른 괴물들은 친구 거미가 들고 있는 것을 보고 흥분해서 집게발을 딸깍거리며, 주위로 다가왔다.

그 거미가 놓아 주자 해리는 땅바닥으로 철퍼덕 떨어졌다. 론과 팽도 옆에 털썩 떨어졌다. 팽은 더 이상 울부짖지 않고, 떨어진 자리에서 조용히 몸을 움츠렸다. 론도 해리처럼 겁에 질려 있는 것 같았다. 입은 소리도 나오지 않는 비명으로 헤벌어져 있었고 눈알은 튀어나올 것 같았다.

해리는 갑자기 자신을 떨어뜨린 그 거미가 뭐라고 말하고 있다는 걸 알았다. 그러나 그 괴물이 한마디씩 말할 때마다 집게발을 딸깍거렸기 때문에 뭐라고 말하는지 잘 들리지 않았다.

"아라고그!" 그 거미가 소리쳤다. "아라고그!"

그러자 그 희미한 반구형의 거미줄 한가운데서, 작은 코끼리만 한 거미 한 마리가 아주 천천히 나타났다. 그 거미의 까만 몸통과 다리에는 약간 회색빛이 돌았고, 추하게 생긴 머리에 달린 눈들은 우윳빛 흰색이었다. 그 거미는 장님이었다.

"저게 뭐지?" 그 거미가 집게발들을 재빠르게 딸깍거리며 말했다.

"사람들." 해리를 잡았던 거미가 딸깍거렸다.

"해그리드야?" 아라고그가 여덟 개의 우윳빛 눈으로 막연히 두리번거리면서 더 가까이 다가오며 말했다.

"모르는 사람들." 론을 데려온 거미가 딸깍거렸다.

"죽여 버려." 아라고그가 버럭 화를 내며 딸깍거렸다. "잠자고 있었는데……."

"우린 해그리드의 친구예요." 해리가 큰 소리로 말했다. 심장이 쿵쾅쿵쾅 뛰었다.

딸깍, 딸깍, 딸깍. 분지 여기저기서 거미들의 집게발이 딸깍거렸다.

아라고그가 멈췄다.

"해그리드는 우리의 분지로 사람들을 보낸 적이 없어." 그가 천천히 말했다.

"해그리드는 잡혀갔어요." 해리가 가쁘게 숨 쉬며 말했다. "우리가 온 건 바로 그것 때문이에요."

"잡혀갔다고?" 늙은 거미가 이렇게 말했을 때, 해리는 딸깍거리는 집게발 바로 밑에서 걱정하는 소리가 들렸다고 생각했다. "그런데 그가 왜 너희를 보냈지?"

해리는 일어날까 생각했지만 그러지 않기로 했다. 다리가 몸을 지탱하고 서 있을 것 같지 않았기 때문이다. 그는 땅바닥에 앉은 채로 될 수 있는 대로 태연하게 말했다.

"저기 위 학교에 있는 사람들은, 해그리드가 학생들에게…… 어…… 어…… 무슨 짓을 했다고 생각해요. 그들은 그를 아즈카반으로 데려갔어요."

아라고그가 집게발들을 미친 듯이 딸깍거리자, 분지 여기저기에 있는 많은 거미가 그 소리를 똑같이 흉내 냈다. 마치 박수갈채를 듣는 것 같았다. 그러나 그 소리는 해리를 소름 끼치게 했다.

"하지만 그건 오래전이었어." 아라고그가 화를 내며 말했다. "아주아주 오래전에. 난 똑똑히 기억해. 그가 학교를 떠난 건 바로 그것 때문이었지. 그들은 비밀의 방에 사는 괴물이 바로 나라고 믿었어. 그들은 해그리드가 그 방을 열어서 날 놓아 주었다고 생각했어."

"그럼 당신은…… 당신은 비밀의 방에서 나오지 않았나요?" 해리가 이마에 식은땀이 흐르는 걸 느끼며 말했다.

"내가!" 아라고그가 화가 나서 딸깍거리며 말했다. "난 성에서 태어나지 않았어. 난 먼 이국땅에서 왔어. 내가 알이었을 때 어떤 여행자가 날 해그리드에게 주었지. 해그리드는 어린 소년에 불과했지만, 날 성안에 있는 벽장 속에 감춰 두고, 사람들이 먹다 남긴 것들을 먹이며 보살펴 주었지. 해그리드는 나의 좋은 친구야, 좋은 사람이지. 내가 숨어 있는 게 발각되어 어떤 여자아이를 죽였다고 비난받았을 때, 그는 날 보호해 주었어. 난 그 이후 죽 이곳에 살았고, 해그리드는 여전히 가끔 날 찾아오지. 그는 심지어 내게 아내 모삭을 찾아 주기까지 했어. 우리 가족이 얼마나 불어났는지 봐. 모두가 다 해그리드 덕이야……."

해리는 용기를 냈다.

"그러니까 당신은 절대로…… 절대로 아무도 습격하지 않았다는 거죠?"

"그래." 늙은 거미가 쉰 목소리로 말했다. "사람을 공격하는 게 나의 본능이었겠지만, 난 해그리드를 존경했기 때문에 사람에게는 절대로 해를 끼치지 않았어. 살해당한 여자아이의 시체는 화장실에서 발견되었어. 난 내가 자라난 벽장 말고는 성의 어디에도 가 보지 못했어. 우리의 동족은 어둡고 조용한 곳을 좋아해……."

"하지만 그러면…… 무엇이 그 여자아이를 죽였는지 아세요?" 해리가 물었다. "왜냐하면 무엇인지는 모르지만, 그게 다시 돌아와 사람들을 죽이고 있거든요……."

갑자기 시끄럽게 딸깍거리는 집게발 소리와 많은 긴 다리들이 화가 나서 급히 움직이는 소리 때문에 해리의 말이 잘 들리지 않았다. 커다란 검은 형체들이 사방에서 몰려왔다.

"성안에 살고 있는 건……." 이라고그가 말했다. "우리 거미들이 무엇보다도 두려워하는 고대 생물이야. 내가 해그리드에게 그렇게 풀어 달라고 간청했던 건, 바로 그 짐승이 학교를 돌아다니고 있다는 걸 감지했기 때문이야."

"그게 뭔데요?" 해리가 다급히 물었다.

딸깍거리는 소리와 급히 움직이는 소리가 더 시끄럽게 들렸다. 거미들이 가까워지고 있는 것 같았다.

"우린 말 못 해!" 아라고그가 사납게 말했다. "우린 그 이름을 댈 수 없어! 난 심지어 해그리드에게조차 저 끔찍한 생물의 이름을 말하지 않았어. 그가 여러 차례 물었는데도 말이야."

해리는 그러나 거미들이 사방에서 집요하게 다가오고 있었기 때문에 대답을 더 이상 재촉할 수가 없었다. 아라고그는 말하는 데 싫증이 난 것 같았다. 그는 천천히 반구형 거미줄 안으로 물러나고 있었지만, 그의 동료 거미들은 계속해서 서서히 해리와 론에게로 다가왔다.

"그럼 우린 갈게요." 해리가 아라고그 뒤에서 나뭇잎들이 살랑대는 소리를 들으며, 그에게 필사적으로 소리쳤다.

"간다고?" 아라고그가 느릿느릿 말했다. "그건 안 될 것 같……."

"하지만…… 하지만……."

"내 아들과 딸들은 내 명령 때문에 해그리드를 해치지 않아. 하지만 난 이렇게 자진해서 우리에게로 온 신선한 날고기까지 먹지 말라고 할 수는 없어. 잘 가게, 해그리드의 친구."

해리는 현기증이 났다. 바로 앞에, 그보다 훨씬 큰, 단단한 거미들의 장벽이, 불쾌하게 생긴 까만 머리에 난 여러 개의 눈을 번득이며 딸깍거리고 있었다.

해리가 거미의 수가 너무 많아서 아무 소용이 없다는 걸 알면서도, 죽도록 싸울 결심을 하고 요술지팡이로 손을 뻗고 일어섰을 때, 시끄러운 소리가 길게 나더니 밝은 불빛이 분지를 활짝 비추었다.

위즐리 씨의 차가 헤드라이트를 환하게 켜고 삑삑 경적을 울리면서, 우레 같은 소리를 내면서 내리막길을 내려오고 있었다. 그 바람에 거미들이 나동그라졌고, 몇 마리는 벌렁 뒤집혀서 수많은 다리를 공중으로 쳐들고 허우적대고 있었다. 차가 끽 하며 해리와 론 앞에 멈추더니 문이 홱 열렸다.

"팽을 데려와!" 해리가 앞좌석으로 펄쩍 뛰어오르며 소리쳤다. 론이 한가운데에서 깽깽거리는 사냥개를 잡아 차 뒷좌석으로 던졌다. 문이 쾅 닫혔다. 론이 액셀러레이터를 건드리지도 않았는데 엔진이 포효하는 듯 요란한 소리를 내더니 내달리기 시작하여, 거미들을 몇 마리 더 쳐서 넘어뜨렸다. 그들은 오르막길을 전속력으로 올라가 분지에서 나온 뒤, 굉장한 소리를 내며 숲속을 달렸다. 차가 그 길을 훤히 다 알고 있기라도 한 듯 가장 넓은 길로만 교묘하게 굽이굽이 나아가는 동안 나뭇가지들이 차창에 부딪혔다.

해리는 론을 흘끗 바라보았다. 그의 입은 여전히 비명을 지르기라도 하는 듯 헤벌어져 있었지만, 눈빛은 조금 괜찮아진 것 같았다.

"괜찮니?"

론은 말은 하지 않고 멍하니 앞만 바라보았다.

차가 마구 덤불을 헤치고 나아가고 있을 때, 팽은 뒷좌석에 앉아 소리를 길게 뽑으며 시끄럽게 짖어 대고 있었다. 차가 커다란 오크 나무 옆으로 비집고 들어갈 때 사이드미러가 툭 부러졌다. 그리고 10분 정도 요란하게 흔들흔들하더니 나무가 점점 드문드문해졌고, 다시 하늘이 조금 보였다.

차가 갑자기 서는 바람에 몸이 앞으로 홱 쏠렸다. 그들은 어느새 숲 언저리에 와 있었다. 팽이 몹시 나가고 싶은지 얼른 창가로 갔고, 해리가 문을 열어 주자, 꼬리를 다리 사이에 낀 채 쏜살같이 해그리드의 집으로 달려갔다.

해리가 차에서 내리자, 론도 팔다리에 감각이 되돌아온 듯 따라 내렸다. 하지만 멍한 표정과 뻣뻣한 목은 여전했다. 해리가 감사의 표시로 차를 가볍게 치자, 차는 후진으로 숲 속으로 들어가 사라졌다.

해리는 투명 망토를 가지러 해그리드의 오두막으로 들어갔다. 팽은 녀석의 바구니에 있는 담요 위에서 부들부들 떨고 있었다. 해리가 다시 밖으로 나오자, 론이 호박밭에서 심하게 토하고 있었다.

"거미들을 따라가라니." 론이 소매로 입을 닦으며 힘없이 말했다. "난 해그리드를 절대 용서 못 해. 살아난 게 기적이었어."

"해그리드는 아라고그가 자신의 친구들을 해치지 않을 거라고 생각했을 거야." 해리가 말했다.

"그게 바로 해그리드의 문제야!" 론이 오두막 벽을 쾅쾅 치며 말했다. "해그리드는 언제나 괴물들이 눈에 보이는 것만큼 나쁘지 않다고 생각하잖아. 그렇게 해서 자신이 어떻게 되었는지 봐! 아즈카반의 감옥에 있잖아!" 그는 이제 더 심하게 떨고 있었다. "우리를 숲에 보낸 목적이 도대체 뭐냐고? 우리가 뭘 알아냈느냐 말이야?"

"해그리드가 비밀의 방을 열지 않았다는 거지." 해리가 론의 몸에 망토를 씌우고 그가 걸을 수 있도록 팔을 잡아 부축하며 말했다. "해그리드는 아무 죄가 없었어."

론이 흥 하고 콧방귀를 뀌었다. 아라고그를 벽장에서 부화시킨 것만으로도 분명 죄가 전혀 없다고 할 수 없었기 때문이다.

성이 눈앞에 어렴풋이 나타나자 해리는 발이 확실히 감춰지도록 망토를 잡아당긴 뒤, 삐걱거리는 문을 살짝 밀어 조금 열었다. 그들은 조심스럽게 현관 안의 홀을 지나 숨을 죽이고 대리석 계단 위로 올라가, 경계 근무 중인 보초들이 걸어 다니고 있는 복도를 지나쳤다. 그리고 마침내 안전한 그리핀도르의 학생 휴게실에 도착했다. 벽난로에는 불이 다 타고 시꺼먼 재만 남아 있었다. 그들은 망토를 벗고 꾸불꾸불한 계단을 올라가 기숙사로 들어갔다.

론은 옷도 벗지 않고 침대 위로 픽 쓰러졌다. 그러나 해리는 그다지 졸리지가 않았다. 그는 침대 가장자리에 앉아, 아라고그가 했던 말들을 곰곰이 생각했다.

성 어딘가에 숨어 있는 생물은 볼드모트 같은 종류의 괴물인 것 같았다. 심지어 다른 괴물들도 그 이름을 대고 싶어 하지 않으니 말이다. 해리와 론은 그게 무엇인지도, 그것이 어떻게 그 희생자들을 돌처럼 굳어지게 했는지도 전혀 알아내지 못했다. 해그리드조차 비밀의 방 안에 무엇이 있는지 알지 못했다.

해리는 다리를 침대 위로 들어 올리고 베개를 베고 벌렁 드러누워, 높은 창문으로 새어 드는 달빛을 바라보았다.

이제 더 이상 무엇을 할 수 있을지 알 수 없었다. 그들은 사방이 막힌 막다른 골목에 들어와 있었다. 리들은 엉뚱한 사람을 잡았고, 슬리데린의 후계자는 형벌을 모면했다. 그리고 이번에 비밀의 방을 연 사람이 예전의 그 사람인지 아니면 다른 사람인지 아무도 알지 못했다. 이제 물어볼 사람도 없었다. 해리는 누워서, 여전히 아라고그가 했던 말을 생각했다.

막 졸음이 오기 시작했을 때 한 줄기 실낱같은 희망이 번쩍 스쳤다. 그는 벌떡 일어나 앉았다.

"론." 그가 어둠 속에서 작은 소리로 불렀다. "론······."

론이 팽처럼 낑낑거리며 깨더니, 미친 듯이 주위를 둘러보다가 해리를 보았다.

"론····· 죽은 그 여자애 말이야. 아라고그가 그 애가 화장실에서 발견되었다고 했잖아." 해리가 한쪽 구석에서 들리는 네빌의 코 고는 소리에도 아랑곳하지 않고 말했다. "그 애가 만약 화장실을 한번도 떠나지 않았다면? 그 애가 만약 아직도 그곳에 있다면?"

론이 달빛에 얼굴을 찡그리며 눈을 비볐다. 그리고 그 역시 그 말뜻을 이해했다.

"설마····· 모우닝 머틀?"

제 **16** 장

비밀의 방

"우린 그 화장실에 내내 있었잖아. 머틀과는 세 칸밖에 떨어
져 있지 않았는데." 론이 다음 날 아침을 먹으며 너무나 아쉽다
는 듯 말했다. "그 애에게 물어볼 수도 있었는데, 이제……."

거미를 찾아다니는 것은 힘든 일이었다. 하지만 교수님들을 피
해 여자 화장실에, 더욱이 첫 번째 습격 현장 바로 옆에 있는 그
여자 화장실에 오랫동안 몰래 숨어 들어가 있기란 거의 불가능
한 일이었다.

그러나 1교시인 변신술 수업 시간에, 몇 주 만에 처음으로 비
밀의 방 생각을 싹 잊어버리게 하는 일이 발생했다. 수업이 시작
되고 10분쯤 뒤, 맥고나걸 교수가 오늘부터 일주일 후인 6월 1일
부터 시험을 보겠다고 말했던 것이다.

"시험요?" 시무스 피니간이 전혀 뜻밖이라는 듯 악을 쓰며 말했다. "요즘 같은 시기에 시험을 꼭 봐야 하나요?"

해리 뒤에서 쾅 하는 시끄러운 소리가 났다. 네빌 롱바텀의 요술지팡이가 옆으로 스르르 넘어지면서, 책상다리 하나를 없어지게 했던 것이다. 맥고나걸 교수가 요술지팡이를 한번 휙 휘둘러 책상다리를 다시 복구하고는 시무스에게로 돌아서서 눈살을 찌푸렸다.

"이런 시기에 학교를 계속 개방하는 이유는, 여러분이 끊임없이 교육을 받을 수 있게 하기 위한 것입니다." 그녀가 엄하게 말했다. "그러므로 시험은 예정대로 실시될 것이며, 여러분 모두 열심히 공부하리라 믿습니다."

열심히 공부하라니! 해리는 학교가 이 지경인데 시험을 보리라고는 꿈에도 생각지 못했었다. 교실 여기저기서 불평불만의 소리가 쏟아져 나오자, 맥고나걸 교수가 훨씬 더 험악한 표정으로 노려보았다.

"학교를 가능한 한 정상적으로 계속 운영하라는 덤블도어 교수님의 지시가 있으셨어요." 그녀가 말했다. "그리고 이번 시험은 내가 굳이 지적할 필요는 없겠지만, 여러분이 올해에 얼마나 많이 배웠는지 스스로 진단해 보자는 의미일 것입니다."

해리는 슬리퍼로 변신시켜야 할 한 쌍의 하얀 토끼를 내려다보았다. 올해에는 지금까지 뭘 배웠지? 그는 시험에 도움이 될 만한 게 하나도 생각나지 않는 것 같았다.

론은 꼭 저 무시무시한 금지된 숲으로 가서 살라는 말을 들은 것 같은 표정을 짓고 있었다.

"내가 이걸로 시험을 볼 수 있을까?" 론이 막 시끄럽게 호루라기 소리를 냈던 요술지팡이를 들어 올리며 해리에게 물었다.

첫 번째 시험이 시작되기 사흘 전, 맥고나걸 교수가 아침 식사 시간에 또 다른 발표를 했다.

"좋은 소식이 있습니다." 그녀가 이렇게 말하자, 연회장이 오히려 더 소란스러워졌다.

"덤블도어 교수가 돌아오나 봐!" 몇 명이 기뻐서 소리쳤다.

"슬리데린의 후계자를 잡으셨군요!" 래번클로 테이블에서 어떤 여자아이가 말했다.

"퀴디치 시합이 다시 시작된 거죠!" 우드가 흥분해서 큰 소리로 말했다.

소란이 좀 가라앉자, 맥고나걸 교수가 말했다. "마침내 맨드레이크들을 자를 때가 되었다고 스프라우트 교수께서 말씀하셨습니다. 오늘 밤, 우린 돌처럼 변해 버린 친구들을 우리 곁으로 되돌아오게 할 수 있을 것입니다. 그들 중 한 명쯤은 누가, 아니 무엇이 그들을 습격했는지 말해 줄 수 있을지도 모릅니다. 이 끔찍한 해가 끝나기 전에 꼭 범인을 잡게 되길 바랍니다."

우레와 같은 함성이 터져 나왔다. 슬리데린 테이블을 넘겨다보자, 드레이코 말포이가 예상했던 대로 이런 분위기에 어울리지 못하고 심드렁한 표정으로 앉아 있었다. 론은 그러나 요즘 들어 더없이 기쁜 표정을 짓고 있었다.

"그럼, 이제 머틀에게 물어보지 않아도 괜찮겠네!" 그가 해리에게 말했다. "헤르미온느가 깨어나기만 하면 모든 걸 알게 될 거야! 그 아이는 사흘 뒤에 시험을 본다는 걸 알면 아마 죽으려고 할 거야. 공부를 하나도 못 했잖아. 어쩌면 시험이 끝날 때까지 그대로 내버려 두는 게 그 애를 더 도와주는 일인지도 몰라."

바로 그때, 지니 위즐리가 다가와서 론 옆에 앉았다. 그녀는 긴장되고 초조해 보였다. 해리는 그녀가 손을 무릎에 놓고 비비 틀고 있다는 걸 알아챘다.

"무슨 일이니?" 론이 포리지를 더 덜어 먹으면서 말했다.

지니는 아무 말도 하지 않았지만, 겁에 질린 표정으로 그리핀도르 테이블을 흘끗흘끗 바라보았다. 해리는 지니의 표정이 딱히 누구라고는 꼬집어 말할 수 없었지만, 막연히 어느 누군가와 닮았다는 느낌이 들었다.

"말해." 론이 그녀를 쳐다보며 말했다.

해리는 갑자기 지니가 누구와 닮았는지 깨달았다. 해서는 안 될 말을 털어놓는 순간에 망설이면서 의자에서 몸을 약간 앞뒤로 흔드는 도비의 모습과 똑같았던 것이다.

"말할 게 있어." 지니가 해리를 바라보지 않으려고 조심하며 작은 소리로 웅얼웅얼 말했다.

"무슨 얘긴데?" 해리가 물었다.

지니는 적절한 단어를 찾지 못하는 것 같았다.

"*뭔데?*" 론이 물었다.

지니는 입을 열었지만, 아무 소리도 나오지 않았다. 해리는 상체를 앞으로 숙여 지니와 론만이 들을 수 있도록 조용히 말했다.

"비밀의 방에 관한 거니? 뭔가 봤어? 누군가가 이상하게 행동하는 거?"

그런데 지니가 숨을 한번 크게 들이마시는 순간, 퍼시 위즐리가 지치고 창백한 표정으로 나타났다.

"너 다 먹었으면 나 좀 앉게 비켜, 지니. 배고파 죽겠어. 막 순찰하고 오는 길이야."

지니가 마치 의자에 전기가 통하기라도 한 듯 벌떡 일어나 겁먹은 표정으로 퍼시를 흘끗 바라보고는 급히 달아났다. 퍼시가 앉더니 테이블 한가운데서 머그잔 하나를 잡았다.

"퍼시 형!" 론이 화가 나서 말했다. "지니가 막 우리에게 뭔가 중요한 말을 하려고 했었단 말이야!"

차를 쭉 들이켜던 퍼시가 캑캑거렸다.

"무슨 말인데?" 그가 기침을 하며 말했다.

"내가 지니한테 뭐 이상한 거 봤느냐고 그랬더니, 그 애가 막 말하려던 참이었······.”

“아······ 그건······ 그건 비밀의 방과는 아무 관계 없어.” 퍼시가 그의 말이 떨어지기가 무섭게 말했다.

“어떻게 알아?” 론이 눈썹을 추켜세우며 물었다.

“그러니까, 어, 그렇게 묻는다면, 지니가, 어, 일전에 내게 왔었어······. 이거 원, 신경 쓰지 마······. 요점은, 내가 뭔가를 하는 걸 지니가 봤는데 내가, 음, 내가 지니에게 아무에게도 말하지 말라고 했다는 거야. 분명히 말하지만, 난 지니가 약속을 지킬 줄 알았어. 그건 아무것도 아니야, 정말이야. 난 그저······.”

해리는 퍼시가 그렇게 불안해하는 걸 본 적이 없었다.

“뭐 하는 거야, 퍼시 형?” 론이 씩 웃으며 말했다. “어서, 말해, 웃지 않을게.”

그러나 퍼시는 미소 짓지 않았다.

“저 롤빵 좀 건네줄래, 해리? 배고파 죽겠어.”

어차피 내일이면 굳이 애쓰지 않아도 그 수수께끼가 다 풀리겠지만, 해리는 만약 기회만 생긴다면 머틀에게 말을 한번 걸어 볼 작정이었다······. 그런데 기쁘게도, 그들이 질데로이 록허트 교수의 보호를 받으며 마법의 역사 교실로 가고 있던 오전에 정말로 기회가 생겼다.

록허트 교수는 여전히 모든 위험이 지나갔다고 생각하는 듯,

학생들을 복도에서 살피는 일도 건성이었다. 그럼에도 그의 머리카락은 평상시처럼 윤기가 나지 않았다. 4층을 순찰하느라 밤을 거의 꼬박 새운 탓인 것 같았다.

"내가 분명히 말하지만……." 그가 학생들을 한쪽 구석으로 안내하며 말했다. "돌처럼 굳어진 저 가엾은 사람들이 말하는 첫마디는 '해그리드가 그랬어요'일 거야. 솔직히, 난 맥고나걸 교수가 이 모든 안전조치들이 필요하다고 생각하는 것을 보고 깜짝 놀랐어."

"저도 같은 생각이에요, 교수님." 해리가 이렇게 말하자, 론이 놀라서 책을 떨어뜨렸다.

"고맙구나, 해리." 록허트 교수가 후플푸프 아이들이 줄지어 나가는 것을 기다리며 상냥하게 말했다. "내 말은, 우리 교수들이 굳이 학생들을 교실까지 데려다 주거나 밤새도록 보초를 서지 않아도, 충분히 잘 지낼 수 있다는 얘기야……."

"맞아요." 론이 해리의 의도를 이해한 듯 말했다. "그럼 저희를 이곳에 두고 그냥 가시는 게 어떠세요, 교수님. 이제 복도 하나만 더 가면 되잖아요……."

"위즐리, 나도 그럴까 한다." 록허트 교수가 말했다. "어서 가서 다음 수업 준비를 해야 하거든……."

그러고는 황급히 가 버렸다.

"수업 준비를 한다고." 론이 그의 뒤에다 대고 코웃음을 쳤다.

"가서 머리나 말겠지, 뭐."

그들은 그리핀도르 학생들을 먼저 지나가게 한 뒤, 옆 통로로 쏜살같이 달아나 허둥지둥 모우닝 머틀의 화장실 쪽으로 갔다. 그러나 그들이 자신들의 기막힌 꾀에 스스로 감탄하고 있을 때……

"포터! 위즐리! 뭐 하고 있니?"

맥고나걸 교수가 성난 얼굴로 서 있었다.

"저희는…… 저흰……." 론이 더듬거렸다. "저흰 가서……그러니까…… 만나 보려고……."

"헤르미온느요." 해리가 말했다. 론과 맥고나걸 교수 모두 그를 바라보았다.

"그 애를 한참 보지 못했어요, 교수님." 해리가 다급하게 말을 계속하다가, 그만 잘못해서 론의 발을 밟았다. "저희는 병동으로 몰래 숨어 들어가서 그 애에게 이제 맨드레이크가 거의 준비되었으니, 어, 걱정하지 말라고 말하려고 했어요……."

맥고나걸 교수가 그들을 빤히 보았다. 잠시, 해리는 그녀가 버럭 화를 낼 거라고 생각했지만, 기묘하게도 그녀는 우는 듯한 목소리로 차분하게 말했다.

"물론." 이렇게 말하는 그녀의 두 눈에 놀랍게도 구슬 같은 눈물이 반짝거렸다. "물론, 친구가 그런 일을 당하면 이 모든 게 얼마나 힘든 일인지 알고도 남지……. 충분히 이해한다. 그래, 포터, 그레인저 양을 방문해도 좋다. 빈스 교수에게는 내가 너희가 어디에 갔는지 말해 주마. 폼프리 부인에게는 내가 허락했다고 말하렴."

해리와 론은 징계를 받지 않았다는 사실을 도저히 믿을 수 없는 듯 의아해하며 걸어갔다. 모퉁이를 돌았을 때, 맥고나걸 교수가 코를 팽 푸는 소리가 들렸다.

"그거야말로……." 론이 흥분해서 말했다. "네가 지금까지 꾸며 낸 이야기 가운데 가장 멋졌어."

이제는 병동으로 가서 폼프리 부인에게 헤르미온느를 방문해도 좋다는 맥고나걸 교수의 허락을 받았다고 말하는 수밖에 없었다.

폼프리 부인은 마지못해 그들을 들여보내 주었다.

"돌처럼 굳어진 사람에게 말해 봤자 무슨 소용이 있겠니?" 헤르미온느 옆에 앉았을 때, 그들은 폼프리 부인의 말뜻을 인정해야만 했다. 헤르미온느는 확실히 방문객이 찾아왔다는 걸 전혀 모르고 있었다. 차라리 그녀의 침대 옆에 있는 서랍장에 대고 모든 게 잘될 테니 걱정 말라고 말하는 게 나을 것 같았다.

"얘가 습격자를 보기나 했을까?" 론이 헤르미온느의 뻣뻣한 얼굴을 슬프게 바라보며 말했다. "만약 뒤에서 기습을 당했다면 못 봤을 거야……."

그러나 해리는 헤르미온느의 얼굴을 보고 있지 않았다. 그의 눈은 그녀의 오른손에 붙박여 있었다. 그 손은 꽉 쥐인 채 담요 위에 놓여 있었는데, 좀 더 가까이 다가가자, 주먹 안에 종이쪽지 하나를 꽉 쥐고 있는 게 보였다.

폼프리 부인이 가까이 있는지 살핀 뒤, 해리가 론에게 이것을 알려 주었다.

"빼내 봐." 폼프리 부인이 해리를 보지 못하게 막아서기 위해 의자를 당기며 론이 속삭였다.

그건 쉬운 일이 아니었다. 헤르미온느의 손이 종이를 어찌나 꽉 쥐고 있었던지 꼭 찢어질 것만 같았다. 론이 지키는 동안 그는 당겼다가 비틀었다가를 몇 번 했고 마침내 몇 분의 긴장된 순간이 흐른 뒤, 종이가 빠져나왔다.

그건 도서관의 아주 오래된 책에서 찢어 낸 것이었다. 해리가 그 종이를 얼른 펴자 론도 가까이 다가와 읽었다.

우리의 땅에서 돌아다니는 많은 무시무시한 짐승과 **괴물들** 가운데, 뱀의 왕으로도 알려져 있는 바실리스크보다 이상하고 끔찍한 것은 없다. 이 뱀은 닭의 알로 태어나서 두꺼비 품에서 부화했는데, 크기가 엄청나게 큰 데다가 수백 년은 묵었다. 살인 방법 또한 대단히 불가사의하다. 바실리스크는 독이 있는 치명적인 송곳니 외에도, 눈초리가 매서워, 그 눈을 바라보는 사람들은 모두 그 자리에서 즉사하게 된다. 거미가 바실리스크 앞에서 달아나는 것은, 그것이 거미의 천적이기 때문이며, 바실리스크가 수탉의 울음소리만 들으면 도망치는 것은, 그것이 바실리스크에게 치명적이기 때문이다.

그리고 종이 밑에는, 헤르미온느의 필체인 것 같은 단 한 개의 단어가 쓰여 있었다. '수도관.'

마치 누군가가 뇌에 전등을 켜기라도 한 듯, 번쩍 어떤 생각이 해리의 뇌리를 스쳤다.

"론." 그가 속삭이듯이 말했다. "바로 이거야. 이게 해답이야. 비밀의 방에 있는 괴물은 바로 *바실리스크야.* 거대한 뱀! 내가 여기저기서 들은 목소리를 다른 사람은 아무도 듣지 못했던 건 바로 그 때문이었어. 그건 내가 뱀의 언어를 알아듣기 때문이야……."

해리는 주위에 있는 침대들을 올려다보았다.

"바실리스크는 그저 바라보는 것만으로도 사람들을 죽인다고 했지? 하지만 아무도 죽지는 않았어……. 그건 아무도 그 눈을 똑바로 바라보지 않았다는 거야. 콜린은 카메라를 통해 그걸 보았어. 그래서 바실리스크는 카메라 안에 있는 필름은 몽땅 태웠지만, 콜린은 그저 돌처럼 굳어졌던 거야. 저스틴은…… 저스틴은 바실리스크를 목이 달랑달랑한 닉을 통해 본 게 틀림없어! 닉은 그 독기 어린 시선을 받았지만, 이미 죽었기 때문에 *다시* 죽을 수가 없었어……. 그리고 헤르미온느와 저 래번클로 반장이 발견되었을 때는 그 옆에 거울이 있었어. 헤르미온느는 그 괴물이 바실리스크라는 걸 알았던 거야. 그래서 그 애는 가장 먼저 만난 사람인 래번클로 반장에게, 거울을 통해 구석진 곳들을 둘러보라고 주의시켰던 게 분명해! 그래서 그 여자애가 거울을 꺼냈지…… 그리고…….”

론의 입이 쩍 벌어졌다.

“그러면 노리스 부인은?” 그가 몹시 궁금한 듯 속삭였다.

해리는 핼러윈 날 밤의 그 현장을 떠올리며, 곰곰이 생각했다.

“물…….” 그가 천천히 말했다. “모우닝 머틀의 화장실에서 흘러넘친 물이야. 노리스 부인은 틀림없이 그 물에 비친 모습만 봤을 거야…….”

그는 손에 들고 있는 종이를 열심히 훑었다. 보면 볼수록 앞뒤가 맞았다.

“*바실리스크가 수탉의 울음소리만 들으면 도망치는 것은, 그것이 바실리스크에게 치명적이기 때문이다!*” 그가 큰 소리로 읽었다. “해그리드의 수탉들이 계속 죽어 나갔잖아! 일단 그 방이 열리자 슬리데린의 후계자는 성 근처에서 수탉들이 돌아다니는 걸 원하지 않았던 거야! *거미가 바실리스크 앞에서 달아나는 것도!* 모든 게 딱 맞아떨어져!”

“하지만 바실리스크가 어떻게 돌아다니는 거지?” 론이 물었다. “거대한 뱀이…… 누군가는 보았을 텐데…….”

해리는 헤르미온느가 그 종이 끝 부분에 휘갈겨 쓴 단어를 지적했다.

"수도관." 해리가 말했다. "수도관…… 론, 그건 수도관을 이용하고 있었던 거야. 난 벽 속에서 나는 목소리를 들었던 거였어……."

론이 갑자기 해리의 팔을 잡았다.

"비밀의 방으로 들어가는 입구 말이야!" 그가 쉰 목소리로 말했다. "그게 만약 화장실이라면 어떻게 되지? 그게 만약……."

"…… 모우닝 머틀의 화장실에." 해리가 말했다.

그들은 밀려오는 흥분을 어쩌지 못하고, 도저히 믿을 수 없는 듯, 그 자리에 멍하니 앉아 있었다.

"이건……." 해리가 말했다. "이 학교 안에는 뱀의 언어를 할 수 있는 게 나 혼자만이 아니라는 뜻이야. 슬리데린의 후계자도 그렇다는 거지. 그가 바실리스크를 제어할 수 있었던 건 바로 그 때문이야."

"그럼 이제 어떻게 해야 하지?" 론이 눈을 번득이며 물었다. "맥고나걸 교수에게로 곧장 가야 할까?"

"교무실로 가자." 해리가 벌떡 일어나며 말했다. "10분 뒤면 맥고나걸 교수님이 그곳에 오실 거야. 수업이 끝날 시간이 다 되었거든."

그들은 아래층으로 달려갔다. 또다시 복도에서 어물거리다가 들키고 싶지 않았으므로, 그들은 곧장 사람들이 아무도 없는 교무실로 갔다. 커다란 교무실 안에는 거무스름한 나무 의자들이 가득 차 있었다. 해리와 론은 너무 흥분해서 앉지도 못하고, 교무실을 천천히 왔다 갔다 했다.

그러나 웬일인지 쉬는 시간을 알리는 종이 울리지 않았다.

대신, 마법을 써서 크게 한 맥고나걸 교수의 목소리가 복도에 울려 퍼졌다.

"모든 학생은 즉시 기숙사로 돌아가십시오. 모든 교수님은 교무실로 돌아가십시오. 다들 즉시 돌아가시기 바랍니다."

해리가 론을 빤히 바라보았다.

"습격이 또 있었던 건 아니겠지? 설마 지금?"

"어떻게 해야 하지?" 론이 아연실색하며 물었다. "기숙사로 돌아갈까?"

"안 돼." 해리가 주위를 흘끗 보며 말했다. 왼쪽에 교수님들의 망토들로 가득한 보기 흉한 옷장이 하나 있었다. "이 안으로 들어가서 무슨 일인지 들어 보자. 그러고 나서 우리가 알아낸 걸 교수님들께 말하면 돼."

그들이 옷장 안에 숨어, 수백 명의 사람이 머리 위에서 우르르 움직이는 소리를 듣고 있을 때, 교무실 문이 갑자기 쾅 하고 열렸다. 둘둘 접힌 곰팡내 나는 망토들 사이로, 교수님들이 그 방으로 하나둘씩 들어오는 게 보였다. 당황한 표정을 짓고 있는 교수님들이 있는가 하면, 잔뜩 겁에 질려 있는 교수님들도 있었다.

그 뒤 맥고나걸 교수가 도착했다.

"끝내 일이 터지고야 말았어요." 그녀가 말없이 자신을 바라보는 교수들에게 말했다. "학생 하나가 괴물에게 잡혀갔어요. 비밀의 방으로요."

플리트윅 교수가 꽥 하는 소리를 냈다. 스프라우트 교수는 두손을 얼른 입에다 갖다 댔다. 스네이프 교수가 의자 등받이를 꽉잡고 말했다. "어떻게 그렇게 확신하는 거죠?"

"슬리데린의 후계자가." 맥고나걸 교수가 얼굴이 창백해져서 말했다. "또 다른 메시지를 남겼어요. 첫 번째 메시지 바로 밑에요. '그 애의 뼈는 비밀의 방에 묻힐 것이다'라고요."

플리트윅 교수가 별안간 울음을 터뜨렸다.

"그게 누구죠?" 후치 부인이 무릎을 후들거리면서 의자에 맥없이 주저앉으며 말했다. "어느 학생이죠?"

"지니 위즐리예요." 맥고나걸 교수가 말했다.

해리는 론이 옷장 바닥으로 스르르 주저앉는 걸 느꼈다.

"내일 모든 학생을 집으로 보내야 해요." 맥고나걸 교수가 말했다. "이제 호그와트의 미래는 없어요. 덤블도어 교수는 늘 말씀하셨어요……."

교무실 문이 다시 한 번 쾅 열렸다. 잠시, 해리는 덤블도어일거라고 생각했다. 그러나 그건 록허트 교수였고, 그는 환하게 미소짓고 있었다.

"죄송해요…… 깜박 졸았어요……. 무슨 얘기들 하셨죠?"

그는 다른 교수님들이 혐오스러운 눈길로 자신을 바라보고 있다는 걸 전혀 눈치채지 못한 것 같았다. 스네이프 교수가 앞으로 걸어 나갔다.

"마침 잘 왔네." 그가 말했다. "이 일을 해결할 사람은 자네밖에 없어. 여자아이 하나가 그 괴물에게 잡혀갔네, 록허트. 비밀의 방으로 붙잡혀 갔단 말이네. 마침내 자네가 나서야 할 때가 왔네."

록허트 교수의 얼굴이 창백해졌다.

"맞네, 질데로이." 스프라우트 교수가 끼어들었다. "바로 어젯밤에 자네가 비밀의 방으로 들어가는 입구가 어디에 있는지 알았다고 말하지 않았나?"

"저는…… 이거야 원, 저는…….." 록허트 교수가 당황해서 말했다.

"그래, 자네는 그 안에 무엇이 있는지 확실히 안다고 하지 않았나?" 플리트윅 교수가 갑자기 소리를 높여 말했다.

"제…… 제가요? 전 잘 기억이 나지…….."

"난 자네가 해그리드가 잡혀가기 전에 그 괴물을 처치할 기회를 가져 보지 못한 게 못내 아쉽다고 말했던 걸 확실히 기억하네." 스네이프 교수가 말했다. "자넨 모든 일이 엉망이 되었다고 하지 않았나? 처음부터 자네가 그 일을 맡아 해결했어야 한다고 말하지 않았어?"

록허트 교수가 차가운 표정을 한 동료들을 빤히 바라보았다.

"저는…… 저는 정말로 절대…… 뭔가 오해가 있었던 게…….."

"그럼, 당신에게 맡겨 두겠어요, 질데로이." 맥고나걸 교수가 말했다. "그 일을 하기엔 오늘 밤이 더없이 좋을 거예요. 우린 모두 물러나 있을게요. 그 괴물을 당신 혼자서 처치할 수 있도록 말예요. 이제야 비로소 당신의 실력을 맘껏 발휘할 때가 온 것 같군요."

록허트 교수는 절망적으로 주위를 둘러보았지만, 아무도 구원해 주지 않았다. 그는 더 이상 당당해 보이지 않았다. 그의 입술은 떨리고 있었고, 평상시에 늘 보여 주던 이빨이 다 드러나는 웃음은 온데간데없고, 기운 없고 허약해 보였다.

"조, 좋습니다." 그가 말했다. "제 사무실에서…… 준비…… 준비하고 있겠습니다."

그러고는 그가 교무실을 나갔다.

"잘하셨어요." 맥고나걸 교수가 콧구멍을 깔때기 모양으로 벌리며 말했다. "속이 다 시원하군요. 각 기숙사 담당 교수님들께서는 학생들에게 가서 무슨 일이 있었는지 말씀해 주시길 바랍니다. 그리고 내일 호그와트 급행열차가 집으로 데려다 줄 거라고 말씀해 주세요. 나머지 교수님들은 단 한 명의 학생도 기숙사 바깥에 남아 있지 않도록 조치해 주셨으면 합니다."

교수들이 하나씩 일어서서 나갔다.

그날은 어쩌면 해리의 일생에 최악의 날인지도 몰랐다. 그는 론과 프레드와 조지와 함께 서로 아무 말도 하지 않고, 그리핀도르의 학생 휴게실 한쪽 구석에 앉아 있었다. 퍼시는 거기에 없었다. 그는 위즐리 부부에게 부엉이를 보내러 갔다가, 자기 기숙사 방에 틀어박혀 있었다.

그날 오후만큼 그렇게 길었던 날도, 그리핀도르 탑이 그렇게 북적거렸던 적도, 그럼에도 또한 그렇게 조용했던 적도 없었다. 해질녘이 되자, 프레드와 조지는 더 이상 앉아 있지 못하고, 자러 올라갔다.

"지니는 뭔가 알고 있었던 거야, 해리." 론이 교무실 벽장에 들어갔던 이후 처음으로 입을 열었다. "그래서 잡혀간 거야. 전에 지니가 하려 했던 말은 결코 퍼시에 대한 어떤 시시껄렁한 말이 아니었어. 그 애는 비밀의 방에 대해 뭔가를 알아냈던 거야. 그래서 틀림없이 그 애가……." 론이 눈을 세게 문질렀다. "그것 말고는 다른 이유가 있을 리 없어."

해리는 태양이 핏빛으로 빨갛게 지평선 밑으로 지는 걸 보았다. 이런 불쾌한 기분은 처음이었다. 뭔가 할 수 있는 일이 있으면 좋을 텐데. 어떤 일이라도.

"해리." 론이 말했다. "그 애가 죽는다면…… 그러니까…… 그럴 가능성이 있을까……?"

해리는 뭐라 말해야 할지 몰랐다. 지니가 아직 살아 있을 수 있을까.

"이렇게 하는 게 어때?" 론이 말했다. "가서 록허트 교수를 만나는 거야. 그리고 그에게 우리가 아는 걸 말하는 거야. 그러면 그가 비밀의 방으로 들어가려고 할 거야. 그게 어디에 있다고 생각하는지도 말하고 그 안에 있는 게 바실리스크라는 말도 하는 거야."

해리는 달리 어떻게 해야 할지 생각이 나지 않았으므로, 그리고 무언가를 하고 싶었으므로, 론의 말에 동의했다. 그들 주위에 있는 그리핀도르 학생들은 너무나 큰 슬픔에 잠겨 있는 데다, 위즐리 형제들에 대해 한없이 딱하게 여기고 있었기 때문인지, 자리에서 일어나 휴게실을 가로질러 초상화 구멍으로 빠져나가는 그들을 아무도 말리려 하지 않았다.

그들은 록허트 교수의 사무실로 걸어갔다. 바깥은 이미 어둑어둑해지고 있었다. 록허트 교수가 무엇을 하고 있는지 안에서 긁는 소리며, 쿵 떨어지는 소리며, 부산스럽게 움직이는 발소리가 들렸다.

해리가 노크를 하자 안이 갑자기 조용해졌다. 그러고는 문이 조금 열리더니 록허트 교수가 빠끔히 한쪽 눈만 내밀고 내다보았다.

"오…… 포터 군, 위즐리 군." 그가 문을 조금 더 열며 말했다. "난 지금 좀 바쁜데…… 하지만 잠깐이라면……."

"교수님, 말씀드릴 게 좀 있어요." 해리가 말했다. "교수님께 도움이 되실 거예요."

"어…… 글쎄…… 과연 그럴까……." 한쪽만 보이는 록허트 교수의 얼굴은 아주 난처해하는 것 같았다. "내 말은…… 그러니까…… 아, 좋아."

그들은 그가 열어 준 문으로 들어갔다.

그의 사무실은 거의 완전히 비어 있었다. 마룻바닥에는 커다란 가방 두 개가 열린 채로 서 있었다. 비취색, 라일락색, 어두운 푸른색의 망토들이 한쪽 가방 속에 아무렇게나 접혀 있었다. 다른 쪽 가방 속에는 책들이 어수선하게 흐트러져 있었다. 또 벽을 뒤덮었던 사진들은 이제 책상 위에 있는 상자 속에 쑤셔 넣어져 있었다.

"어디 가세요?" 해리가 물었다.

"어, 뭐라고 해야 할까, 그래." 록허트 교수가 문 뒤에서 실물 크기의 자기 포스터를 떼어 내어 돌돌 말며 말했다. "긴급 소집이 있어서 말이야……. 피할 수 없는…… 가야 해……."

"제 동생은 어떻게 하고요?" 론이 불쑥 말했다.

"글쎄, 그 문제라면…… 너무나 안됐지만……." 록허트 교수가 그들의 눈을 피하면서 서랍을 열어 안에 든 것들을 가방 속에 채우면서 말했다. "정말로 유감스럽게 생각해……."

"교수님은 어둠의 마법 방어술을 가르치는 분이잖아요." 해리가 말했다. "지금은 가실 수 없어요! 여기서 이렇게 무서운 일들이 벌어지고 있는데 가실 수는 없다고요!"

"글쎄…… 내가 이 일자리를 택했을 때는……." 록허트 교수가 이제 망토 위에 양말을 쌓아 놓으며 말했다. "어둠의 마법 방어술 교수를 모집하는 안내문에는 아무것도 쓰여 있지 않았어……. 전혀 예상하지 못했어……."

"그 말은 도망치려는 것이라는 뜻인가요?" 해리가 믿을 수 없다는 듯 물었다. "책에는 교수님이 그 모든 일을 했다고 쓰여 있는데……."

"책은 종종 오해를 불러일으키곤 하지." 록허트 교수가 미묘하게 말했다.

"교수님이 쓰셨잖아요!" 해리가 소리쳤다.

"얘야." 록허트 교수가 똑바로 서서 해리에게 얼굴을 찡그리며 말했다. "상식적으로 생각해 봐라. 사람들이 내가 직접 그 모든 일을 했다고 생각하지 않았다면 내 책은 반도 팔리지 않았을 거야. 못생기고 늙은 아르메니아의 마법사에 대해 읽고 싶어 하는 사람은 하나도 없어. 그가 아무리 늑대인간들로부터 어떤 마을을 구했다고 해도 말이야. 그런 사람이 책의 표지에 얼굴을 디밀고 있으면 몹시 불쾌할 테니까 말이야. 책을 만드는 감각이 전혀 없는 거지. 그리고 밴든 밴시를 추방한 마녀는 언청이였단다. 내 말은, 그러니 제발……."

"그러니까 다른 사람들이 했던 일을 교수님이 한 것처럼 꾸몄다는 거로군요?"

해리가 도저히 믿을 수 없다는 듯이 말했다.

"해리, 해리." 록허트 교수가 조바심 내며 고개를 흔들었다. "그건 그렇게 간단하지가 않아. 내가 한 일이 전혀 없었던 건 아니야. 난 그런 사람들을 찾아내야만 했어. 그리고 그들에게 그런 일을 정확히 어떻게 해냈는지 물었고 말이야. 그 뒤 난 그들이 그렇게 했다는 걸 기억하지 못하도록 '기억력 마법'을 걸어야 했어. 만약 내가 자랑으로 여기는 게 딱 한 가지 있다면, 그건 바로 나의 '기억력 마법'이야. 아니, 그건 정말로 엄청난 작업이었단다, 해리. 그저 책에 사인하고 광고사진을 찍고 하는 게 전부가 아니야. 명성을 얻고 싶으면, 넌 지루하고 힘든 일을 꾸준히 해나갈 각오가 되어 있어야만 해."

그가 가방들을 쾅 닫더니 자물쇠를 채웠다.

"어디 보자." 그가 말했다. "이제 다 된 것 같군. 그래, 남은 게 딱 하나 있어."

그가 요술지팡이를 꺼내더니 그들에게로 돌아섰다.

"정말 미안하지만, 얘들아, 이제 너희에게 '기억력 마법'을 걸어야겠구나. 너희가 내 비밀을 주책없이 사방에다 지껄여 대게 할 수는 없거든. 그랬다간 난 또 다른 책을 절대 팔 수 없을 테니까 말이야……."

그러나 바로 그 찰나 해리가 요술지팡이로 손을 뻗었다. 록허트 교수가 미처 요술지팡이를 들어 올리기도 전에, 해리가 큰 소리로 말했다. **"엑스펠리아르무스!"**

록허트 교수의 몸이 뒤로 휙 날아가더니, 가방 위로 털썩 떨어졌다. 그리고 그의 지팡이가 공중으로 높이 날아가자 론이 얼른 잡아 열린 창문 밖으로 내던져 버렸다.

"스네이프 교수가 저희에게 이 주문을 가르쳐 주도록 하지 말았어야죠." 해리가 화가 나서 록허트 교수의 가방을 옆으로 툭 걷어차며 말했다. 록허트 교수가 비굴한 모습으로 해리를 올려다보았다. 해리가 여전히 요술지팡이를 그에게 대고 있었던 것이다.

"내가 어떻게 하면 좋겠니?" 록허트 교수가 무기력하게 말했다. "난 비밀의 방이 어디에 있는지 몰라. 내가 할 수 있는 건 아무것도 없어."

"운 좋은 줄 아세요." 해리가 요술지팡이 끝으로 록허트 교수를 위협해서 그를 일어서게 하며 말했다. "저흰 그게 어디에 있는지 알아요. 그리고 그 안에 무엇이 있는 지도요. 가죠."

그들은 록허트 교수를 앞세워 사무실을 나와서 가장 가까운 계단을 내려갔다. 그리고는 벽면에 쓰인 메시지들이 반짝이는 어두운 복도를 지나, 모우닝 머틀의 화장실 문 앞으로 갔다.

그들은 록허트 교수를 먼저 안으로 들여보냈다. 해리는 부들부들 떠는 그의 모습을 보자 고소한 생각이 들었다.

모우닝 머틀은 맨 끝에 있는 변기 수조 위에 앉아 있었다.

"오, 너구나." 그녀가 해리를 보자 말했다. "이번에는 뭘 알고 싶니?"

"네가 어떻게 죽었는지 알고 싶어." 해리가 말했다.

머틀의 표정이 금방 달라졌다. 그렇게 자기 맘에 꼭 드는 질문 은 한번도 받아 본 적이 없는 것 같았다.

"우으, 참으로 지독했어." 그녀가 재미있게 말했다. "바로 여 기서 일어났어. 난 이 작은 화장실에서 죽었어. 똑똑히 기억나. 올리브 혼비가 내 안경을 가지고 놀리고 있어서 숨어 있었던 거 지. 난 문을 잠그고 울고 있었는데, 그때 누군가가 들어오는 소 리가 들렸어. 그들은 이상한 말을 했어. 색다른 언어였어, 틀림 없이 그랬던 것 같아. 어쨌든, 날 정말로 화나게 한 건 말을 하고 있는 애가 *남자아이였다는* 거였어. 그래서 난 문을 열었지. 그 애에게 남자 화장실을 사용하라고 말하려고 말이야. 그런데 그 러곤……" 머틀은 감정이 북받친 듯, 얼굴이 반짝거렸다. "*난 죽었어.*"

"어떻게?" 해리가 물었다.

"몰라." 머틀이 나지막이 말했다. "난 그저 한 쌍의 굉장히 큰 노란 눈을 보았던 것밖에 기억이 안 나. 온몸이 얼어붙는가 싶더 니 어느새 둥둥 떠돌아다니고 있었어……" 그녀는 몽롱한 얼굴로 해리를 바라보았다. "그 뒤 난 다시 돌아왔어. 올리브 혼비를 괴롭히기로 굳게 마음먹었던 거지. 물론, 그 애는 내 안경을 놀렸던 걸 대단히 후회했어."

"그 눈을 정확히 어디서 봤니?" 해리가 물었다.

"저기 어디였을 거야." 머틀이 막연히 자기가 앉아 있는 칸 앞에 있는 세면대 쪽을 가리키며 말했다.

해리와 론은 급히 그리로 갔다. 록허트 교수는 잔뜩 겁에 질린 표정으로 뒤에 멀찌감치 떨어져 서 있었다.

그건 그저 보통 세면대처럼 보였다. 그들은 세면대 아래에 있는 수도관을 포함해, 세면대 안쪽과 바깥쪽을 구석구석 살폈다. 그러다 문득 해리는 이상한 문양을 보았다. 구릿빛 수도꼭지들 가운데 한 수도꼭지 옆에 아주 작은 뱀 한 마리가 새겨 있었다.

"그 수도꼭지는 고장 났어. 꼼짝도 안 해." 해리가 그걸 돌리려고 하자 머틀이 밝게 말했다.

"해리." 론이 말했다. "말 좀 해 봐. 뱀의 언어로 말이야."

"하지만……." 해리는 곰곰이 생각했다. 그가 뱀의 언어로 말했을 때는 진짜 뱀과 마주쳤을 때뿐이었다. 그는 진짜 뱀을 상상하려고 애쓰며, 그 작은 문양을 뚫어지게 바라보았다.

"열어." 그가 말했다.

그는 론을 바라보며, 고개를 가로저었다.

"그냥 우리말이네." 론이 약간 실망한 듯 말했다.

해리는 그 뱀이 살아 있다고 믿으려고 애쓰며 다시 바라보았다. 그가 머리를 움직이자, 촛불 때문인지 그게 꼭 움직이는 것처럼 보였다.

"열어." 그가 말했다.

그것뿐이었다. 쉿쉿거리는 이상한 소리가 그의 입에서 나왔고, 갑자기 그 수도꼭지가 눈부시게 하얀빛을 내더니 뱅뱅 돌기 시작했다. 그리고 다음 순간, 세면대가 움직이기 시작했다. 세면대가 아래로 툭 내려앉더니, 사람 하나가 미끄러져 내려갈 수 있을 만큼 굵고 커다란 수도관 하나가 나타났다.

해리는 깜짝 놀라는 론을 다시 올려다보았다. 그는 이미 마음을 결정했다.

"난 저 아래로 내려갈 거야." 해리가 말했다.

가지 않을 수가 없었다. 비밀의 방으로 들어가는 입구를 찾아낸 이상, 지니가 살아 있을지도 모른다는 아주 희미한, 실오라기같이 가느다란 희망을 가지고 있는 이상 가야만 했다.

"나도." 론이 말했다.

잠시 아무 말이 없었다.

"이제부터는 내가 필요하지 않을 것 같은데." 록허트 교수가 희미하게 예전의 그 미소를 지으며 말했다. "난 그저……."

그러나 그가 문의 손잡이를 잡았을 때, 론과 해리 모두 요술지팡이를 그쪽으로 갖다 댔다.

"교수님이 먼저 가세요." 론이 딱딱한 말투로 말했다.

창백하게 질린 록허트 교수는 지팡이도 없이 비밀의 방 입구로 다가갔다.

"얘들아." 그가 들릴 듯 말 듯한 목소리로 말했다. "얘들아, 이렇게 한들 무슨 소용이 있겠니?"

해리가 그의 등을 지팡이로 쿡 찔렀다. 록허트 교수가 수도관 쪽으로 천천히 움직였다.

"난 정말로 그렇게 생각……." 그가 말하는 순간, 론이 한 번 툭 밀자, 그가 쭈르르 미끄러져 내려갔다. 해리도 얼른 뒤따라갔다. 그는 천천히 수도관 안으로 들어간 뒤, 손을 놓았다.

그건 마치 끈끈하고 어둡고 끝이 없는 미끄럼을 타고 내려가는 것 같았다. 사방으로 뻗어 나간 더 많은 수도관이 보였지만, 그들이 타고 내려가는 것처럼 큰 것은 하나도 없었다. 그들은 비틀리고 빙빙 돌며 가파르게 내려갔다. 학교의 지하 감옥보다도 더 깊숙한 곳으로 떨어지고 있는 듯했다. 뒤에서는 론이 굴곡부에 쿵쿵 부딪치는 소리가 들렸다.

그 뒤, 과연 어떤 일이 벌어질까 걱정되기 시작했을 때 수도관이 평평해지면서 그 끝으로 튀어나왔다. 해리는 간신히 서 있을 수 있는 높이의 어두컴컴한 돌 터널의 축축한 바닥으로 쿵 하며 내려앉았다. 조금 떨어진 곳에서 록허트 교수가 마치 유령처럼 하얀 점액으로 뒤덮인 채 일어서고 있었다. 해리가 한쪽 옆으로 비켜서자마자, 론이 씽 하고 수도관에서 나왔다.

"학교 밑으로 한참은 내려온 것 같아." 해리가 말하자, 목소리가 어두컴컴한 터널에 울려 퍼졌다.

"어쩌면 호수 밑일지도 몰라." 론이 거무스름하고, 끈적끈적한 벽을 흘끗 둘러보며 말했다.

그들 셋은 돌아서서 앞의 어둠 속을 뚫어지게 바라보았다.

"루모스!" 해리가 지팡이에게 중얼거리자 그 끝에 다시 불이 켜졌다. "자, 어서." 해리의 말이 떨어짐과 동시에 그들은 다 같이 앞으로 출발했다. 걸을 때마다 축축한 바닥이 울리는 소리가 시끄럽게 들렸다.

터널이 어찌나 어두웠던지 한 치 앞도 보이지 않았다. 축축한 벽에 비친 그들의 그림자가 지팡이 불빛 때문에 꼭 괴물처럼 보였다.

"잊지 마." 조심스럽게 걸어 나가며 해리가 조용히 말했다. "뭔가 움직이면, 곧바로 눈을 감아……."

그러나 터널은 무덤처럼 조용했다. 갑자기 우두둑하는 커다란 소리가 들렸지만, 알고 보니 쥐의 두개골을 밟은 것이었다. 해리는 바닥을 보려고 지팡이를 아래로 내렸다. 작은 동물의 뼈들이 사방에 흩어져 있었다. 지니가 어떤 모습으로 발견될까 상상하지 않으려고 안간힘을 쓰며, 해리는 앞장서서 터널의 어두운 굴곡부를 돌아갔다.

"해리, 저기에 뭔가가 있어……." 론이 해리의 어깨를 잡으며 쉰 목소리로 말했다.

그들은 꼼짝 않고 서서 바라보았다. 뭔가 거대하고 구부러진 것이 터널 바닥에 누워 있었다.

"자고 있는 건지도 몰라." 해리가 다른 두 사람을 흘끗 돌아보며 숨죽여 말했다. 록허트 교수가 손으로 눈을 가렸다. 해리는 다시 그것으로 고개를 돌렸다. 가슴이 두방망이질을 했다.

해리는 지팡이를 높이 들어 올린 채로 눈을 가늘게 뜨고 계속 뚫어지게 바라보면서 천천히 앞으로 걸어 나갔다.

그러나 바닥에는 불쾌하기 짝이 없는 밝은 초록색의 거대한 뱀 가죽만이 돌돌 말린 채로 널브러져 있었다. 그 허물을 벗은 뱀은 길이가 족히 6미터는 될 것 같았다.

"깜짝이야!" 갑자기 론이 소스라치게 놀라며 말했다.

그들 뒤에서 별안간 뭔가가 움직였기 때문이었는데, 알고 보니 질데로이 록허트 교수가 털썩 주저앉아 버렸던 것이다.

"일어나세요." 론이 지팡이를 록허트 교수에게 들이대며 날카롭게 말했다.

록허트 교수는 어쩔 수 없다는 듯 일어섰다……. 그러더니 론에게 와락 달려들어, 론을 땅바닥에 넘어뜨렸다.

해리가 펄쩍 뛰어갔지만, 너무 늦고 말았다……. 록허트 교수가 론의 요술지팡이를 들고 얼굴에 다시 희미한 미소를 띠면서 헐떡이며 일어서고 있었다.

"모험은 이제 끝이야, 애들아!" 그가 말했다. "난 이 뱀 가죽을 학교로 조금 갖고 올라가, 그 여자아이를 구하기엔 너무 늦었다고, 그리고 너희 둘은 토막 난 그 아이의 시체를 보고 그만 *비참하게도 미쳐 버렸다*고 말해야겠다……. '기억력이여 안녕'이라고 말하렴!"

그는 스카치테이프로 붙인 론의 요술지팡이를 머리 위로 높이 들어 올린 뒤 "오블리비아테!" 하고 외쳤다.

그러자 지팡이가 작은 폭탄이 터지는 것 같은 위력으로 폭발했다. 터널 천장이 와르르 무너져 내렸다. 해리는 얼른 양손으로 머리를 감싸고, 떨어지는 돌덩이를 피해 쏜살같이 돌돌 말려 있는 뱀 가죽 위로 달려갔다. 다음 순간, 커다란 돌덩이들이 와르르 쏟아져 내리면서 앞을 가로막았다.

"론!" 그가 소리쳤다. "괜찮니? 론!"

"난……." 돌덩이들 뒤에서 소리를 죽인 론의 목소리가 들렸다. "난 괜찮아……. 하지만 이 멍텅구리는…… 내 지팡이가 또 엉뚱하게 뒤로 발사됐나 봐."

둔하게 퍽 하더니 "아야!" 하는 큰 소리가 났다. 론이 록허트 교수의 정강이를 발로 걷어차는 소리 같았다.

"이제 어떡하지?" 론의 목소리가 절망적으로 들렸다. "지나갈 수가 없어. 한참은 걸릴 거야……."

해리는 터널 천장을 올려다보았다. 거대한 구멍이 뚫려 있었다. 그는 이 돌처럼 큰 걸 마법으로 깨뜨려 본 적이 한번도 없었지만, 지금은 그걸 깨는 연습을 하기엔 좋은 시기가 아닌 것 같았다. 잘못했다간 터널 전체가 무너져 내릴 수도 있었기 때문이다.

돌덩이들 뒤에서 또 한 번 픽, "아야!" 하는 소리가 들렸다. 하지만 이러고 있을 때가 아니었다. 지니는 비밀의 방에 벌써 몇 시간째 갇혀 있을 것이다……. 할 일은 딱 한 가지뿐이었다.

"거기서 기다려." 그가 론에게 소리쳤다. "록허트 교수와 함께 기다려. 난 계속 갈 테니까……. 내가 만약 한 시간 내에 돌아오지 않으면……."

한참 아무 말도 들리지 않았다.

"난 이 돌덩이들을 좀 치워 볼게." 론이 말했다. 그는 목소리가 떨리지 않게 애쓰고 있는 것 같았다. "네가, 네가 다시 지나올 수 있도록 말이야. 그리고 해리……."

"그럼 잠시 후에 보자." 해리가 떨고 있는 론에게 용기를 불어 넣어 주려는 듯 단호하게 말했다.

그리고 해리는 혼자서 거대한 뱀 가죽을 지나 출발했다.

조금 가자 론이 돌들을 옮기려고 용쓰는 소리가 더 이상 들리지 않았다. 터널은 구불구불했다. 몸 여기저기가 몹시 욱신거렸다. 터널이 빨리 끝나길 바랐지만, 한편으론 또 그렇게 될까 봐 두렵기도 했다. 마침내 살금살금 모퉁이를 하나 더 돌아갔을 때,

뒤엉킨 뱀 두 마리를 새겨 놓은 단단한 벽이 눈앞에 나타났다. 뱀들의 눈에는 반짝반짝 빛나는 커다란 에메랄드가 박혀 있었다.

해리는 가까이 다가갔다. 목이 탔다. 이 돌 뱀의 눈은 진짜 살아 있는 것처럼 이상하게 생생해 보였다.

그는 어떻게 해야 할지 알 수 있을 것 같았다. 그가 목을 가다듬자, 에메랄드 눈들이 깜박이는 것 같았다.

"*열려라.*" 해리가 낮고 희미하게 뱀처럼 쉿 소리를 내며 말했다.

그러자 벽이 지끈 하며 열리면서 뱀들이 갈라지더니, 눈앞에서 스르르 사라졌다. 해리는 벌벌 떨면서 안으로 걸어 들어갔다.

제 **17** 장

슬리데린의 후계자

그는 희미하게 불이 밝혀진 아주 긴 방 끝에 서 있었다. 많은 뱀이 뒤엉켜 있는 문양을 새겨 놓은 높은 돌기둥들이, 기이한 초록빛이 도는 그 음울한 곳에 기다란 검은 그림자들을 드리우며 천장을 받치고 서 있었다.

해리는 가슴을 두근거리며 서늘한 정적에 귀를 기울이고 있었다. 바실리스크가 돌기둥 뒤, 어두운 한쪽 구석에 숨어서 기다리는 게 아닐까? 지니는 어디에 있을까?

그는 요술지팡이를 뽑아 들고 뱀 문양을 새겨 놓은 기둥 사이로 걸어 나갔다. 한 발짝 한 발짝 조심스럽게 내디딜 때마다 발소리가 요란하게 울려 퍼졌다. 해리는 아주 작은 움직임이라도 느껴지면 눈을 얼른 감기 위해, 계속 실눈을 뜨고 있었다. 돌 뱀의 공허한 눈들이 그를 따라오는 것 같았다. 또 무언가가 움직이는 것만 같아 가슴이 철렁철렁 내려앉았다.

그 뒤, 마지막 한 쌍의 돌기둥에 다가갔을 때, 방 천장에 닿을 정도로 커다란 조각상이 뒷벽에 기대 서 있는 게 희미하게 보였다.

해리는 위에 있는 그 거대한 얼굴을 쳐다보기 위해 목을 쭉 뺐다. 커다란 회색빛 두 발로 반들반들한 바닥을 밟고 서 있는 그 늙은 마법사의 얼굴은 꼭 원숭이 같았으며, 길고 성긴 수염은 바닥에 질질 끌리는 돌 망토의 아래 자락까지 길게 늘어져 있었다. 그런데 바로 그 두 발 사이에, 불타는 듯한 빨간 머리의, 까만 망토를 입은 자그마한 형체가 엎드려 있었다.

"지니!" 해리는 이렇게 중얼거리고는, 전속력으로 달려가 지니 옆에 무릎을 꿇고 앉았다. "지니, 죽지 마…… 제발 죽지 마……." 그는 지팡이를 옆으로 던지고, 지니의 어깨를 잡아 바로 눕혔다. 얼굴이 대리석처럼 하얗고 차가웠지만, 눈은 감겨 있었다. 지니는 돌로 굳어진 게 아니었다. 그렇다면 분명…….

"지니, 제발 일어나!" 해리가 지니를 흔들며 절망적으로 중얼거렸다. 지니의 고개가 맥없이 축 늘어진 채, 이쪽저쪽으로 흔들렸다.

"그 애는 깨어나지 못할 거야." 어디선가 부드러운 목소리가 들려왔다.

해리는 깜짝 놀라 무릎을 꿇은 채로 핵 돌아보았다.

까만 머리의 키 큰 남자아이가 해리와 가장 가까운 돌기둥에 기대어 지켜보고 있었다. 몸 가장자리가 이상하게 흐릿해서, 마치 성에 낀 창문으로 바라보는 것 같았다. 하지만 그 아이가 누구인지는 분명히 알 수 있었다…….

"톰…… 톰 *리들*?"

리들이 해리에게서 눈을 떼지 않고 고개를 끄덕였다.

"그게 무슨 뜻이니, 지니가 깨어나지 못할 거라니?" 해리가 절망적으로 말했다. "지니가 설마…… 지니가 설마 죽는다는 건……?"

"그 애는 아직 살아 있어." 리들이 말했다. "하지만 곧 죽을 거야."

해리는 그를 빤히 보았다. 50년 전에 호그와트에 있었던 톰 리들이 열여섯 살 모습 그대로, 주위에 기묘하게 희미한 빛을 내며 서 있었다.

"너 유령이니?" 해리가 확신 없이 이렇게 물었다.

"글쎄, 하지만 내 기억은…….." 리들이 조용히 말했다. "50년 동안 일기장 속에 간직되어 있었어."

그가 조각상의 거대한 발가락 부근을 가리켰다. 그곳에 해리가 모우닝 머틀의 화장실에서 발견한 자그마한 까만 일기장이 펼쳐진 채로 놓여 있었다. 잠시, 해리는 그게 어떻게 여기에 있는 것일까 생각했다……. 하지만 지금은 그것을 생각할 겨를이 없었다.

"날 도와줘, 톰." 해리가 지니의 고개를 다시 들어 올리며 말했다. "이 아이를 여기서 데리고 나가야 해. 바실리스크가 있어……. 지금은 그게 어디에 있는지는 모르지만, 언제 어느 때 나와서 우릴 해칠지 몰라…… 제발, 날 좀 도와줘……."

그러나 리들은 움직이지 않았다. 해리는 땀을 뻘뻘 흘리면서, 지니를 바닥에서 간신히 끌어안고, 지팡이를 집으려고 다시 허리를 굽혔다.

그러나 그의 지팡이는 어디론가 사라지고 없었다.

"너 혹시……."

위를 올려다보자 리들이 해리의 요술지팡이를 긴 손가락 사이로 빙빙 돌리며 그를 바라보고 있었다.

"고마워." 해리가 지팡이를 잡으려고 손을 뻗으며 말했다.

리들의 입가에 미소가 감돌았다. 그는 계속해서 해리를 빤히 바라보며, 지팡이를 빙글빙글 돌리고 있었다.

"내 말 들어 봐." 해리가 다급히 말했다. 무릎이 지니의 무게 때문에 축 처졌다. "우린 *여기서 나가야 해!* 만약 바실리스크가 오면……."

"그건 부를 때까지는 오지 않을 거야." 리들이 태연하게 말했다.

해리는 지니를 더 이상 안고 있을 수 없어서 다시 바닥에 내려놓았다.

"그게 무슨 뜻이니?" 그가 물었다. "이것 봐, 내 지팡이를 이리 줘. 그게 필요할지도 모르니까……."

리들의 미소가 얼굴 가득 번졌다.

"아니, 이건 필요하지 않을 거야." 그가 말했다.

해리는 그를 빤히 바라보았다.

"그게 무슨 말이니, 필요하지 않다니?"

"난 이 순간을 오랫동안 기다려 왔어, 해리 포터." 리들이 말했다. "널 만나게 될 순간을 말이야, 네게 말할 순간을 말이야."

"이것 봐." 해리가 더 이상 참지 못하고 말했다. "내 말을 이해하지 못하는 것 같은데 말이야. 우린 지금 *비밀의 방에* 있어. 얘기는 나중에라도 할 수 있잖아."

"아니, 지금 얘기해야 해." 리들은 이렇게 말하고는, 여전히 얼굴 가득 미소를 지으며 해리의 지팡이를 호주머니에 쑤셔 넣었다.

해리는 그를 빤히 바라보았다. 이곳에선 뭔가 아주 이상한 일이 벌어지고 있었다…….

"지니가 어쩌다 이렇게 됐지?" 해리가 천천히 물었다.

"어, 그것 참 흥미로운 질문이군." 리들이 유쾌하게 말했다. "말하자면 아주 길어. 내가 보기엔 지니 위즐리가 이렇게 된 진짜 이유는, 그 애가 보이지 않는 어떤 낯선 사람에게 마음을 열고 자신의 모든 비밀을 털어놓았기 때문일 거야."

"너 도대체 무슨 말을 하는 거니?" 해리가 물었다.

"일기장 말이야." 리들이 말했다. "내 일기장. 어린 지니는 몇

달 동안 거기에 글을 써서, 내게 모든 걱정거리와 괴로움을 털어
놓았어……. 오빠들이 자기를 어떻게 놀렸으며, 어떻게 중고 망
토와 책을 가지고 학교에 오게 되었으며, 또……." 리들의 눈이
반짝거렸다. "유명하고, 착하고, 멋진 해리 포터가 *왜* 자기를 좋
아하지 않는지……."

말하는 동안 내내, 리들의 눈은 해리의 얼굴에서 한번도 떠나
지 않았다. 그건 거의 동경의 눈초리였다.

"열한 살짜리 여자아이의 시시한 작은 걱정거리들을 들어야
하는 건 아주 *따분한* 일이었지." 그가 계속했다. "하지만 난 참
을성 있게 끝까지 들어 주었어. 그리고 답장을 써 주었지. 난 동
정심도 있었고, 친절했어. *지니는 날 정말로 좋아했어. 아무도
너처럼 날 이해해 준 적이 없었어, 톰…… 난 마음을 털어놓을 수
있는 이 일기장을 갖게 된 게 아주 기뻐…… 꼭 주머니에 넣고 다
닐 수 있는 친구를 가진 것 같아……."*

리들이 어울리지 않게 거만하고 차갑게 웃었다. 해리는 그 웃
음소리를 듣자 소름이 쫙 끼치며 머리털이 곤두섰다.

"난 말이야, 해리. 내가 필요한 사람들에게 언제나 마법을 걸
수 있었어. 그래서 지니는 내게 마음을 다 털어놓고, 그 애의
마음은 내가 바라는 대로 되었지……. 난 그 애의 가장 깊은 두려
움과 가장 어두운 비밀들을 먹고 점점 더 강해졌어. 그리고 난 어
린 그 애보다 훨씬 더 강력해졌어. 그 애에게 내 비밀 몇 가지를

알려 줄 수 있을 정도로, 나도 *내 마음* 일부를 그 애에게 털어놓을 정도로 강력해졌지……."

"그게 무슨 말이니?" 해리는 입이 바짝바짝 말랐다.

"아직도 모르겠니, 해리 포터?" 리들이 부드럽게 말했다. "지니 위즐리가 비밀의 방을 열었어. 그 애는 학교의 수탉을 전부 목을 비틀어 죽였고 벽에다 위협적인 말들을 써 놓았어. 그 애는 슬리데린의 뱀을 부추겨 네 명의 잡종과 저 스큅의 고양이를 습격하게 했어."

"아니야." 해리가 작은 소리로 말했다.

"맞아." 리들이 조용하게 말했다. "물론, 그 애는 처음에는 자신이 무얼 하고 있는지 알지 못했어. 그건 아주 재미있었어. 네가 그 애가 일기장에 쓴 걸 보았더라면…… 훨씬 더 재미있었을 거야. 이런 내용이었지…… *친애하는 톰에게.*" 그가 충격받은 해리의 얼굴을 계속 바라보며 낭독했다. "*난 기억상실증에 걸린 것 같아. 내 망토가 온통 수탉 깃털투성이인데 어떻게 된 일인지 모르겠단 말이야. 친애하는 톰, 난 핼러윈 날 밤에 내가 무얼 했는지 전혀 기억이 나지 않는데, 고양이 한 마리가 습격받았고 내 앞자락에는 온통 페인트가 묻어 있었어. 친애하는 톰, 퍼시 오빠는 계속해서 내 얼굴이 창백하고 나 같지가 않다고 말해. 오빠가 날 의심하는 것 같아……. 오늘 또 습격이 있었는데 난 내가 어디에 있었는지 모르겠어. 톰, 난 어떻게 해야 하지? 꼭 미쳐 가는 것*

같아…… . 모든 사람을 습격하는 게 바로 나인 것 같아, 톰!"

해리가 주먹을 불끈 쥐자, 손톱이 손바닥을 깊이 찔렀다.

"어리석은 지니가 내 일기장을 믿지 않게 될 때까지는 아주 오랜 시간이 걸렸어." 리들이 말했다. "하지만 그 애는 마침내 수상쩍게 여겨서 일기장을 없애려고 했어. 그런데 다른 사람도 아닌 바로 네가 그걸 발견했던 거야, 해리. 난 얼마나 기뻤는지 몰라. 하고많은 사람들 중에서, 내가 가장 만나고 싶어 하는 네가 그걸 주웠으니까 말이야……."

"왜 나를 만나고 싶어 했는데?" 해리가 물었다. 화가 치밀었지만 그는 목소리가 떨리지 않도록 안간힘을 썼다.

"글쎄, 지니가 늘 내게 너에 대해서 말했거든, 해리." 리들이 말했다. "*아주 재미있는 너의 이야기를 모두 말이야.*" 그가 한층 더 동경하는 눈길로 해리의 이마에 있는 흉터를 바라보았다. "난 너에 대해 더 많은 걸 알아내고, 너에게 말을 걸고, 할 수만 있다면 너를 만나고 싶었지. 그래서 난 네게 한때 유명했던 사건인, 내가 저 멍청이 해그리드를 잡는 모습을 보여 주기로 했지. 너의 신임을 얻기 위해서 말이야……."

"해그리드는 내 친구야." 어느새 해리의 목소리가 떨리고 있었다. "그리고 넌 그를 모함했어, 안 그래? 네가 뭘 좀 착각한 것 같은데……."

리들이 또 한 번 거만하게 웃었다.

"나는 해그리드와 정반대되는 진술을 했어, 해리. 글쎄, 늙은 아르만도 디펫이 누구 말을 믿었겠니? 한쪽 손에는, 가난하지만 똑똑하고, 부모는 없지만 용감하고, 학교 반장이고, 모범 학생인 톰 리들이 있고…… 다른 쪽 손에는, 늑대인간 새끼를 침대 밑에서 기르려고 하거나, 금지된 숲으로 몰래 숨어 들어가 괴물 트롤들과 맞붙어 싸우거나, 두 주에 한 번꼴로 말썽을 일으키는 몸집이 큰 실수투성이 해그리드가 있다면 말이야……. 하지만 인정해, 나도 그 계획이 그렇게 잘 먹혀 들어갈 줄은 몰랐어. 난 누군가는 틀림없이 해그리드가 슬리데린의 후계자가 아니라는 걸 알아낼 거라고 생각했어. 하지만 *내가* 비밀의 방에 대해 가능한 모든 것을 알아내고 그 비밀 입구를 발견하는 데도 꼬박 5년이 걸렸어……. 그러니 해그리드가 아무리 머리가 좋고 또 힘이 세다 해도 그건 어림도 없는 소리지!

변신술 담당 덤블도어 교수만은 해그리드가 결백하다고 생각했던 것 같아. 그는 디펫을 설득해서 해그리드를 학교 사냥터지기로 남게 했지. 그래, 덤블도어 교수는 그저 추측했었던 것 같아. 덤블도어 교수는 다른 교수님들만큼 날 좋아하지 않는 것 같았거든……."

"덤블도어 교수님은 분명 너의 마음을 꿰뚫어보았을 거야." 해리가 이를 뿌드득 갈며 말했다.

"글쎄, 그는 확실히, 해그리드가 쫓겨난 뒤에도 계속 성가실 정도로 날 유심히 살폈어." 리들이 무심코 말했다. "난 학교에 있는 동안 다시 그 방을 여는 건 안전하지 못하다는 걸 알았지. 하지만 그걸 찾느라 그렇게 오랫동안 고생했는데, 거기서 그만 둘 수는 없었어. 그래서 열여섯 살의 내 삶을 하나하나 다 간직하는 일기장을 남기고 죽기로 했지. 언젠가, 운이 좋다면, 또 다른 사람이 내 뜻을 이어서, 살라자르 슬리데린의 훌륭한 업적을 완성할 수 있도록 말이야."

"그렇다면, 넌 완성하지 못한 거야." 해리가 의기양양해져서 말했다. "이번엔 아무도 죽지 않았어, 심지어 고양이조차도 말이야. 몇 시간 후면 맨드레이크 약이 준비되어서 돌처럼 변했던 사람들이 모두 다시 정상으로 돌아올 거야……."

"내가 아직 말하지 않았던가." 리들이 조용히 말했다. "잡종들을 죽이는 일은 나와는 아무 상관이 없다고. 지난 몇 달 동안, 나의 새로운 표적은 사실…… *너였어.*"

해리는 그를 뚫어지게 바라보았다.

"일기장이 다시 펼쳐졌는데, 내게 일기를 쓰는 사람이 네가 아니고 지니였을 때 내가 얼마나 화가 났을지 한번 상상해 봐. 그 애는 네가 그 일기장을 갖고 있는 걸 보고 전전긍긍해했어. 만약 네가 그 일기장의 사용 방법을 알아내서 내가 그 애의 모든 비밀을 너에게 다 말하게 된다면? 심지어, 내가 수탉의 목을 비틀어 죽인 게 누구인지 네게 말한다면? 그래서 그 어리석은 아이가 네 기숙사 방에 사람이 아무도 없을 때까지 기다렸다가 그걸 다시 훔쳤던 거야. 하지만 난 어떻게 해야 하는지 알았지. 난 네가 슬리데린의 후계자를 추적하고 있는 게 분명하다고 생각했어. 지니가 너에 대해서 말해 준 모든 이야기에 비추어 볼 때, 네가 그 수수께끼를 풀기 위해선 무슨 짓이든 할 거라는 걸 알았지…… 특히 너의 가장 친한 친구 중 하나가 습격을 받는다면 말이야. 그리고 지니는 또 네가 뱀의 언어를 말할 수 있기 때문에 전교생이 수군대고 있다고 말해 주었어……

  그래서 난 지니에게 벽에다 작별 인사를 쓰게 한 뒤 이리로 내려오게 했지. 그 애는 발버둥치고 울다가 지쳐 쓰러져 버렸어. 하지만 그 애는 얼마 못 살아…… 일기장에, 내게 너무 많은 걸 쏟아 주었거든. 마침내 내가 일기장을 떠나 밖으로 나올 정도로 말이야…… 지니와 함께 여기에 도착한 이후 난 네가 나타나길 쭉 기다렸어. 난 네가 올 줄 알았어. 네게 물어볼 게 많아, 해리 포터."

  "예를 들면?" 해리가 여전히 주먹을 불끈 쥔 채 내뱉듯이 말했다.

  "글쎄." 리들이 유쾌하게 미소 지으며 말했다. "비범한 마법적 재능이라곤 전혀 없는 비쩍 마른 네가 어떻게 가장 위대한 마법사를 물리친 거지? 어떻게 넌 이마에 가벼운 상처만 입은 채 위기를 모면하고, 볼드모트 경의 힘은 파괴된 거지?"

이제 그의 동경에 찬 눈에 이상하게 붉은빛이 번득였다.

"내가 어떻게 그 위기를 넘겼는지 왜 관심을 갖는 거지?" 해리가 천천히 말했다. "볼드모트는 너보다……."

"볼드모트는." 리들이 부드럽게 말했다. "나의 과거이자, 현재이자, 미래야, 해리 포터……."

그는 주머니에서 해리의 요술지팡이를 꺼내더니, 공중에다 희미하게 반짝이는 세 단어를 썼다.

톰 마볼로 리들
(TOM MARVOLO RIDDLE)

그러곤 그가 그 지팡이를 한 번 더 휘두르자, 그 문자들이 저절로 재배열되었다.

난 볼드모트 경이야
(I AM LORD VOLDEMORT)

"알겠니?" 그가 속삭였다. "톰 리들은 호그와트에서 내가 사용하던 이름이었어, 물론 내 가장 친한 친구들에게만 말이야. 하지만 내가 불결한 머글 아버지의 이름을 영원히 사용할 거라고 생각하니? 내가, 혈관에 어머니에게서 물려받은 살라자르 슬리데린의 피가 흐르고 있는 이 내가? 그저 아내가 마녀라는 이유로 내가 태어나기도 전에 날 버린, 더럽고 야비한 머글 아버지의 이름을 계속 보존할 거라고 생각했니? 아니야, 해리. 난 새로운 이름을 만들었어. 내가 세상에서 가장 위대한 마법사가 되었을 때, 언젠가는 전 세계의 마법사들이 감히 입에 담기도 두려워할 그런 이름을 말이야!"

해리는 무언가로 쾅 얻어맞은 기분이었다. 그는 성장해서 해리의 부모와 그렇게 많은 다른 사람들을 죽인 고아 소년, 리들을 멍하니 바라보고 있었다……. 마침내 그는 가까스로 소리를 내어 말했다.

"넌 아니야." 나직했지만 그의 목소리는 증오로 가득 차 있었다.

"뭐가 아니라는 거지?" 리들이 날카롭게 말했다.

"세상에서 가장 위대한 마법사가 아니라고." 해리가 숨을 가쁘게 쉬며 말했다. "너와 네 추종자들을 실망시켜서 미안하긴 하지만, 세상에서 가장 위대한 마법사는 알버스 덤블도어 교수야. 모두 그렇게 말해. 너는 힘이 강했을 때조차도, 넌 감히 호그와트를 지배하지 못했어. 덤블도어 교수는 네가 학교에 있을 때 이미 널 꿰뚫어보았고 그는 여전히 널 섬뜩하게 해, 네가 어디에 숨어 있든지 간에 말이야……."

리들의 얼굴에서 미소가 사라지고, 아주 험악한 표정으로 변했다.

"하지만 덤블도어 교수는 이미 내 *기억* 때문에 이 성에서 쫓겨 났어!" 그가 씩씩대며 말했다.

"그는 네가 생각하는 것처럼 이 성을 완전히 떠난 게 아니야!" 해리가 맞받아쳤다. 그는 그저 리들을 겁주고 싶어 닥치는 대로 말하고 있었지만, 그게 사실이길 바랐다…….

리들은 입을 열다가, 딱 멈췄다.

어디에선가 노래가 흘러나오고 있었다. 리들이 홱 돌아 빈방을 뚫어지게 보았다. 그 노랫소리는 점점 더 커지고 있었다. 기분 나쁘고, 등골이 오싹하고, 섬뜩한 소리였다. 해리는 머리털이 곤 두서는 걸 느꼈다. 가슴이 두방망이질을 했다. 그런데 노랫소리 가 가슴속에서 진동하는 것처럼 커졌을 때, 가장 가까운 돌기둥 위에서 갑자기 불꽃이 타올랐다.

그리고 백조만 한 크기의 새빨간 새 한 마리가 그 기이한 노랫 소리를 내며 나타났다. 그 새는 공작새의 꼬리처럼 길고 반짝이 는 황금빛 꼬리와 어슴푸레 빛나는 발톱을 갖고 있었는데, 발에 는 초라한 꾸러미가 하나 들려 있었다.

잠시 후 그 새는 해리에게로 곧장 날아와, 잡고 있던 초라한 꾸 러미를 그의 발치에 떨어뜨리고는 느릿느릿 그의 어깨 위에 내 려앉았다. 새가 커다란 날개를 접었을 때, 해리는 고개를 들어 새의 길고 날카로운 황금빛 부리와 말똥말똥 빛나는 까만 눈을 보았다.

그 새가 노래를 멈췄다. 그리고 해리의 어깨에 조용히 앉아, 리들을 뚫어지게 바라보았다.

"그건 불사조야……." 리들도 날카로운 눈으로 그 새를 바라보았다.

"퍽스?" 해리가 속삭이듯이 말하자, 새가 황금빛 발톱으로 그의 어깨를 지그시 눌렀다.

"그러면 *그건*……." 리들이 퍽스가 떨어뜨린 초라한 꾸러미를 바라보며 말했다. "그건 낡아 빠진 마법의 모자로군……."

정말 그랬다. 누덕누덕 기워지고 해지고 더러운 그 모자가 해리의 발치에 꼼짝 않고 놓여 있었다.

리들이 다시 큰 소리로 웃기 시작했다. 그러자 마치 열 명의 리들이 동시에 웃고 있기라도 한 듯, 어두운 방이 쩌렁쩌렁 울렸다…….

"이건 바로 덤블도어 교수가 널 지키기 위해 보낸 거야! 우는 새와 낡은 모자! 좀 용기가 생기니, 해리 포터? 이제 좀 안심이 돼?"

해리는 대답하지 않았다. 그는 비록 퍽스나 마법의 모자가 어떤 쓸모가 있는지는 몰랐지만, 더 이상 혼자가 아니라는 생각에 용기가 차오르는 걸 느끼며 리들이 웃음을 멈출 때까지 기다렸다.

"아까 하던 얘기로 돌아가서, 해리." 리들이 여전히 노골적으로 비웃으며 말했다. "우린 두 번 만났어. 너의 과거와 나의 미래에. 그리고 두 번 다 난 널 죽이지 못했어. *네가 어떻게 살아남았던 거지?* 내게 다 말해 봐. 말만 하면." 그가 부드럽게 덧붙였다.

"살려 줄게."

해리는 가능성을 하나하나 따져 보았다. 리들은 요술지팡이를 갖고 있었다. 그리고 해리는 픽스와 마법의 모자를 갖고 있기는 했지만, 결투에는 둘 다 그다지 쓸모가 없을 것이다. 그렇다, 상황이 좋아 보이지 않았다……. 하지만 리들이 저기에 오래 서 있으면 있을수록, 지니의 생명은 점점 더 줄어들 것이다……. 그러는 사이, 해리는 리들의 윤곽이 점점 더 명확해지고, 점점 더 입체적으로 되어 가고 있다는 걸 알아챘다……. 만약 리들과 싸워야만 한다면, 빠를수록 좋았다.

"네가 날 공격했을 때 왜 힘을 잃었는지는 아무도 몰라." 해리가 불쑥 말했다. "나 자신도 몰라. 하지만 네가 왜 날 죽일 수 없었는지는 알아. 나의 어머니가 날 구하려다가 돌아가셨기 때문이야. 나의 평범한 *머글 태생* 어머니가 말이야." 그가 치솟아 오르는 분노를 애써 누르며 덧붙였다. "바로 그분이 네가 날 죽이는 걸 막았어. 그리고 난 어른이 된 진짜 너를 본 적이 있어. 작년이었지. 넌 쇠약한 사람이야. 아니 넌 살아 있다고도 할 수 없어. 너는 몸이 없으니까. 너의 모든 힘은 바로 그런 곳에 들어 있는 거야. 넌 네 존재를 드러내지 못하고 늘 숨어 살고 있어. 넌 추악하고 더러워……."

리들의 얼굴이 일그러졌다. 그는 가까스로 끔찍한 억지 미소를 지어 보였다.

"그랬구나. 너희 엄마가 널 구하기 위해 돌아가셨구나. 그래, 그건 강력한 반대 마법이지. 난 이제 알았어……. 어쨌든 네게는 특별한 게 아무것도 없다는 걸 말이야. 너도 그걸 알지 모르겠어. 하지만 우리 사이엔 이상하게 닮은 점들이 있어. 너도 눈치는 챘을 거야. 둘 다 혼혈이고 고아고 머글 손에서 자랐어. 아마 위대한 슬리데린 이후 호그와트에서 뱀의 언어를 할 수 있는 사람은 너하고 나 단둘뿐일 거야. 우린 심지어 생김새까지도 좀 닮았잖아……. 하지만 아무튼, 네가 살아난 건 그저 행운에 지나지 않았어. 내가 알고 싶은 건 바로 그것뿐이야."

해리는 리들이 요술지팡이를 들어 올리길 기다리며 초조하게 서 있었다. 그러나 리들의 일그러진 미소가 다시 펴지고 있었다.

"자, 해리, 우리 이렇게 하는 게 어떨까. 살라자르 슬리데린의 후계자 볼드모트 경의 힘과 유명한 해리 포터와 덤블도어가 가지고 있는 최고의 무기들과 겨뤄 보도록 하는 거야……."

그는 퍽스와 마법의 모자를 재미있다는 듯 흘끗 쳐다본 뒤 걸어갔다. 해리는 저린 다리에 두려움이 퍼져 약간 후들거리는 걸 느끼며, 리들이 높다란 돌기둥들 사이에 멈춰 서서 슬리데린의 돌 얼굴을 올려다보는 걸 바라보았다. 리들이 입을 열어 쉬쉬거리는 소리를 냈다……. 해리는 그가 하는 말을 분명하게 알아들을 수 있었다…….

"호그와트의 네 창립자 중 가장 위대한 분이신 슬리데린이여,

말해 주세요."

해리가 그 동상을 올려다보려고 몸을 돌리자, 어깨 위에서 퍽스가 흔들렸다.

슬리데린의 거대한 돌 얼굴이 움직이고 있었다. 그리고 입이 점점 더 크게 벌어지더니 커다란 검은 구멍이 되었다. 해리는 무서움에 떨며 바라보고 서 있었다.

그 동상의 입속에서 무언가가 움직이고 있었다. 무언가가 그 깊숙한 곳에서 미끄러지듯 올라오고 있었다.

해리는 두 눈을 꼭 감은 채로 벽 쪽으로 뒷걸음질 쳤다. 퍽스가 날아오르면서 그 한쪽 날개가 볼에 살짝 스치는 게 느껴졌다. 해리는 "날 떠나지 마!"라고 소리치고 싶었지만 그럴 수가 없었다. 불사조가 뱀의 왕에게 이길 가능성이 얼마나 될까?

무언가 커다란 것이 비밀의 방의 돌바닥으로 떨어졌다. 해리는 그게 진저리를 치고 있는 걸 느꼈다……. 무슨 일이 벌어지고 있는지 알 것 같았다, 느낄 수 있었다. 슬리데린의 입에서 나온 그 거대한 뱀이 똬리를 풀고 있는 모습이 눈에 선했다. 그때 리들의 쉬쉬거리는 목소리가 들렸다.

"죽여."

바실리스크가 해리 쪽으로 움직였다. 육중한 몸체가 먼지투성이의 바닥으로 미끄러지듯 주르르 움직이는 소리가 들렸다. 해리는 여전히 눈을 꼭 감은 채로, 양손을 쭉 펴서 벽을 더듬으면서 무턱대고 옆으로 달아나기 시작했다……. 리들이 웃고 있었다…….

해리는 발을 헛디디는 바람에 바닥으로 세게 넘어졌다……. 뱀은 이제 30센티미터도 떨어져 있지 않았다. 그는 그것이 다가오는 걸 느낄 수 있었다.

바로 그때 위에서 커다란 폭발 소리가 나더니, 무언가 무거운 것이 해리를 세게 쳤다. 그는 순식간에 벽으로 내던져졌다. 송곳니들이 몸속으로 쑥 들어오길 기다리는 동안, 더 미친 듯이 쉬쉬거리는 소리와 무언가가 돌기둥들에서 떨어져 거세게 몸부림치는 소리가 들렸다…….

해리는 참을 수가 없었다. 무슨 일이 벌어지고 있는 건지 볼 수 있을 정도로만 살짝 실눈을 떴다.

오크 나무 몸통만큼 굵은, 불쾌하기 짝이 없는 거대한 밝은 초록색 뱀의 뭉뚝한 머리가 공중에서 돌기둥들 사이를 술에 취한 듯이 누비고 다니고 있었다. 뱀이 고개를 돌릴 경우 얼른 눈감을 준비를 하고 부들부들 떨고 있을 때, 그는 뱀의 주의를 흐트러지게 한 게 무엇인지 보았다.

뱀의 머리 위에서 퍽스가 날고 있었다. 바실리스크는 뾰족하고 긴 송곳니를 드러내고 미친 듯이 그 새에게로 달려들고 있었다…….

퍽스가 갑자기 급강하했다. 그리고 긴 황금빛 부리가 눈앞에서 사라지는가 싶더니 검은 피가 바닥으로 후두두후두두 튀었다. 뱀의 꼬리가 해리 옆으로 살짝 스치고 지나갔다. 그 순간 해리가 미처 눈을 감기도 전에, 그것이 고개를 홱 돌렸다…… 뱀의 얼굴을 똑바로 바라보게 된 해리는 깜짝 놀랐다. 그 두 눈이, 커다란 구근 모양의 노란 눈이 불사조에게 찔려 구멍이 뻥 뚫려 있었다. 그리고 뱀은 피를 줄줄 흘리며 고통스럽게 몸부림치고 있었다.

"안 돼!" 해리는 리들이 외치는 소리를 들었다. "*그 새는 내버려 둬! 그 새는 내버려 둬! 남자아이는 네 뒤에 있어! 아직 냄새는 맡을 수 있잖아! 저 애를 죽여!*"

눈먼 뱀이 혼란스러운지, 여전히 미친 듯이 고개를 좌우로 흔들었다. 퍽스가 피를 줄줄 흘리고 있는 뱀의 머리 주위를 빙빙 돌며, 등골이 오싹한 노래를 부르고 있었다.

"도와주세요, 도와주세요." 해리가 무턱대고 중얼거렸다. "누구든…… 아무나……."

뱀의 꼬리가 다시 바닥을 세차게 때렸다. 해리는 몸을 홱 구부렸다. 무언가 부드러운 게 얼굴을 쳤다.

바실리스크가 마법의 모자를 해리의 팔 쪽으로 휙 날려 보냈던 것이다. 해리는 그것을 얼른 잡았다. 이제 남은 건 그것뿐이었다. 그게 유일한 희망이었다……. 그는 모자를 머리에 푹 눌러썼다. 그때 바실리스크의 꼬리가 다시 한 번 스치자 해리는 몸을 던져 바닥에 납작하게 엎드렸다.

'도와주세요…… 도와주세요…….' 해리는 모자 밑에서 눈을

가늘게 뜨고 간절히 빌었다. '제발 도와주세요…….'

응답하는 목소리는 없었다. 대신, 마치 보이지 않는 손이 꽉 조이기라도 하는 듯 모자가 오그라들었다.

그리고 무언가 아주 딱딱하고 무거운 것이 머리 위로 쿵 떨어졌다. 그는 거의 기절하기 직전이었다. 눈앞에서 별들이 왔다 갔다 했다. 모자를 벗으려고 손을 올리자 뭔가 길고 딱딱한 게 만져졌다.

모자 안에서 번득이는 은빛 칼이 나타났다. 칼자루가 달걀만 한 루비들로 반짝반짝 빛나고 있었다.

"*저 애를 죽여! 그 새는 내버려 둬! 저 아이는 네 뒤에 있단 말이야. 냄새를 맡아 봐!*"

해리는 칼을 들고 일어섰다. 바실리스크가 몸통을 똘똘 감자, 머리가 낮아지고 있었다. 뱀이 몸을 휙 비틀어 해리 쪽을 보았다. 피투성이의 커다란 눈구멍을 해리에게로 향하고서, 해리가 든 칼만큼이나 길고 뾰족한, 독이 있는 송곳니를 번득이며 그를 통째로 삼킬 듯이 입을 크게 쩍 벌리고 있었다…….

뱀은 무턱대고 그에게로 돌진했다……. 해리가 몸을 휙 피하는 바람에 벽을 쳤다. 뱀은 다시 돌진했다. 갈라진 혓바닥이 해리의 옆구리를 쳤다. 그때 해리는 양손으로 칼자루를 움켜쥐고 칼을 높이 들어 올렸다…….

바실리스크가 이번엔 정확하게 해리 쪽으로 다시 돌진했

다……. 해리는 칼에 온몸의 무게를 싣고 냅다 달려가 칼을 뱀의 입천장으로 쑥 집어넣었다…….

그때 따뜻한 피가 팔을 흥건히 적시며 팔꿈치에 찌르는 듯한 통증이 느껴져 왔다. 독이 든 기다란 송곳니 하나가 그의 팔로 점점 더 깊숙이 들어가다가, 바실리스크가 갑자기 경련을 일으키며 바닥으로 쓰러지자 뚝 부러졌다.

해리는 서서히 벽 쪽으로 옮겨 갔다. 그는 몸속으로 독을 퍼뜨리고 있는 송곳니를 단단히 쥐고 팔에서 힘껏 잡아 뺐다. 그러나 이미 너무 늦었다는 걸 알았다. 통증이 서서히 그리고 끊임없이 온몸으로 퍼져 나가고 있었다. 송곳니가 떨어지고 피가 망토를 적시면서, 점차 시야가 흐릿해졌다. 그 방이 분명치 않은 여러 가지 색으로 흔들리고 있었다.

진홍색 점 하나가 휙 지나가더니, 옆에서 발톱이 부드럽게 달가닥거리는 소리가 들렸다.

"퍽스." 해리가 탁한 목소리로 말했다. "정말 잘했어, 퍽스……." 그 새가 뱀의 송곳니가 관통했던 자리에 아름다운 머리를 내려놓는 게 느껴졌다.

발소리가 울려 퍼지더니 검은 그림자 하나가 그의 앞으로 움직였다.

"넌 이제 죽을 거야, 해리 포터." 위쪽에서 리들의 목소리가 말했다. "죽을 거라고. 덤블도어의 새도 그걸 알고 있어. 그 새가 뭘 하고 있는지 보이니, 포터? 네가 죽는 게 슬퍼서 울고 있어."

해리는 눈을 깜박였다. 퍽스의 머리가 또렷해졌다 흐릿해졌다 했다. 굵은, 진주 같은 눈물방울들이 윤기 나는 깃털 아래로 똑 똑 떨어지고 있었다.

"난 여기에 앉아서 네가 죽는 걸 지켜볼 거야, 해리 포터. 천천 히 해. 난 급하지 않으니까."

해리는 몸이 나른해지는 걸 느꼈다. 주위에 있는 모든 게 빙글 빙글 도는 것 같았다.

"유명한 해리 포터가 이렇게 죽는군." 리들의 목소리가 아득하 게 들려왔다. "비밀의 방에서 혼자, 친구들에게 버림받은 채, 어 둠의 왕에게 너무나 어리석게 도전했다가 패배해서 말이야. 넌 곧 너의 소중한 잡종 엄마에게로 돌아갈 거야, 해리……. 너희 엄마는 뜻하지 않게 널 12년간이나 더 살게 해 주었지만…… 볼 드모트 경이 결국 널 죽였어. 너도 반드시 이렇게 되리라는 걸 알 고 있었겠지만 말이야……."

이게 만약 죽어 가는 거라면, 그다지 나쁘지는 않다고 해리는 생각했다.

통증조차도 서서히 사라지고 있었다…….

그러나 이게 죽어 가고 있는 걸까? 정신이 혼미해지는 게 아니 라, 오히려 다시 또렷해지고 있는 것 같았다. 해리는 머리를 살 짝 흔들었다. 퍽스가 여전히 해리의 팔에 머리를 대고 있었다.

진주 같은 눈물방울들이 상처 주위에서 반짝이고 있었다……. 그런데 이상하게도 상처가 전혀 없었다…….

"떨어져." 갑자기 리들의 목소리가 말했다. "그에게서 떨어져, *떨어지란 말이야!*"

해리가 머리를 들었다. 리들이 해리의 지팡이를 퍽스에게 들이대고 있었다. 펑 하고 총소리 같은 게 들리더니 퍽스가 황금빛과 진홍빛 날개를 휘저으며 다시 날아올랐다.

"불사조의 눈물……." 리들이 해리의 팔을 빤히 바라보며 조용히 말했다. "맞아…… 치유하는 힘이…… 내가 깜빡했어."

그가 해리의 얼굴을 들여다보았다. "하지만 그건 중요하지 않아. 사실, 난 오히려 이렇게 되는 게 더 좋아. 너와 나 단둘이서 겨룰 수 있게 되었으니까, 해리 포터…… 너와 나……."

그가 지팡이를 들어 올렸다.

그때, 갑자기 날갯짓하는 소리가 나더니, 퍽스가 머리 위로 날아와 해리의 무릎에 무언가를 떨어뜨렸다……. *일기장이었다.*

한순간, 여전히 지팡이를 들어 올리는 리들과 해리 모두 그것을 바라보았다. 그리고 아무 생각도 없이, 무턱대고, 마치 처음부터 그렇게 하려고 작정하기라도 한 듯, 해리가 옆에 있는 바실리스크의 송곳니를 잡아 일기장 한가운데를 찔렀다.

귀를 찢는 듯한 무섭고 긴 비명이 들렸다. 일기장에서 잉크가 펑펑 쏟아져 나오더니 해리의 손으로 흘러내려 바닥에 흥건히 고였다. 리들이 비명을 지르며 괴로워서 몸부림쳤다. 그러곤…….

그는 사라졌다. 해리의 지팡이가 딱 하며 바닥으로 떨어지더니 정적이 흘렀다. 그저 일기장에서 잉크가 끊임없이 똑똑 새어 나오는 소리만 들릴 뿐이었다. 바실리스크의 독 때문에 일기장이 타는 듯이 녹아내려 구멍이 생겼던 것이다.

해리는 부들부들 떨면서, 몸을 일으켰다. 마치 플루 가루를 타고 몇 시간을 여행한 것처럼 머리가 어질어질했다. 그는 천천히 지팡이와 마법의 모자를 집어 들고, 바실리스크의 입천장에서 반짝이는 칼을 힘껏 잡아 뺐다.

그때 방 끝에서 희미한 신음이 들렸다. 지니가 움직이고 있었다. 해리가 허둥지둥 그녀에게로 가자, 그녀가 힘겹게 일어나 앉았다. 그녀의 멍한 눈이 죽은 바실리스크의 거대한 몸에서부터, 피에 푹 젖은 망토를 입은 해리에게로, 그리고 그의 손에 들려 있는 일기장으로 옮겨 갔다. 그녀가 숨 막힐 것 같은 오싹한 소리를 지르더니 눈물이 하염없이 흘러내렸다.

"아…… 아침 식사 시간에 말하려고 했었어. 하지만 퍼시 오빠 앞에서는 그 말을 할 수가 없었어……. 내가 그런 거였어, 해리…… 하지만 난…… 난 매…… 맹세코 그럴 마음은 없었어……. 리…… 리들이 내가 그렇게 하도록 시켰어. 그가 내 몸속에 드…… 들어왔어……. 그런데…… 어떻게 저걸 죽였지? 저걸 말이야? 리들은 어…… 어디에 있지? 그가 일기장에서 나오던 기…… 기억이 나는데……."

"이제 괜찮아." 해리가 일기장을 위로 치켜들고, 지니에게 송곳니 구멍을 보여 주며 말했다.

"리들은 사라졌어. 봐! 바실리스크도 죽었잖아. 자, 지니, 여기서 나가자……."

"난 학교에서 쫓겨날 거야!" 해리가 어설프게 그녀가 일어서는 걸 도와줄 때, 지니가 울먹이며 말했다. "난 비…… 빌 오빠가 들어온 이후 죽 호그와트에 들어오길 고대해 왔었는데 이…… 이제 어쩔 수 없이 떠나야 할 거야……. *엄마와 아빠가 뭐…… 뭐라고 하실까?*"

픽스가 방 입구에서 날아다니며, 그들을 기다리고 있었다. 해리는 지니와 함께 방을 나갔다. 그들은 돌돌 말린 죽은 바실리스크의 몸통을 넘어가 다시 터널로 갔다. 돌문이 뒤에서 쉿 하며 닫히는 소리가 들렸다.

어두운 터널을 몇 분쯤 걸어가자, 천천히 돌을 옮기는 소리가 어렴풋이 들렸다.

"론!" 해리가 걸음을 빨리하며 소리쳤다. "지니는 괜찮아! 지니를 찾았어!"

숨넘어갈 듯이 환호하는 소리가 들리더니, 다음 모퉁이를 돌았을 때 론이 돌덩이들을 치워서 용케 만들어 놓은 꽤 큰 틈새로 빤히 내다보고 있었다.

"지니!" 론이 바위 틈새로 한쪽 팔을 내밀어 그녀를 잡아끌었다. "살아 있었구나! 믿어지지 않아! 어떻게 된 거니? 어떻게…… 뭐야, 저 새는 어디서 온 거야?"

퍽스가 지니를 따라 그 틈새로 휙 날아들었다.

"저건 덤블도어 교수님의 새야." 해리가 비집고 빠져나오며 말했다.

"그런데 그 칼은 어디서 난 거니?" 론이 해리의 손에 들려 있는 반짝이는 칼을 멍하니 바라보며 말했다.

"여기서 나가면 설명해 줄게." 해리가 점점 더 흐느껴 우는 지니를 흘끗 바라보며 말했다.

"하지만……."

"나중에." 해리가 무뚝뚝하게 말했다. 아직은 론에게 누가 비밀의 방을 열었는지 말하지 않는 게 좋겠다고 생각했다. 어쨌든 지니 앞에서는 말하지 않는 게 좋을 것 같았다. "록허트 교수는 어디에 있니?"

"저 뒤에." 론이 여전히 황당하다는 표정을 지으며, 고갯짓으로 수도관 쪽을 가리키며 말했다. "상태가 아주 안 좋아. 가서 봐."

퍽스의 널따란 진홍색 날개가 어둠 속에서 부드러운 황금빛을 냈으므로, 그들은 새의 안내를 받아 수도관 입구 쪽으로 걸어갔다. 질데로이 록허트 교수가 거기에 앉아 조용히 중얼거리고 있었다.

해리포터와 비밀의 방

"그는 기억상실증에 걸렸어." 론이 말했다. "기억력 마법이 잘 못해서 우리가 아니라 그에게 걸렸던 거야. 자기가 누군지, 지금 어디에 있는지, 우리가 누군지도 전혀 몰라. 내가 그에게 이리로 와서 기다리라고 했어."

록허트 교수가 선한 눈길로 그들을 빤히 바라보았다.

"안녕." 그가 말했다. "이상한 곳이야, 이곳 말이야, 그렇지 않니? 너희 여기에 사니?"

"아뇨." 론이 눈썹을 추켜세우며 해리를 보았다.

해리가 허리를 굽혀 길고 어두운 수도관을 올려다보았다.

"이 위로 다시 어떻게 올라갈지 생각해 봤니?" 그가 론에게 말했다.

론이 고개를 가로저었다. 하지만 해리 옆으로 날아와 있던 불사조 퍽스가 이제 어둠 속에서 구슬 같은 두 눈을 빛내며, 날개를 퍼덕였다. 그 새는 기다란 황금빛 꼬리 깃털을 흔들고 있었다. 해리가 무슨 뜻인지 모르겠다는 표정을 지었다.

"너더러 잡으라는 것 같아……." 론이 난처한 표정으로 말했다. "하지만 새가 널 저 위까지 끌어올릴 수 있을까……."

해리가 말했다. "퍽스는 평범한 새가 아니야." 그가 얼른 다른 사람들에게 고개를 돌렸다. "서로서로 잡는 거야. 지니, 론의 손을 잡아. 록허트 교수는……."

"당신을 말하는 거예요." 론이 록허트 교수에게 날카롭게 말

468

했다.

"지니의 손을 잡으세요……."

해리가 칼과 마법의 모자를 허리띠에 밀어 넣자, 론이 해리의 망토 자락을 잡았다. 해리는 손을 뻗어 이상하게 뜨거운 퍽스의 꼬리 깃털을 잡았다.

몸이 굉장히 가벼워지는 것 같더니 어느새 그들이 수도관 속을 날고 있었다. 해리는 록허트 교수가 지니의 밑에 대롱대롱 매달려서, "놀라워! 놀라워! 꼭 마법 같아!" 하고 말하는 소리를 들을 수 있었다. 차가운 공기가 머리카락 사이로 휙휙 스며드는가 싶더니, 새를 타고 날아가는 기분을 미처 즐기기도 전에, 비행이 끝나 버렸다……. 네 사람은 모우닝 머틀의 화장실 바닥에 도착해 있었다. 록허트 교수가 모자를 똑바로 썼을 때, 그 수도관을 가리고 있던 세면대가 스르르 제자리로 돌아오고 있었다.

머틀이 눈을 부릅떴다.

"살아 있었네." 그녀가 해리에게 멍하니 말했다.

"그렇게 너무 드러내 놓고 실망하지 마." 해리가 안경에서 핏자국과 점액을 닦아 내며 험악하게 말했다.

"아니야, 뭐랄까…… 난 그저…… 만약 네가 죽는다면, 기꺼이 내 화장실에 같이 있게 해 주겠다고 생각했을 뿐이야." 머틀의 얼굴이 부끄러움으로 은백색으로 변했다.

"욱!" 론이 화장실에서 인적이 끊긴 어두운 복도로 나가며 토하는 시늉을 했다. "해리! 머틀이 널 좋아하게 된 것 같아! 너 경쟁자 생겼다, 지니!"

하지만 지니의 얼굴에서는 여전히 소리 없이 눈물이 주르륵 주르륵 흘러내리고 있었다.

"이제 어디로 가지?" 론이 걱정스러운 눈으로 지니를 바라보며 말했다. 해리가 손가락으로 퍽스를 가리켰다.

퍽스가 황금빛을 내며 길을 안내해 주고 있었다. 새를 따라 걸어간 그들은 잠시 뒤, 맥고나걸 교수의 사무실 문밖에 도착했다.

해리는 노크를 하고 문을 밀었다.

제 **18** 장

도비의 보답

해리와 론과 지니와 록허트는 오물과 점액과 피(해리의 경우)로 뒤덮인 채 문간에 잠시 말없이 서 있었다. 그 뒤 누군가 외치는 소리가 들렸다.

"*지니!*"

벽난로 앞에 앉아 울고 있던 위즐리 부인이 벌떡 일어나 위즐리 씨와 함께 딸에게로 달려갔다.

해리는 그러나 그 옆, 벽난로 쪽에 서서 밝게 미소 짓는 덤블도어 교수를 보았다. 덤블도어 옆에는 맥고나걸 교수가 놀란 가슴을 진정시키느라 가슴을 움켜쥐고 있었다. 픽스가 해리의 귓가를 휙 스쳐 날아가 덤블도어 교수의 어깨 위에 앉았다. 위즐리 부인이 해리와 론을 꼭 껴안았다.

"너희가 지니를 구했구나! 너희가 지니를 구했어! 도대체 어떻게 된 일이니?"

"그건 우리가 모두 궁금해하는 일이에요." 맥고나걸 교수가 말했다.

위즐리 부인이 해리를 놓아 주자, 해리는 잠시 망설이다가 책상으로 걸어가 그 위에 마법의 모자와 루비가 박힌 칼과 다 녹아내리고 남은 리들의 일기장을 올려놓았다.

그리고 모든 걸 말하기 시작했다. 거의 15분 동안 사람들은 넋을 빼앗긴 채 조용히 해리의 말에 빠져들었다. 해리는 형체가 없는 목소리를 들은 거며, 헤르미온느가 마침내 그 소리의 정체가 수도관에 있는 바실리스크의 소리라는 걸 깨달은 거며, 또 론과 함께 거미들을 따라 숲 속으로 들어갔는데 그곳에서 아라고그가 바실리스크의 마지막 희생자가 어디서 죽었는지를 말해 준 거며, 모우닝 머틀이 그 희생자였다는 거며, 비밀의 방 입구가 그녀의 화장실에 있을 거라고 추측한 것 등등을 말했다…….

"그랬구나." 그가 말을 잠시 멈추자 맥고나걸 교수가 한마디 거들었다. "그렇게 해서 너희가 그 입구가 어디에 있는지 알아낸 거로구나……. 수백 가지의 규칙을 하나하나 어기면서 말이지……. 그런데 도대체 너희 모두 거기서 어떻게 살아 나온 거니, 포터?"

그래서 해리는 그동안 있었던 일들을 한꺼번에 다 말하느라 이제 목이 점점 쉬어 가고 있었음에도, 딱 알맞게 도착한 펍스와 그에게 칼을 준 마법의 모자에 대해 말해 주었다. 하지만 그때 그는 움찔했다. 그는 지금까지 리들의 일기장이나 지니에 대해 말하는 걸 의식적으로 피해 왔었다. 위즐리 부인의 어깨에 머리를 기대고 서 있는 지니의 얼굴에서는 여전히 눈물이 조용히 흘러내리고 있었다. 지니가 쫓겨나면 어떡하지? 해리는 당황해서, 지니가 무사할 방법이 없을까 잠시 생각했다. 그러나 리들의 일기장은 이제 아무 효력이 없었다……. 지니가 그 모든 짓을 하도록 조종한게 바로 톰 리들이었다는 걸 어떻게 입증할 수 있단 말인가?

해리는 무심결에 덤블도어 교수를 바라보았다. 희미하게 미소 짓는 그의 반달 모양의 안경에 벽난로 불빛이 스쳤다.

"난 무엇보다도……." 덤블도어 교수가 점잖게 말했다. "볼드모트가 어떻게 지니에게 마법을 걸었는가가 가장 궁금하단다. 내 소식통에 의하면 그는 현재 알바니아의 숲 속에 숨어 있다고 했거든."

해리는 안도감, 따뜻하고 모든 문제가 해소되는 듯한 기분 좋은 안도감을 느꼈다.

"그게 무슨 말이니?" 위즐리 씨가 어리벙벙한 목소리로 해리에게 물었다. "그 사람이? 지니에게 마법을 걸었다고? 하지만 지니는…… 설마 지니가…… 그랬니?"

"이 일기장이 그런 거예요." 해리가 일기장을 집어 덤블도어 교수에게 보여 주며 얼른 말했다. "리들이 열여섯 살 때 이 일기를 썼어요…….”

덤블도어 교수가 해리에게서 일기장을 가져가 그을고 푹 젖은 페이지 속에 구부러진 긴 코를 박고 자세히 들여다보았다.

“기막히구나.” 그가 부드럽게 말했다. “물론, 그는 호그와트 학생 중 가장 뛰어난 학생이었을 게야.” 그가 완전히 어리둥절한 표정을 한 위즐리 부부에게로 돌아섰다.

“볼드모트가 한때 톰 리들로 불렸다는 건 아주 극소수의 사람들만 아는 사실입니다. 저는 50년 전에 호그와트에서 그 애를 가르쳤어요. 그 애는 학교를 떠난 뒤 사라졌죠……. 두루 여행을 하고 다니다가…… 어둠의 마법에 깊이 빠져 아주 몹쓸 마법사와 사귀게 되면서 얼마나 위험하고 신비한 변신술을 터득했던지, 그 애가 볼드모트로 다시 나타났을 때, 알아보는 사람이 거의 없었어요. 볼드모트가 한때 이곳에서 전교 수석이었던 그 똑똑하고 잘생긴 소년이라는 걸 아무도 몰랐어요.”

“그런데 지니.” 위즐리 부인이 말했다. “우리 지니가 그…… 그와 무…… 무슨 관계가 있는 거죠?”

“그의 이…… 일기장이에요!” 지니가 흐느껴 울며 말했다. “전 거기에 글을 썼고, 그는 1년 동안 다…… 답장을 써 주었어요…….”

“지니!” 위즐리 씨가 깜짝 놀라며 말했다. “아빠가 뭐라 그랬니? 아빠가 항상 뭐라고 했니? 아무거나 그렇게 덥석덥석 믿지 말라고 했잖니. 왜 그 일기장을 아빠나 엄마에게 보여 주지 않았니? 그런 수상쩍은 물건은, 그건 분명히 어둠의 마법으로 가득 차 있었을 텐데…….”

“저는 모…… 몰랐어요.” 지니가 훌쩍거렸다. “그건 엄마가 주신 책들 속에 들어 있었어요. 전 누군가가 그걸 그 안에 놔두고 잊어버렸다고 새…… 생각했어요…….”

“위즐리 양은 즉시 병동으로 가야 합니다.” 덤블도어 교수가 단호한 목소리로 말을 가로막았다. “이건 위즐리 양에겐 대단한 시련이었어요. 처벌은 없을 겁니다. 위즐리 양보다 더 나이 들고 더 현명한 마법사였더라도 볼드모트에게는 속아 넘어갔을 겁니다.” 그가 성큼성큼 걸어가 문을 열었다. “침대에 누워서 김이 나는 따뜻한 코코아를 한잔 마셔 보거라. 난 늘 그렇게 하면 기분이 좋아지더구나.” 그가 그녀에게 다정하게 눈을 깜박이며 덧붙였다. “폼프리 부인은 아직 주무시지 않을 게야. 막 맨드레이크 주스를 나눠 주고 계셨거든……. 바실리스크의 희생자들도 아마 곧 깨어날 게다.”

“그러면 헤르미온느도 괜찮겠군요!” 론이 밝게 말했다.

“모두가 다 무사하니 걱정 말거라, 지니.” 덤블도어 교수가 말했다.

위즐리 부인이 지니를 데리고 밖으로 나가자, 위즐리 씨는 여전히 뭐가 뭔지 전혀 모르겠다는 표정으로 뒤따라 나갔다.

“그런데 말이오, 미네르바,” 덤블도어 교수가 생각에 잠겨 맥고나걸 교수에게 말했다. "아이들에게 연회를 베풀어 주는 게 좋을 것 같구려. 주방에 가서 좀 알려 주시지 않겠소?"

"좋아요." 맥고나걸 교수가 시원시원하게 말하며, 문 쪽으로 걸어갔다. "포터와 위즐리의 처리 문제는 교수님께 맡겨도 되겠죠?"

"물론이오." 덤블도어 교수가 말했다.

그녀가 떠나자, 해리와 론은 어리둥절한 표정으로 덤블도어 교수를 뚫어지게 보았다. 맥고나걸 교수가 말한 *처리 문제*라는 건 정확히 무슨 뜻일까? 설마…… *설마*…… 징계는 아니겠지?

"내가 너희 둘에게 한 번만 더 학교 규칙을 어기면 퇴학시키겠다고 말했었지, 아마." 덤블도어 교수가 말했다.

두려움으로 론의 입이 쩍 벌어졌다.

"하지만 이번 일은, 우리 대부분은 때로 어쩔 수 없이 약속을 어길 때가 있다는 걸 잘 보여 주는 좋은 예가 된 것 같구나." 덤블도어 교수가 미소를 지으며 계속했다. "너희 둘 다 특별 공로상을 받게 될 게다. 어디 보자……. 그래, 한 사람당 200점씩을 쥐야겠구나."

론이 록허트 교수의 밸런타인데이 꽃들만큼이나 밝은 분홍빛으로 얼굴을 붉히며 다시 입을 다물었다.

"그런데 한 사람은 이 위험한 모험에 대해 자랑을 늘어놓을 만도 한데, 계속 아무 말 없이 굉장히 조용히 있는 것 같군." 덤블도어 교수가 덧붙였다. "왜 그렇게 가만히 있나, 질데로이?"

해리는 깜짝 놀랐다. 그는 록허트 교수를 까맣게 잊고 있었던 것이다. 고개를 돌리자 록허트 교수가 여전히 희미한 미소를 지으며, 방 한쪽 구석에 서 있었다. 덤블도어 교수가 말을 걸자, 록허트 교수는 그가 누구에게 말하고 있는지 보려고 어깨 너머를 둘레둘레 살폈다.

"덤블도어 교수님." 론이 얼른 말했다. "비밀의 방에서 사고가 있었어요. 록허트 교수님은……."

"내가 교수라고?" 록허트가 약간 놀라며 말했다. "어이구, 난 내가 가망이 없다고 생각했는데?"

"저 교수님이 저희에게 기억력 마법을 걸려고 했는데 지팡이에서 주문이 그만 거꾸로 튀어 나갔어요." 론이 덤블도어 교수에게 조용히 설명했다.

"저런." 덤블도어 교수가 고개를 가로젓자, 그의 긴 은빛 수염이 흔들렸다. "제 칼에 제가 찔린 게로군, 질데로이!"

"칼요?" 록허트 교수가 몽롱하게 말했다. "칼 가진 적 없는데요. 저 애가 가졌죠." 그가 해리를 가리켰다. "저 애가 하나 빌려 드릴 거예요."

"록허트 교수를 병동으로 모셔 가겠니?" 덤블도어 교수가 론에게 말했다. "해리에게 몇 마디 더 할 말이 있어서 말이다……."

록허트 교수가 느릿느릿 걸어 나왔다. 론이 호기심에 찬 눈길로 덤블도어 교수와 해리를 한번 흘끗 바라본 뒤 문을 닫았다.

덤블도어 교수는 벽난로 옆에 있는 한 의자에 걸터앉았다.

"앉거라, 해리." 그가 이렇게 말하자, 해리는 까닭 모를 불안감을 느끼며 자리에 앉았다.

"우선, 해리, 네게 고마움을 전하고 싶구나." 덤블도어 교수가 다시 눈을 반짝이며 말했다. "네가 진정으로 나를 신뢰하고 있다는 사실을 저 아래 비밀의 방에서 확인시켜 준 게 틀림없는 것 같구나. 만약 그렇지 않았다면 퍽스가 네게 가지 않았을 게야."

그가 무릎 위에서 날개를 퍼덕이고 있는 불사조를 어루만졌다. 덤블도어 교수가 바라보자 해리가 어색하게 씩 웃었다.

"어쨌든 네가 톰 리들을 만났단 말이지." 덤블도어 교수가 생각에 잠겨 말했다. "그 애가 네게 관심이 *아주* 많았던 것 같구나……."

갑자기, 해리를 끈질기게 괴롭히고 있던 말이 입에서 흘러나왔다.

"덤블도어 교수님……, 리들이 제가 자기와 닮았다고 했어요. 이상하게 닮은 점이 있다고요……."

"그 애가 *그랬니?*" 덤블도어 교수가 진한 은빛 눈썹 아래 생각에 잠긴 눈빛으로 해리를 바라보며 말했다. "그런데 네 생각은 어떠니, 해리?"

"저는 제가 그 애와 닮았다고 생각하지 않아요!" 해리가 생각보다 더 크게 말했다. "제 말은, 전…… 전 *그리핀도르*에 있잖아

478

요, 전······."

하지만 그는 마음속 깊이 숨어 있던 의혹이 다시 살아나자 갑자기 말을 멈췄다.

"교수님." 그가 잠시 뒤 다시 말을 시작했다. "마법의 모자는 제가······ 제가 슬리데린에 있었으면 성공했을 거라고 했어요. 모두 한동안 제가 슬리데린의 후계자라고 생각했어요······. 제가 뱀의 말을 할 수 있다면서 말이에요······."

"네가 뱀의 말을 할 수 있는 건 말이다, 해리." 덤블도어 교수가 조용히 말했다. "살라자르 슬리데린의 마지막 남은 후계자인 볼드모트가 파셀마우스기 때문이란다. 내 판단이 잘못된 게 아니라면, 그는 네게 그 흉터를 남긴 날 밤에 자신의 능력 일부를 네게 전해 주었던 것 같다. 그가 의도했던 건 아니지만······."

"볼드모트가 자신의 능력을 *제게* 전해 주었다고요?" 해리가 기겁하며 말했다.

"확실히 그런 것 같구나."

"그러면 전 슬리데린에 *있어야 하잖아요.*" 해리가 절망적으로 덤블도어 교수의 얼굴을 들여다보며 말했다. "마법의 모자는 제게서 슬리데린의 능력을 볼 수 있었는데, 그건······."

"널 그리핀도르에 넣었지." 덤블도어 교수가 태연하게 말했다. "잘 듣거라, 해리. 넌 살라자르 슬리데린이 높이 평가하는 많은 소질을 우연히 갖게 된 것뿐이란다. 살라자르만이 가진 매우 드문 재능인 뱀의 언어라든지, 비상한 재치라든지, 결단력이라든지, 때로 무모해 보이는 규칙 위반 뭐 이런 것들 말이다." 그가 수염을 다시 흔들며 덧붙였다. "그럼에도 마법의 모자는 널 그리핀도르에 넣었지. 그게 왜 그랬는지는 너도 알 게다. 생각해 보렴."

"그게 절 그리핀도르에 넣은 건……." 해리가 마지막 희망이 꺾인 듯 힘없는 목소리로 말했다. "제가 슬리데린에 들어가지 않겠다고 했기 때문이……."

"*바로 그거란다*." 덤블도어 교수가 한 번 더 밝게 미소 지으며 말했다. "그게 바로 네가 톰 리들과 크게 *다른 점이다*. 우리의 진정한 모습은, 해리, 우리의 능력이 아니라, 우리의 선택을 통해 나타나는 거란다." 해리는 어리벙벙한 얼굴로 꼼짝 않고 의자에 앉아 있었다. "만약 네가 그리핀도르에 속해 있다는 증거를 보고 싶다면, 해리, 이걸 좀 더 자세히 *보렴*."

덤블도어 교수가 맥고나걸 교수의 책상으로 다가가 핏자국이 남아 있는 은빛 칼을 집어 해리에게 건네주었다. 해리가 천천히 그걸 뒤집자, 루비들이 벽난로 불빛을 받아 반짝거렸다. 그리고 그는 칼자루 바로 밑에 새겨 놓은 이름을 보았다.

고드릭 그리핀도르

"진정한 그리핀도르만이 마법의 모자에서 이 칼을 뽑아낼 수 있단다, 해리." 덤블도어 교수가 꾸밈없이 말했다.

잠시, 침묵이 흘렀다. 그 뒤 덤블도어 교수가 맥고나걸 교수의 책상 서랍 하나를 잡아당겨 열고 깃펜과 잉크병을 꺼냈다.

"맛 좋은 음식을 먹은 뒤 푹 자는 게 좋겠구나. 그러니 넌 연회장으로 내려가거라. 난 아즈카반에 편지를 써야겠다. 우리의 사냥터지기를 다시 돌아오게 해야 할 테니 말이다. 그리고 또《예언자일보》에 낼 광고 문안도 만들어야지." 그가 생각에 잠겨 덧붙였다. "어둠의 마법 방어술을 가르쳐 줄 새로운 교수님이 필요할 테니 말이다……. 그런데 이런 일이 왜 자꾸 일어나는지 모르겠구나."

해리는 일어서서 문 쪽으로 걸어갔다. 그러나 그가 손잡이를 잡으려 하는 순간, 문이 갑자기 세게 열렸다.

거기엔 루시우스 말포이가 성난 표정으로 서 있었다. 그리고 그의 다리 뒤에는 몸 여기저기에 반창고를 붙인 *도비가* 움츠리고 있었다.

"안녕하시오, 루시우스." 덤블도어 교수가 유쾌히 말했다.

말포이 씨가 방 안으로 들어오면서 툭 치는 바람에 해리는 하마터면 넘어질 뻔했다. 도비가 그의 망토 자락에 붙어 몸을 구부리고, 잔뜩 겁에 질린 얼굴로, 종종걸음으로 뒤따라 들어오고 있었다.

그 꼬마 집요정은 말포이 씨의 신발을 닦던 중이었던지 더러운 천 조각을 들고 있었다. 그런데 신발이 제대로 닦여 있지 않을 뿐만 아니라, 평상시엔 윤기가 좌르르 흐르던 머리카락이 부스스하게 흐트러져 있는 것으로 보아, 말포이 씨는 굉장히 급히 길을 나섰던 게 분명했다. 그의 발목 주위에서 변명이라도 하는 듯 꾸벅꾸벅 인사를 하는 그 집요정을 무시한 채, 그가 덤블도어 교수를 차가운 눈으로 노려보았다.

"정말로!" 그가 말했다. "다시 돌아왔군요. 이사들이 정직시켰는데도, 호그와트로 다시 돌아오다니."

"그런데 말이오, 루시우스." 덤블도어 교수가 침착하게 말했다. "다른 열한 명의 이사들이 오늘 내게 연락을 취했다오. 솔직히 말해, 부엉이들이 한꺼번에 날아오는 바람에 정신이 하나도 없었다오. 그들은 아서 위즐리의 딸이 죽임을 당했다는 말을 듣고 내가 즉시 이곳으로 돌아와 주길 바랐소. 그들은 결국 그 일을 처리하기엔 내가 가장 적격이라고 생각했던 것 같소. 그들은 또 내게 아주 이상한 말도 해 주었소……. 날 정직시키는 데 동의하지 않으면 당신이 그들의 가족을 가만두지 않겠다고 위협했다고 하던데."

말포이 씨는 평상시보다 훨씬 더 창백해졌지만, 쭉 찢어진 눈은 여전히 분노로 불타고 있었다.

"그래서…… 당신이 와서 일이 해결되기라도 했소?" 그가 비웃듯이 말했다. "범인은 잡았소?"

"물론." 덤블도어 교수가 미소를 지으며 말했다.

"*그렇다면?*" 말포이 씨가 날카롭게 말했다. "그게 누구요?"

"지난번과 똑같은 사람이오, 루시우스." 덤블도어 교수가 말했다. "하지만 이번에는, 볼드모트가 다른 사람을 통해 일을 꾸민 거요. 이 일기장을 이용해서 말이오."

그가 한가운데에 커다란 구멍이 뚫린 자그마한 까만 책을 들어 올리고, 말포이 씨를 똑바로 바라보았다. 해리는 그러나 계속해서 도비를 바라보고 있었다.

그 꼬마 집요정은 매우 이상한 짓을 하고 있었다. 그가 의미심장한 눈길로 해리를 뚫어지게 바라보면서, 연방 일기장과 말포이 씨를 번갈아 손가락질하며 주먹으로 자신의 머리를 세게 쥐어박고 있었다.

"알았소……." 말포이 씨가 덤블도어 교수에게 천천히 말했다.

"교묘한 계획이었소." 덤블도어 교수가 여전히 말포이 씨의 눈을 똑바로 바라보며 차분한 목소리로 말했다. "왜냐하면 만약 여기 있는 해리와……." 말포이 씨가 날카로운 눈으로 해리를 흘끗 바라보았다. "이 아이의 친구 론이 이 일기장을 발견하지 못했더라면, 지니 위즐리가 그 모든 죄를 뒤집어썼을지도 모르기 때문이라오. 아무도 그 아이가 자유의지로 행동하지 않았다는 걸 절대 입증하지 못했을 거요……."

말포이 씨는 아무 말도 하지 않았다. 그의 얼굴이 갑자기 무표정해졌다. 덤블도어 교수가 계속했다. "그랬다면, 어떤 일이 벌어졌을지 한번 상상해 보시오⋯⋯. 위즐리 집안은 훌륭한 순수 혈통 가족들 가운데 하나이지 않소. 만약 아서 위즐리의 딸이 머글 태생을 습격하고 죽인 것으로 밝혀진다면 아서 위즐리와 그의 머글 보호 법령에 미칠 영향을 한번 상상해 보시오⋯⋯. 그 일기장이 발견된 건 천만다행이었소. 그리고 리들의 기억들은 일기장에서 다 지워졌다오. 그렇지 않았다면 그 결과가 어떻게 되었을지 누가 알겠소."

말포이 씨가 마지못해 입을 열었다.

"천만다행이오." 그가 딱딱하게 말했다.

그런데 그의 뒤에서는 도비가 여전히 일기장과 루시우스 말포이를 가리키면서, 자신의 머리를 주먹질하고 있었다.

그때 해리는 갑자기 그 의미를 이해했다. 그가 도비에게 고개를 끄덕여 보이자, 도비가 한쪽 구석으로 물러나, 이제는 벌로 자신의 귀를 비틀고 있었다.

"지니가 어떻게 저 일기장을 손에 넣게 되었는지 알고 싶지 않으세요, 말포이 씨?" 해리가 말했다.

루시우스 말포이가 그에게로 홱 돌아섰다.

"그 어리석은 여자아이가 그걸 어떻게 손에 넣었는지 내가 어떻게 알겠니?" 그가 말했다.

"당신이 그걸 지니에게 줬기 때문이에요." 해리가 말했다. "플러리쉬와 블러트 서점에서요. 당신이 그 애의 낡은 변신술 책을 집어 그 안에 저 일기장을 슬쩍 밀어 넣었죠, 아닌가요?"

그는 말포이 씨가 새하얀 손을 불끈 쥐었다 폈다 하는 것을 보았다.

"입증할 수 있니?" 그가 씩씩거렸다.

"오, 굳이 그럴 필요가 없을 거요." 덤블도어 교수가 해리에게 미소를 지어 보이며 말했다. "리들이 그 일기장에서 사라졌으니 말이오. 하지만 충고하겠는데, 루시우스. 더 이상은 볼드모트의 옛 학교 물건들을 배포하지 마시오. 만약 앞으로 그것들이 하나라도 더 천진난만한 아이의 손에 들어간다면, 그 누구보다도 아서 위즐리가 나서서, 그게 당신 짓이라는 걸 끝까지 밝혀내고야 말 테니까 말이오……."

루시우스 말포이는 잠시 말없이 서 있었는데, 그의 오른손은 마치 요술지팡이를 잡고 싶기라도 한 듯 씰룩쌜룩 움직이고 있었다. 그러나 그는 마음을 바꾸고 그의 꼬마 집요정에게로 돌아섰다.

"가자, 도비!"

그가 문을 열자 그 꼬마 집요정이 허둥지둥 그에게로 다가갔다. 그러자 그가 집요정을 발로 뻥 차서 밖으로 내보냈다. 도비가 복도를 따라가는 동안 내내 고통으로 비명을 지르는 소리가 들렸다. 해리는 곰곰이 생각하며 잠시 서 있었다. 문득 그에게 좋은 생각이 떠올랐다…….

"덤블도어 교수님." 그가 다급하게 말했다. "저 일기장을 말포이 씨에게 다시 돌려드려도 될까요, 네?"

"물론이다, 해리." 덤블도어 교수가 미소를 빙긋 지으며 말했다. "하지만 서둘러라. 연회는, 잊지 말고…….

해리는 일기장을 움켜쥐고 쏜살같이 달려 나갔다. 도비의 비명이 복도 저쪽으로 사라지고 있었다. 과연 이 계획이 효과가 있을까 생각하면서, 해리는 신발 한 짝을 벗었다. 그리고 점액투성이의 더러운 양말까지 마저 벗은 뒤, 일기장을 그 안에 쑤셔 넣고는 어두운 복도를 달렸다.

그들이 막 계단을 내려가고 있었다.

"말포이 씨." 해리가 급히 멈추면서 헐떡거리며 말했다. "드릴게 있어요…….

그리고 해리는 고약한 냄새가 나는 그 양말을 루시우스 말포이의 손에 억지로 쥐어 주었다.

"이게 무슨 짓이야?"

말포이 씨가 양말을 뒤집어 일기장을 꺼내고 그걸 옆으로 휙 던져 버리고는, 성난 표정으로 망가진 일기장과 해리를 번갈아 바라보았다.

"너도 언젠가는 네 부모와 똑같이 횡사하고 말 거야, 해리 포터." 그가 잇새로 나직이 말했다. "그들도 남의 일에 지겹게 참견하는 어리석은 사람들이었거든."

그러더니 그가 돌아섰다.

"가자, 도비. *가자니까.*"

그러나 도비는 움직이지 않았다. 그는 해리의 메스꺼운, 끈적 끈적한 양말을 들어 올리고, 마치 그게 소중한 보물이라도 되는 듯 바라보고 있었다.

"주인이 양말을 주었어요." 그 집요정이 놀라서 말했다. "주인 이 이걸 도비에게 주었어요."

"그게 뭔데?" 말포이 씨가 내뱉듯이 말했다. "너 뭐라고 했 니?"

"양말을 가졌다고요." 도비가 믿을 수 없다는 듯 말했다. "주 인이 그걸 던졌는데, 도비가 잡았어요. 그러면 도비는…… 도비 는 자유의 몸이 된 거예요."

루시우스 말포이가 얼어붙은 듯 서서 집요정을 빤히 바라보았 다. 그러곤 그가 해리에게 달려들었다.

"너 때문에 내 하인을 잃었잖아, 이 녀석아!"

그러자 도비가 소리쳤다. "해리 포터에게 손대지 마세요."

그리고 쾅 하는 커다란 소리가 나더니, 말포이 씨가 뒤로 휙 날 아갔다. 그는 계단을 한 번에 세 칸씩 우당탕 굴러 내려가, 아래 층계참으로 떨어졌다. 그는 납빛이 된 얼굴로 일어서서 지팡이 를 빼 들었지만, 도비가 위협적인 긴 손가락을 들어 올렸다.

"이제 가세요." 그가 말포이 씨를 가리키며 사납게 말했다. "해리 포터에게 손대지 말아요. 지금 가세요."

루시우스 말포이는 어쩔 수 없었다. 성난 얼굴로 그들을 마지막으로 한 번 더 바라본 뒤, 망토를 휘저으며 허둥지둥 사라졌다.

"해리 포터가 도비를 풀어 주었어요!" 집요정이 해리를 올려다보며 말했다. 가까운 창문으로 들어온 달빛이 그의 동그란 눈에 어렸다. "해리 포터가 도비를 풀어 주었어요!"

"제발, 도비." 해리가 싱긋 웃으며 말했다. "다시는 내 생명을 구하려고 하지 않겠다고 약속해."

꼬마 집요정의 못생긴 갈색 얼굴에 갑자기 이빨이 다 드러나 보이는 환한 미소가 번졌다.

"한 가지 물어볼 게 있어, 도비." 도비가 떨리는 손으로 해리의 양말을 신을 때 해리가 말했다. "넌 이 모든 게 이름을 말해서는 안 되는 그자와 아무 관계가 없다고 했잖아, 기억나니? 그런데……."

"그건 실마리였어요." 도비는 너무나 분명하다는 듯 눈을 동그랗게 뜨며 말했다. "실마리를 드렸던 거예요. 그 어둠의 마왕은, 이름을 바꾸기 전에는, 거리낌 없이 불렸으니까요, 알겠어요?"

"그렇구나." 해리가 맥이 빠져 말했다. "그러면 난 이만 가는 게 좋겠다. 연회가 있거든. 그리고 지금쯤은 내 친구 헤르미온느가 깨어났을 거야……."

도비가 두 팔을 벌려 해리를 꼭 껴안았다.

"해리 포터는 도비가 생각했던 것보다 훨씬 더 훌륭해요!" 그가 흐느껴 울었다. "안녕, 해리 포터!"

그리고 마지막으로 한 번 펑 하더니, 사라져 버렸다.

해리는 호그와트 연회에 몇 번 가 봤지만, 이런 연회는 처음이었다. 그 축하 파티는 모두가 잠옷을 입은 채로 밤새도록 계속되었다. 해리는 가장 좋았던 일이, 헤르미온느가 "네가 해결했구나! 네가 해결했어!"라고 소리치며 그에게로 달려온 것인지, 아니면 저스틴이 후플푸프 테이블에서 허둥지둥 다가와 그의 손을 힘껏 비틀며 의심해서 미안하다고 끊임없이 사과한 것인지, 아니면 3시 30분에 해그리드가 나타나 해리와 론의 어깨를 손바닥으로 세게 때리는 바람에 그들이 트라이플(포도주에 담근 카스텔라류―옮긴이) 접시를 친 것인지, 아니면 그와 론이 받은 400점 때문에 그리핀도르가 2년 연속 기숙사 우승컵을 보장받은 것인지, 아니면 맥고나걸 교수가 일어서서 그들 모두에게 이번 시험은 보지 않기로 결정되었다고 말한 것인지("안 돼!" 헤르미온느가 말했다), 아니면 덤블도어 교수가, 유감스럽게도 록허트 교수가 기억이 되돌아올 때까지 요양을 해야 하기 때문에 내년에는 가르칠 수 없을 거라고 말한 것인지 알 수 없었다. 이 소식에는 학생들뿐만 아니라 교수님들까지도 대환영하는 분위기였다.

"정말 아쉽군." 론이 잼 도넛을 먹으며 농담을 했다. "이제 막

그가 좋아지려고 했는데 말이야."

그 학기의 나머지는 타오르는 햇살처럼 기분 좋게 지나갔다. 호그와트는 몇 가지가 아주 조금 달라졌을 뿐 거의 정상으로 되돌아갔다. 어둠의 마법 방어술 수업은 휴강되었고("하지만 우린 어쨌든 그 마법을 굉장히 많이 연습했잖아." 론이 뿌루퉁한 헤르미온느에게 말했다), 학교 이사였던 루시우스 말포이는 파면당했다. 또 자기가 학교 주인이라도 되는 양 거들먹거리고 다니던 드레이코는 이제 얼굴을 있는 대로 찡그리고 다녔다. 반면에, 지니 위즐리는 예전처럼 다시 명랑해졌다.

호그와트 급행열차를 타고 집으로 돌아가야 할 시간이 너무나 빨리 다가왔다. 해리와 론과 헤르미온느 그리고 프레드와 조지와 지니는 모두 한 객실에 자리를 잡았다. 그들은 방학 전에 마법이 허용되었던 마지막 몇 시간 동안 카드 게임과 프레드와 조지의 필리버스터 불꽃놀이와 마법으로 서로 무장해제시키는 연습을 했다. 해리는 이제 점점 더 잘하게 되었다.

킹스 크로스 역에 거의 다 왔을 때 해리에게 어떤 생각이 떠올랐다.

"지니, 그런데 넌 도대체 퍼시 형이 뭘 하는 걸 본 거니? 형이 네게 아무에게도 말하지 말라고 한 거 말이야."

"아, 그거." 지니가 낄낄거리며 말했다. "뭐냐 하면……, 퍼시

오빠에게 여자 친구가 생겼어."

프레드가 놀라서 조지의 머리 위에 책 더미를 떨어뜨렸다.

"뭐라고?"

"바로 래번클로의 반장, 페네로프 클리어워터야." 지니가 말했다. "오빠가 지난여름 내내 편지를 썼던 사람이 바로 그 애야. 오빠는 학교 여기저기서 그 애를 몰래 만나고 있었어. 내가 어느 날 빈 교실에 들어갔는데 글쎄 둘이 뽀뽀를 하고 있잖아. 그 애가 습격받았을 때 오빠가 그렇게 당황해했던 건 바로 그 때문이었어. 그런데 오빠를 놀리진 않을 거지?" 지니가 걱정스러운 듯 덧붙였다.

"물론이지." 프레드가 꼭 생일이 일찍 찾아오기라도 한 듯한 표정으로 말했다.

"절대로." 조지가 숨죽여 킥킥대며 말했다.

호그와트 급행열차가 속도를 늦추더니 마침내 멈춰 섰다.

해리는 깃펜과 양피지 쪽지를 꺼내 론과 헤르미온느에게 돌아섰다.

"이건 전화번호라는 거야." 그는 론에게 이렇게 알려 주고서, 더즐리네 집 전화번호를 두 번 휘갈겨 쓰고, 양피지를 둘로 찢어서 그들에게 건네주었다. "지난여름에 네 아버지께 전화 사용법을 말씀드렸으니까 아실 거야. 더즐리네 집으로 전화해, 알았지? 또다시 두 달 동안 두들리하고만 말하면서 지내는 건 정말 끔찍해⋯⋯."

"하지만 네 이모와 이모부는 자랑스러워하실 거야, 안 그래?" 기차에서 내려 마법에 걸린 개찰구 쪽으로 들어가며 헤르미온느가 말했다. "네가 올해에 어떤 일을 했는지 들으면 말이야."

"자랑스러워해?" 해리가 어림도 없다는 듯 말했다. "너 정신 나갔니? 그동안 내내 내가 몇 번이나 죽을 수도 있었는데, 용케 살아났다고? 그들은 아마 화가 나서 펄펄 뛸 거야⋯⋯."

그리고 그들은 함께 개찰구를 지나 다시 머글의 세계로 걸어 나갔다.

＊제3권 《해리포터와 아즈카반의 죄수》에서 계속됩니다.

이 책의 무엇을 사랑하는가?

세상의 많은 어른이 〈해리포터 시리즈〉를 읽는 이유는,
그들의 자녀가 그 책을 읽고 있기 때문이 아니라, 정말로 재미있기 때문입니다.
어른들이 말하는 몇 가지 이야기를 들어 봅시다.

언제나 책 읽으라고 잔소리를 해야 했던 아들이……

부모로서, 저는 이 책을 대단히 고맙게 여기고 있습니다. 제 아들은 책 읽기를 좋아하지 않아서 언제나 책을 읽으라고 잔소리를 해야만 합니다. 그 아이는 다른 가족들과 달리 책 읽기를 좋아하지 않아서 신이 나지 않아요. 닌텐도와 포켓몬을 대신할 수 있는 게 있기만 하다면 저는 아무리 시간과 노력이 드는 일이라도 마다하지 않을 겁니다!

최근에 우리 가족은 서점에 들렀답니다. 아이의 교과서를 사기 위해서였죠. 그런데 교과서를 사고 나자, 우리 아이는 집에서 읽

던 해리 포터 책을 찾는 거예요. 그리고 그 책을 발견하자마자 의자에 앉아 읽기 시작하는 게 아니겠습니까. 또 1권을 다 읽자, 곧장 2권을 잡더군요.

저는 그 애가 친구들과 함께 그 책에 대해 대화하는 걸 보고 제 눈을 믿을 수가 없었어요. 어느 날 저녁 아이의 친구 하나가 우리 집에 와서 함께 저녁을 먹었는데, 아이들은 식사하는 내내 이 책에 대해 말하는 거였어요. 책을 단순히 읽는 것에서 끝내지 않고 이런 식의 대화를 나눈다는 것은 보다 높은 수준의 문학적 경험을 하게 하죠.

그건 그렇고, 저는 요즈음 '머글'이라는 단어를 자주 사용한답니다! 아주 일상적인 어휘가 되어 버렸죠.

때로 아이들은 자신들이 마법사이며 정말로 이 책 속의 인물인 것처럼 행동하기도 한답니다. 아이들이 이 책을 좋아하는 이유는 어느 정도는 이 책이 자신들만의 세계를 그리고 있기 때문인 것 같아요. 아이들은 우리 어른들과 달라서 우리가 이해하지 못하는 것도 잘 이해하죠. 예컨대, 저는 솔직히 해리가 호그와트에서 겪는 일들이 조금 놀라웠어요. 저라면 우리 아이가 그러한 일들을 겪길 원하지 않을 거예요. 하지만 아이들은 냉철하게 받아들이더군요 .

저는 저작권 대리인이므로 많은 아동 도서를 다룹니다. 작가 J.K. 롤링이 이 모든 걸 창작해 냈다는 게 그저 놀라울 따름입니다. 그녀의 독창성에 정말로 감동했어요.

최근에 있었던 이 책에 대한 부정적인 비평이 전 잘 이해가 되지 않아요. 오늘날처럼, 세련되고 교양 있는 사람들이 넘쳐 나고 새로운 아이디어를 얼마든지 받아들일 수 있는 세상에서, 그러한 태도는 매우 구태의연해 보여요. 꼭 세일럼의 마녀 재판을 보는 것 같아 씁쓸합니다.

— 제인 레보위츠 (부모, 저작권 대리인)

자녀 선물로 산 책을 먼저 읽는 어른들

이 책에는 아이들로 하여금 읽도록 하는 힘이 있습니다. 책 읽는 걸 전혀 좋아하지 않았던 아이들조차 이 책은 외면하지 못합니다. 그건 매우 중요한 일이에요!

어른들도 이 책을 좋아한답니다. 저는 부모들이 이 책을 자녀와 함께 또는 따로 읽은 뒤, 함께 이야기하는 모습을 자주 보았습니다.

저는 서점을 경영하므로, 우리 서점에 오는 아이들에게 해리포터 책을 읽었는지 물어본답니다. 그리고 어른들에게도 물어보죠! 물론 많은 사람이 이미 읽었더군요! 종종 어른들은 자녀나 손자 손녀들에게 선물로 주려고 이 책을 사서는, 아이들에게 주기 전에 자신들이 먼저 이 책을 읽기도 한답니다.

이 책은 다소 경시되었던 아동소설 분야에 대한 관심을 집중시 켰습니다. 오랫동안 아름다운 삽화가 들어가 있는 책들이 가장 인기를 끌었지만, 이제 빠른 속도로 변하고 있습니다.

이 책은 들여놓기가 무섭게 다 팔려 버릴 정도로 인기가 높습 니다. 우리는 최근에 1권의 초판 보급판들을 배로 실어 왔는데 일주일 만에 다 팔렸답니다.

저 자신도 이 책을 무척 좋아합니다. 그래서 영국에서 온 한 꼬 마가 가지고 있던 세 번째 책을 사서, 그 책이 미국에서 출간되기 일주일 전에 읽었다는 걸 시인해야겠군요. (그 꼬마는 그 책을 이미 읽었고, 자기 나라로 돌아가면 또 한 권 살 수 있을 거라고 했으므로, 전 그 아이의 책을 빼앗았다고 생각하지 않았답니다!)

— 제니퍼 로스 (서점 경영)

이 책이 중요한 건 인생을 가르치기 때문입니다

J.K. 롤링은 유머와 상상력이 풍부한 작가입니다. 그녀는 호그 와트의 비밀 지도 같은 이상한 것들을, 마치 진짜로 일어날 수 있 는 일처럼 그려 냅니다.

그녀는 꼼꼼한 작가입니다. 자신의 소설에 등장하는 인물들에 대해 일일이 배려하고 관심을 가지니까요. 등장인물들의 묘사는 아주 생생합니다, 또 굉장히 많기도 하고요! 1권에서만도 60개의 다른 캐릭터를 셀 수 있었답니다.

롤링은 책 여기저기에 많은 실마리를 두어서, 독자들의 이해를 도와줍니다.

이 책이 중요한 건 인생을 가르치기 때문입니다. 해리 포터에 등장하는 아이들은 공평하고 올바르게 행동하려고 노력하며, 독자들에게도 그렇게 하도록 격려합니다. 이 책은 또 아이들에게 문제를 해결하는 모습을 보여 줍니다. 그 아이들은 문제를 들고 어른들에게로 가지 않습니다. 어떻게든 직접 해결하죠.

이 책 속의 아이들은 나름대로 독창성과 상상력을 동원해 자신들이 겪는 문제를 처리합니다. 여러분이 아이들에게 가르치고 싶은 바로 그런 태도죠. 선생님이나 부모 같은 어른들은 궁극적으로는, 자녀의 삶에 너무 깊숙이 관여하지 않도록 해야 합니다.

—홀리 싱거 미노트 (부모)

이 책은 끝없는 상상의 날개를 펴도록 합니다

이 책은 아이들로 하여금 끝없이 상상의 날개를 펴도록 합니다. 해리 포터를 읽는 아이들의 상상은 끝이 없습니다. 나이가 들수록 상상력은 줄어들게 마련이지만 이 책을 읽고 저는 다시 어린아이가 된 것 같은 느낌이 들었습니다.

아이들의 삶에는 미스터리가 많지 않습니다. 이 책은 미스터리와 마법에 대한 것입니다. 아이들은 그런 걸 접한 적이 없죠. 다소 무섭긴 하지만, 아이들은 원래 무서운 걸 좋아한답니다.

마법이나 주술에 불만을 나타내는 비평가들이 있는 건 사실입니다. 그들은 〈오즈의 마법사〉를 마땅찮게 여겼지만, 〈오즈의 마법사〉에 어떤 일이 일어났습니까!

아이들에게는 많은 놀라운 일들이 일어납니다. 만약 해리 포터 책 속에 있는 것들을 극복할 수 있는 아이들이라면 인생을 조금은 더 잘 꾸려 나갈 수 있을 것입니다. 만약 현실과 상상의 세계를 구별할 수 없는 아이들이라면, 부모는 물론 그걸 읽혀서는 안 될 것입니다. 하지만 그런 아이들은 극소수에 불과할 것입니다.

내겐 열세 명의 손자 손녀가 있는데, 난 이 책을 책 읽을 나이가 된 아이들에게 모두 한 권씩 사 주었답니다.

작가는 미묘한 부분들을 아주 흥미롭고 실감 나게 잘 그려 냈습니다. 한 예로, 해리의 이모와 이모부는 어쩌면 실제로는 그렇게 지독한 사람들이 아닐지도 모르지만, 해리가 그의 부모처럼 될까 봐 겁이 나서 그에게 아주 심하게 대하는 게 그런 것이죠.

—로라 시몬 (할머니)

이 책 덕분에 독서가 유행처럼 퍼지고 있습니다

해리 포터 책 덕분에 독서가 다시 유행처럼 번지고 있습니다!

우리 학교의 학생들은 지금 스스로 책을 읽고 있으며, 많은 아이가 책에서 새로운 세계를 발견했습니다. 또 도서실에서 점점 더 많은 시간을 보내고 있습니다.

해리 포터 이야기들은 아이들에게 우정과 공명정대한 행동을 가르쳐 줍니다. 텔레비전과 영화에서 접하는 폭력에 좋은 해독제 역할을 하는 것이죠. 이 책은 아이들에게 건전한 방법으로 서로 도움을 주는 방법을 가르쳐 줍니다. 작가는 소수민족 말살과 같은 좀 심각한 주제들을 다루기는 하지만, 그것들을 우화적으로, 그리고 그 이야기의 정황에 맞게 잘 풀어 나갑니다.

롤링은 훌륭한 작가입니다. 아이들은 이 책을 통해 많은 걸 배웁니다. 아이들은 또한 영국 문화의 일면도 접할 수 있게 됩니다. 저는 많은 아이가 이제 영국에 가 보고 싶다고 말하는 걸 들었답니다.

— 카르멘 로페즈 (6학년 선생님)

해리가 성장하는 과정과 함께 나이를 먹는 마법 책

저는 제 여동생이 말해 줄 때까지 이 책에 대해 전혀 몰랐답니다. 그런데 읽기 시작하자마자, 아주 좋아하게 되었습니다. 한마디로 푹 빠져 버렸죠. 책들을 내려놓을 수가 없었습니다.

책마다 나름의 매력이 있었어요. 교사로서, 전 아이들과 어른들이 함께 이 책을 읽고 있는 모습을 보고 듣게 된 게 무척이나 고맙게 여겨집니다. 어른들이 아동 도서를 읽는 경우는 흔히 있는 일이 아니에요. 하지만 그들은 해리 포터를 읽고 있어요!

매일 점심을 먹은 뒤, 저는 저희 반 아이들에게 15분에서 30분 정도씩 조용히 책 읽는 시간을 줍니다. 그런데 점점 더 많은 아이가 해리 포터 책들을 읽고 있다는 걸 알았습니다. 이 책을 읽기 시작하면서 아이들은 다른 책에도 흥미를 갖게 되었습니다. 점점 더 많은 아이가 도서실을 찾고 있어요.

많은 아이가 읽고 좋아하며, 또 다른 아이들과 자신들의 감동을 공유하기 때문에 이 책의 파급 효과는 큽니다. 아이들은 다른 아이들의 말을 듣고 이 책을 집어 든답니다.

해리 포터 이야기의 독특한 점 하나는 해리가 성장하는 모습을 보여 준다는 것입니다. 아이들은 열한 살짜리 해리를 알게 된 뒤 해리를 따라 나이를 먹게 됩니다. 대부분의 아동 도서는 이렇지 않죠. 그러한 책들의 등장인물들은 심지어 후속편에서조차도, 보통 동일한 나이로 남아 있게 되죠.

아이들은 이 책을 읽으면서 다양한 성격의 아이들에 대해 배우게 됩니다. 또 다른 환경에서 자란 아이가 새로운 환경에 적응해 가는 모습도 지켜보게 되지요. 그리고 무엇보다도 좋은 점은 그 자신과 자신의 환경에 대해 보다 긍정적인 자세를 갖도록 도와 준다는 사실입니다.

아이들이 즐겨 읽는 책이라면 어떤 것이든 좋은 책입니다. 또 좋은 책을 많이 읽는 아이들은 훨씬 더 자유롭게 자신을 글로 표현해 낼 수 있을 것입니다.

— 카라 록우드 (5학년 선생님)

《해리포터와 비밀의 방》에 대한 찬사

넋을 빼앗는 이 공상소설을 읽은 뒤, 독자들은 자신들도 만일 킹스 크로스 역에서 9와 4분의 3번 승강장을 찾을 수만 있다면, 호그와트 학교로 가는 기차를 탈 수 있다고 믿게 될 것이다.

—학교 도서 잡지, 우수 도서 리뷰

롤링의 이 소설은, 마술적이라는 그 줄거리의 토대를 전혀 망가뜨리지 않으면서 전통적인 영국의 학교 이야기를 편입시켜 기막힌 상상력으로 멋지게 쓰인 공상소설이다. 사실, 그녀의 이 매혹적인 소설이 유머러스하고 재미있고 즐거움을 주는 것은, 스포츠와 학생들의 경쟁과 별난 교사에 대한 그녀의 탁월한 공상 때문이다.

—북리스트, 우수 도서 리뷰

해리의 가족은 로날드 달이 '마틸다'에서 만들어 낸 가족 이후 아동문학에서는 가장 못되고 심술궂은 가족인 셈이다. 그에 반해 해리는 완전히 뜻밖의 그리고 나름대로 겸양을 갖춘 영웅이라 할 수 있다.

—학교 도서 잡지, 우수 도서 리뷰

익살이 넘치는 놀라운 소설이다. 이번에야말로 로널드 달의 명작들에 비견될 만한 작품을 보게 되었다. 올해에 꼭 읽어야 할 책이다.

—더 선데이 타임스

(……) 꼬마 마법사 해리 포터는 고전 명작의 모든 조건을 갖추고 있다. 롤링은 예민한 직감과 독창성이 가득한 고전적 서술 기법을 이용해서, 복잡하고 많은 노력을 요하는 이야기를 아주 재미있는 스릴러 형태로 표현해 냈다. 그녀는 일급 아동문학 작가이다.

—더 스콧맨

위트가 넘치는 복잡한 줄거리와 이미 영웅이 된 해리라는 인물에게 푹 빠지지 않는 아이는 아마 단 한 명도 없을 것이다.

—인디펜던트 온 세터데이

독창적인 기지로 쓰인 멋진 데뷔 소설이다.

—더 가디언

대단히 훌륭한 읽을거리이며 놀라운 작품이다. 해리는 영원히 기억에 남을 인물이다. 이 책은 한번 잡으면 절대 내려놓을 수 없다. 이야기 전개가 빨라 마지막 쪽까지 독자를 사로잡는다. J.K. 롤링은 확실히 놀라운 상상력의 소유자이며, 이 뛰어난 작품은 그녀가 다음에 쓸 작품을 기대하게 한다.

—웬디 쿨링

대단히 훌륭한 소설이다.

—더 선데이 텔레그래프

J.K. 롤링은 모든 연령층이 즐길 수 있는 책을 만들어 냈다. 2020년쯤에는, 수많은 애독자가 다이애건 앨리와 퀴디치 경기를 들먹이며 서로 이야기를 나누게 될 것이다.

—더 타임스

일단 잡으면 다 읽을 때까지 절대 내려놓을 수 없는 책이다. 놀라운 책이다.

—글래쇼 헤럴드

미스터리, 마법, 등장인물의 놀라운 개성, 그리고 더할 나위 없이 훌륭한 줄거리……. 이 책은 뛰어난 이야기꾼의 힘 있고 대담한 데뷔작이다.

—린제이 프레이저, 북트러스트 스코틀랜드

혹 마법이 어린아이들만을 위한 것이라고 생각한다면 해리 포터가 그러한 생각을 바꾸어 놓을 것이다. 그의 마법은 어른들에게도 매력적이다.

—제임스 노티

정말 재미있는 책이다. 그저 책을 펼치기만 하면 줄거리가 머리에 쏙쏙 들어간다. 나도 해리가 되어 선생님들에게 걸 마법의 주문을 만들고 싶다.

—톰 엘-샤크, 11세

해리 포터는 멋진 책이다. 한번 읽기 시작하면 절대 내려놓기 싫다. 나도 그랬는데, 내가 매일 밤 늦은 시간까지 불을 켜 놓는다고 엄마는 계속해서 잔소리하시곤 했다. 난 아빠께도 해리 포터 책을 보여 드렸다. 아빠는 지금 이 책을 읽고 계시다. 이것은 누구나 즐겨 읽을 수 있는 책이다. 정말로 멋지다.

—카트리나 패랜드, 10세

조앤 롤링,
해리포터를 쓰게 된 소녀

조앤 롤링은 1965년 7월 31일에 태어났다. 그녀의 여동생인 디앤은 2년 후에 태어났는데, 롤링이 어린 시절에 대해 떠올릴 수 있는 첫 번째 기억이 바로 디앤의 탄생이다. 그녀는 아홉 살이 될 때까지 여동생과 부모님과 함께 글로스터셔 주의 윈터본에서 살다가 쳅스토 근처의 텃실로 이사했다.

조앤 롤링(왼쪽)과 그녀의 여동생 디앤 그리고 엄마

조앤은 책 읽기를 좋아하는 부모님 덕분에 책에 둘러싸여 자랐다. 그녀는 "나는 책을 위해 살았다. 나는 주근깨가 나고 안경을 낀 지극히 평범한 모습의 책벌레였다"라고 말한다. 조앤은 아주 어린 시절부터 작가가 되기를 바랐는데, 첫 책은 여섯 살에 쓴 것으로 "래빗"이라 불리는 토끼에 관한 이야기였다. 그 후 열한 살이 되었을 때 그녀는 일곱 개의 저주받은 다이아몬드와 그것을 소유한 사람에 관한 이야기를 썼다.

조앤은 와이딘 중학교를 다녔고, 엑세터 대학에 입학하여 불어와 고전을 공부했다. 훗날 〈해리포터〉에 나오는 모든 주문들(대부분 라틴어를 기반으로 하고 있다)을 생각해 낼 때 고전을 공부한 것이 많은 도움이 되었다.

"잠자는 용을 간질이지 말라."
라틴어로 된
호그와트 마법학교의 모토다.

J.K. 롤링이 〈해리포터〉에 대한 아이디어를 떠올린 건 1990년 맨체스터에서 런던의 킹스크로스로 떠나는 기차가 지연되었을 때였다. 그 후 5년간 그녀는 일곱 권의 시리즈를 계획하기 시작했다. 그녀는 원고 대부분을 손으로 썼기 때문에 종잇조각들로 이루어진 노트가 산더미처럼 쌓였다.

토머스 테일러가 그린
초판 표지

그녀가 1993년 어린 딸 제시카를 데리고 에든버러에 도착했을 때, 그녀의 여행가방에는 《해리 포터와 마법사의 돌》 3장까지의 원고가 들어 있었다. 그녀는 어린 딸을 돌보는 한편, 짬이 나는 대로 글 쓰기를 계속했다. 마침내 집필을 끝냈을 때 그녀는 3장까지의 원고를 수많은 에이전시에 보냈고, 그중 한 곳에서 나머지 원고를 읽어 보고 싶다는 답신을 받았다. 롤링은 이를 두고 "인생을 통틀어 내가 받아본 가장 최고의 편지"라고 칭했다.

롤링이 첫 번째 책을 탈고하고 선생님이 될 준비를 하는 동안 블룸스버리 출판사는 〈해리포터〉의 출간을 결정했다. 《해리포터와 마법사의 돌》은 1997년에 출간되면서 순식간에 베스트셀러에 올랐고, 여러 나라 언어로 번역되었으며 전 세계적으로 퍼져나갔다. J.K. 롤링은 곧 팬들로부터 수천 장의 편지를 받게 된다.

〈해리포터〉 시리즈는 많은 기록을 갱신했다. 《해리포터와 죽음의 성물》은 2007년 영국에서 출간한 지 24시간 만에 265만 부가 팔림으로써 세상에서 가장 빨리, 가장 많이 팔린 책이 되었다.
〈해리포터〉 시리즈는 현재 77개 언어로 출간되었으며 전 세계적
으로 4억 5천만 부가 팔렸다.

J.K. 롤링에 대해 더 많은 것을 알고 싶다면

그녀의 웹사이트를 방문하세요.

www.jkrowling.com